구조통합 & 도수치료 전문가 매뉴얼

근막이완 요법

Myofascial Release Therapy

A Visual Guide to Clinical Applications

구조통합 & 도수치료 전문가 매뉴얼

근막이완요법

첫 째 판 1쇄 인쇄 | 2022년 08월 01일
첫 째 판 1쇄 발행 | 2022년 08월 12일

지 은 이 Michael J. Shea & Holly Pinto 지음
역   자 최광석
발 행 인 장주연
출 판 기 획 한수인
책 임 편 집 구경민
표지디자인 이종원
편집디자인 이종원
발 행 처 군자출판사
　　　　　등록 제4-139호(1991.6.24)
　　　　　(10881) 파주출판단지 경기도 파주시 회동길 338(서패동 474-1)
　　　　　전화 (031)943-1888 팩스 (031)955-9545
　　　　　www.koonja.co.kr

ISBN 979-11-5955-904-4

정가 45,000원

일러두기

■ 본문의 역주는 문맥 이해를 돕기 위해 역자가 첨가한 설명이다.

■ 본문에서 원저자가 중요하게 생각하고, 새롭게 정의하는 개념들은 한글 옆에 영어를 같이 표기했다.

■ 원저자가 inch와 pound로 제시한 길이와 무게 단위는 따로 meter와 kg 단위로 환산하지 않았다.

■ 본문에 나오는 인명과 지명은 외래어 표기법을 따르며 관행상 굳어진 표기는 그대로 실었다.

■ 본문의 의학용어는 구용어와 신용어를 적절히 병기하였다.

감사의 글

여러분이 운이 좋은 이라면 살아가면서 완벽한 스승을 만나 놀랄 만한 변화를 겪게 될 것입니다. 그런 면에서 전 정말 운이 좋았습니다. 마이클 시어 박사를 스승으로 만나 지난 25년 동안 그를 멘토로, 또는 친구로 함께 할 수 있었기 때문입니다. 온 마음을 담아 당신께 고마움을 전합니다. 저에게 가르쳐 주신 모든 것에 감사드려요. 당신은 여러 방면에서 제 인생에 영향을 주고, 또 저를 발전시켜 주었어요. 계속해서 영감을 주었으며, 현재 마사지테라피스트로 그리고 마사지스쿨의 대표로 있을 수 있는 것도 모두 당신 덕분이에요. 내 삶에서 당신을 만난 것은 정말 행운이었어요.

지난 25년간 저는 학생으로, 치료사로, 그리고 마사지스쿨의 대표로 마이클 시어 박사가 가르쳐준 근막이완요법을 사용해오고 있습니다. 그가 가르쳐준 내용은 시간이 지나도 변치 않고, 요즘에도 예전과 마찬가지로 유효합니다. 제가 배우고 익힌 정보를 재탄생시켜 매뉴얼을 제작하는 과정에 참여시켜준 것에도 감사한 마음을 전합니다.

나의 조수이자 훌륭한 마사지테라피스트인 안젤라 뱅크스Angela Banks에게도 감사한 마음을 전합니다. 끝없는 편집과 교정 과정에 도움을 줘서 고마워요. 당신의 도움, 인내, 사랑, 지지가 없었다면 이 책을 마칠 수 없었을 거예요. 당신은 놀라운 사람이에요.

나의 학생으로서 놀라운 피드백을 해준 로드니Rodney, 패티Patti, 제시카Jessica, 민디Mindy, 앨리샤Alicia, 아만다Amanda, 라−넬La-Nell, 브랜디Brandy, 마르타Martha, 젠Jen, 그리고 미카엘라Mikaela에게도 감사한 마음을 전합니다.

사진사인 웬디Wendy, 모델이 되어준 마르타Martha, 모두 고마워요.

여동생인 찬디 해밀Candi Hamill과 비키 캐머런Vicki Cameron에게도 고마움을 전합니다. 나를 고무시켜주고, 힘과 용기를 갖게 해준 것에 감사를 전합니다.

매일 더 나은 사람이 될 수 있도록 영감을 주는 우리 예쁜 두 딸, 에이미 로렌Amy Lorraine과 스테파니 로렌Stephanie Lauren, 너희 둘을 내가 정말 사랑한단다.

나의 충실한 스태프인 태미 비빈Tammy Bivin, 닉 게파트Nick Gephart, 그리고 안젤라 뱅크스Angela Banks. 여러분이 없었다면 이 책을 완성할 수 없었을 거예요. 특별히 게리 로빈Gary Rovin 박사와 다니엘 로빈Daniel Rovin 박사에게도 감사를 전합니다. 몇 년 동안 저에게 애정을 주고 격려해준 것에 대해 고마워하고 있어요. 당신들은 정말 최고예요. 인체에 대해 놀라운 지식을 지니고 있는 것에 감탄합니다. 당신들에게서 배운 모든 것이 특별해요. 애슐리 게인즈Ashley Gaines 박사에게도 매우 특별한 고마움을 전합니다.

CNMT인 돈 켈리^{Don Kelly}는 나의 NMT 강사였죠. 당신의 놀라운 지식을 나와 내 스태프와 함께 나누어 주셔서 정말 감사합니다. 주디스 딜레이니^{Judith DeLany}에게도 매우 큰 감사를 표합니다.

잠자리에서 일어나 지금 하고 있는 일을 매일 할 수 있음에 감사드립니다. 나는 이 일에 열정과 애정을 항상 크게 지니고 살아가고 있어요. 전 제가 운용하는 작은 마사지스쿨 그리고 거기서 일어나는 모든 일들을 좋아합니다. 이걸 가능케 하는 이들은 바로 저의 학생들입니다. 여러분이 저의 모든 것이에요. 여러분이 바로 저에게 매일 새로운 것을 가르쳐 준답니다. 이 근막이완요법 매뉴얼은 여러분 거예요.

— 홀리 핀토(Holly Pinto)

먼저 제 아내 케시Cathy에게 고마운 마음을 전하고 싶습니다. 그녀는 고맙게도 이 책에 나오는 모든 사진의 모델이 되어주었죠. 케시와 저는 1987년에 만났고, 사실 우리가 결혼하기 전부터 이 책에 나오는 테크닉 사진 작업을 시작했답니다. 사진을 찍어준 클로딘 랍스Claudine Laabs는 사우스플로리다South Florida의 저명한 자연물 사진작가 중 한 명입니다. 이 책에 나온 대부분의 사진도 실외의 자연광 아래에서 찍은 것이랍니다. 독자들이 이 책에서 보는 사진은 내가 근막이완요법 교육법을 발전시켜왔던 지난 몇 년에 걸쳐서 찍은 것들입니다. 클로딘이 찍은 이 사진들은 심미적인 즐거움도 선사합니다.

롤프 연구소에서 나를 가르쳤던 모든 선생님께도 감사한 마음입니다. 이제와 돌아보니 저는 참 가르치기 힘든 학생이었던 것 같습니다. 특히 피터 멜키오르 Peter Melchior 선생님이 생각납니다. 결국 저는 피터의 요청으로 그의 강습 보조를 하게 되었으며, 오랜 시간 그에게 많은 가르침을 받았습니다. 세상에서 가장 재능 있는 롤퍼 중 한 명을 알아가고 애정을 가지고 배울 수 있어서 감사한 마음을 전합니다. 또 저에게 처음으로 롤핑 세션을 해준 짐 애셔Jim Asher에게도 고마움을 전합니다. 롤프 연구소에 가입하기 위해 먼저 롤핑 세션을 받아야 했는데, 이때 세션을 해주고 추천까지 해준 이가 짐입니다. 짐은 1979년도에 롤퍼로서 경력을 쌓아나갈 때 여러 방면에서 조언을 해주었습니다. 저의 형제인 브라이언Brian 또한 롤프 연구소에서 트레이닝을 받았는데, 형제와 함께 바디워크 경험을 나누는 것보다 좋은 것은 세상에 없다는 말을 하고 싶네요. 내 다른 형제들 중 빌 스마이스Bill Smythe, 레이 맥콜Ray McCall 그리고 자매인 헤더 윙Heather Wing과 메간 제임스Megan James도 롤프 연구소를 거쳐갔습니다. 정말 많은 이들이 다양한 방식으로, 친절함과 유머로 나에게 도움을 주었습니다. 마지막으로, 근막이완요법 전문가이자 이 책의 초기 버전 편집을 도와준 제 친구 발레리 카루소Valerie Caruso에게 고마운 마음을 전합니다.

— 마이클 시어(Michael Shea)

목차
Contents

PART 3 유용한 아티클 모음

서론
Introduction

홀리 핀토(Holly Pinto)

근막이완요법은 현대를 살아가는 치료사들에게 다양한 형태도 활용된다. 따라서 여러분은 이 책에 소개된 이완 테크닉들을 개별적으로 사용하거나, 다른 기법들과 결합해 고객을 평가하고 치료하는 상황에서 활용해도 된다. 바디워크 영역에는 다양한 형태의 훌륭한 치료 모델이 존재한다. 그러니 여기서 배운 근막이완 도수치료를 여러분의 치료 도구와 함께 적절히 조합해서 쓰면 된다. 여러분이 현재 쓰고 있는 치료 테크닉과 믿음 체계를 깊게 탐구하는 것이 더 중요하다. 하나의 치료 체계를 탐구하면서, 고객의 신경계 리듬과 맞는 다른 기법으로 넘어가라. 요즘처럼 혼란한 세상에서는 단일 치료 체계에 경도되는 것보다 고객의 상황에 맞는 치료 전략을 적용하는 편이 훨씬 낫다. 성공적인 치료 세션을 진행하기 위해서는 좀 더 능수능란하게 고객에게 편안함을 전할 수 있어야 한다.

마이클 시어(Michael Shea)

나는 1979년부터 1982년 사이에 롤프 연구소 Rolf Institute에서 막과 막을 이완시키는 도수치료에 대해 많은 것을 배웠다. 하지만 이 책에 소개된 기법들이 롤핑 Rolfing은 아니다. 나는 롤핑에 관심이 있으신 분들이라면 콜로라도 Colorado 볼더 Boulder에 있는 롤프 연구소에서 주관하는 롤핑 트레이닝 코스를 통해 막을 이완시키는 지식을 더 배우길 권한다. 처음에 나는 다양한 형태의 정형학적 치료 기법과 뇌성마비 아이들을 치료하는 방법을 배우며 임상 경력을 쌓아나갔다. 롤프 연구소에서 배운 그 많은 인체 구조화 원리를 적용할 만한 여건이 안 되었다는 뜻이다. 그래서 고객 특히 유아와 청소년 치료 상황에 맞게 배웠던 것들을 응용하거나 변형해 적용해왔다. 동시에 나는 정골의학에서 전해진 막 도수치료뿐만 아니라 이 분야에서 일하는 여러 동료들의 접근을 통해 영향을 받았다. 근막이완이라는 용어는 원래 1950년대 초 정골의학 분야에서 개발된 막 도수치료 fascial manipulation에서 비롯되었다. 이 책에는 나와 내 친구들 그리고 동료인 홀리 핀토가 응용해서 만든 근막이완 테크닉들이 소개되어 있다. 하지만 내가 1980년대에 처음으로 배우고 실습을 했던 내용들 또한 여전히 효과적인 기법들이다.

난 1987년에 텍사스에서 처음으로 근막이완요법을 가르치기 시작했다. 홀리 핀토는 그때 진행했던 수업에 참여한 첫 번째 학생이었다. 그녀는 이후로도 나에게서 배운 것을 기반으로 자신의 멋진 임상 기법과 통합해서 경력을 쌓아왔다. 2014년에 홀리 핀토는 따로 시간을 내어 이 책에 나오는 내용 전체를 고객의 상황에 맞게 가르치고 적용해주었다. 이에 대해 큰 고마움을 전한다.

이 책은 3부로 구성되어 있다. 1부에서는 막의 해부학적 측면과 테크닉을 적용할 때 임상적으로 고려해야 할 부분을 다룬다. 2부에서는 사진과 함께 각각의 이완 테크닉을 상세히 설명하였다. 다른 분야 도수치료 전문가들도 여기서 소개한 내용을 자신의 테크닉과 즉시 결합해 활용할 수 있다. "테크닉 적용 과정" 부분에서는 각각의 테크닉 적용 과정을 간략히 요약해 설명했다. 하지만 본문을 대체하는 설명은 아니다. 그러니 각각의 이완 테크닉 설명 본문을 상세히 모두 읽고 활용하도록 하라. 마지막 3부에 소개한 아티클들은 나의 임상 경험을 통해 깨달은 내용이다. 반복되는 부분이 존재하지만, 각각의 아티클은 원래 나의 지식 기반을 정리할 목적으로 쓴 독립적인 글이다.

~ **Part 1**

그림
L'Etoile Perdue(1884)
William Bouguereau(French, 1825-1905)

이론과 적용

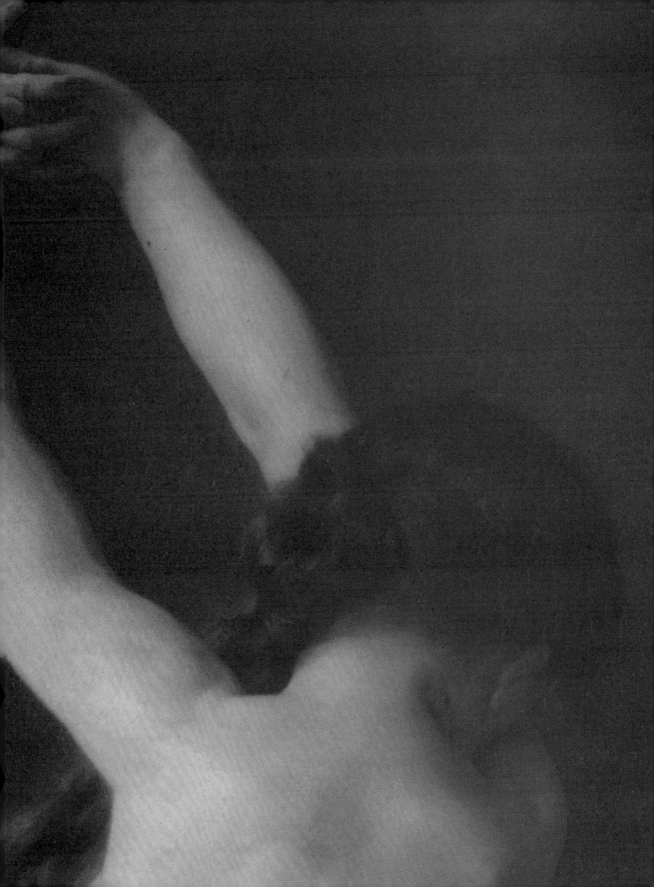

Chapter 1

근막이완:
전체론적 접근

Myofascial Release: A Holistic Approach

근막이완요법이 수십 년 동안 활용되어 왔는데도 이 기법에 대한 개념 설명이나 문헌 자료는 별로 많지 않다. 이 치료 시스템은 연부조직에 도수치료를 행하는 복잡한 기법들로 구성되어 있는데, 주로 요법을 행하는 치료사가 고객 신체의 해부학적, 기능적 측면, 그리고 신경학적 영향을 모니터하는 능력에 의존해 왔다. 근막이완요법은 미국의 정골요법가들에 의해 발전되었지만, 막fascia에 대해 중요한 임상적 유효성이 논의되면서부터 정골요법 분야에서 거의 분리되는 추세를 밟아왔다. 이러한 경향성은 1950년 이후부터이며 그 역사는 길지 않다.

– Ward, 1993, p.225

여전히 오늘날에도, "지지 기관으로써 막과 그 기능에 대한 연구는 수십 년간 많은 이들에게 무시되거나 간과되고 있다"(Findley & Schleip, 2007, p.2). 하지만 최근에 와서 막 자체와 막에 대한 연구에 관심이 조금씩 높아지고 있다. 2007년 10월 국제 막 연구회의International Fascia Research Congress가 열리자 이 분야의 저명한 연구자들과 전문가들이 모였고, 보스턴에 있는 하버드 의대에서 열린 이 첫 번째 막 연구회의는 성황리에 막을 내렸다. 두 번째 회의는 2009년 암스테르담에서 열렸고, 세 번째는 캐나다 밴쿠버에 있는 브리티시 컬럼비아 대학에서 열렸다. 네 번째는 2015년 워싱턴 DC에서 열렸다. 이들 회의는 인체의 막시스템fasciae system에 대한 최근 연구 성과를 발표하는데 초점이 맞추어져 있다. "막 연구회의는 막의 구조와 기능을 논의하는 첫 번째 국제적 모임이다"(Findley & Schleip, 2007, p.2).

근막이완요법을 배울 때는 보통 인체의 연부조직, 특히 막을 다루는 포지셔닝 테크닉*이나 스트로크 기법**을 익히게 된다. 근막이완요법의 테크닉은 크게 아이다 롤프Ida P. Rolf 박사가 개발한 롤핑Rolfing같은 직접테크닉direct technique 또는 근에너지테크닉이나 스트레인/카운터스트레인 같은 간접테크닉indirect technique 으로 구분된다(Greenman, 1989). 여기에 관절운동학arthrokinematics에서 활용되는 관절 생체역학 법칙이 가미되어 치료에 활용되면 근막 도수치료myofascial manipulation로 불린다. 어떤 근막이완 기법을 활용할지 결정하기 위해서는 환자가 현재 보이는 증상, 의사의 진단, 그리고 치료사의 평가 기법이 총동원 되어야 한다. 그리고 치료 테크닉과 전략을 지속하기 위해서는 고객의 신체와 감정의 임상적 변화를 관찰하여 피드백하고 여기에 치료사의 주관적 경험이 가미되어야 한다. 고객이 보이는 증상과 의사의 진단이 치료 테크닉을 결정하는데 중요한 요소이긴 하지만 실제로는 근막

---

* 특정 자세를 취한 후 중력의 영향력을 활용해 연부조직을 이완시키는 테크닉
** 일정 방향으로 조직을 밀거나 끌어서 신장시키는 기법

이완요법을 하는 치료사의 배경지식과 숙련도가 직접테크닉과 간접테크닉을 결정하는데 더 큰 영향을 미친다고 할 수 있다.

간접테크닉을 쓰든 직접테크닉을 쓰든 상관없이 중요한 질문은 다음과 같다. "어떻게 이렇게 다른 기법들을 조합해 임상적인 효과를 낼 수 있을까?" 이 장에서는 전체론적 관점holistic point of view에서 근막이완요법의 임상적 유효성에 대해 살펴볼 예정이다. 처음엔 테크닉 자체보다 근막을 이완시키는 기술들skills에 대해 살펴보고, 다음으로 막 결합조직에 대한 전체론적 원리와 특정 치료 전략을 소개한다. 끝부분엔 전체론적 모델holistic model에 기반을 둔 결론을 제시한다. 근막이완요법의 기법들이 대부분 전체론적 접근을 취하기 때문에, 이 장의 첫 부분도 이러한 전체론적 기법으로 시작하고, 끝맺음도 전체론적 기법*으로 할 예정이다.

---

* 기법skills과 테크닉technique을 구별해서 번역하였다. 근막이완요법에서 테크닉은 크게 간접테크닉과 직접테크닉으로 구분되고, 기법은 각각의 테크닉을 이루는 세부적인 방법을 가리킨다. 예를 들어 위팔두갈래근 이완 테크닉과 싱크 기법은 서로 구분된다. 하지만 문맥에 따라 반드시 구분을 해야할 상황이 아니면 이 둘이 혼용되기도 한다.

전체론적 기법들
Holistic Skills

고객이 언어적으로, 비언어적으로 표현하는 것을 리스닝^{listening} 하는 것이 근막이완요법을 전체론적으로 활용하는데 있어 핵심이다. 리스닝을 주의해서, 섬세하게 하지 못하면 치료실에 방문한 개인의 독특한 이야기를 학술적으로도 그리고 주관적으로도 제대로 판단하지 못하게 된다. 고객의 신체는 치료사에게 많은 정보를 제공한다. 이는 고객의 언어를 주의깊게 리스닝해야 알 수 있다(Maitland, 1986). 이렇게 깊은 리스닝을 하기 위해서는 치료사가 충분한 시간을 두고 체계적으로 접근해야 하며, 고객이 전하는 아주 미묘한 정보에도 신뢰있는 태도를 보여야 한다. 고객이 하는 모든 말과 움직임엔 목적이 담겨 있다. 고객은 믿음을 주는 치료사에게 자신의 스토리를 드러낸다.

깊은 리스닝을 하면서 고객이 스스로 이야기를 꺼낼 때까지 판단을 보류할 필요가 있다. 성급하게 일찍 결론을 내리면 고객이 지닌 독특한 문제를 간과하기 때문이다. 주의를 집중한다면 고객의 진정한 문제를 치료사가 충분히 알아챌 수 있다. 이러한 리스닝 기법에는 치료사와 고객이 지닌 서로 다른 기대치를 밝혀내는 것까지 포함된다. 치료사와 고객은 둘 다 해당 치료를 함에 있어 기대하는 바가 있다. 꼭 말로 표현하지 않았지만, 또 치료를 하고 있는 도중엔 모를 수도 있지만, 이렇게 서로 다른 기대치를 조율할 필요가 있다는 뜻이다. 이 경우와 맞는 좋은 질문은 다음과 같다. "치료사는 고객과의 관계에 있어 어떤 의도를 지니고 있는가? 치료사의 의도는 고객의 의도와 서로 부합되는가?"

　같은 언어를 쓰는 사람들 사이의 대화는 보통 자동적으로, 복잡하지 않게 이루어진다. 하지만 이 경우에도 오해의 소지가 충분히 있을 수 있다. 그렇기 때문에 서로 관점이 다른 사람들 사이의 대화는 훨씬 많은 오해를 낳을 수밖에 없다. 특히 타인에게 낯선 개념과 아이디어를 굉장히 많이 사용해야 하는 대화에서는 이런 문제가 가중된다. 만일 치료사가 고객의 신체적 문제를 충분히 이해하고 있다면 언어적 소통과 비언어적 소통 모두에 주의를 기울여, 깊이 있고 체계적으로 접근한 후, 복잡한 문제를 유연하게 다루어야 한다. 특히 치료사가 고객과 집중적으로 대화를 충분히 하면서 소통하면, 그래서 고객의 신체 감각과 자세를 연계시킬 수 있다면, 그 자체로 근막을 이완하는데 있어 매우 정교한 하나의 기법이 된다.

　인체에는 스트레스와 트라우마에 적응하고 보상하는 정교한 능력뿐만 아니라 정보를 전달하는 능력도 존재한다. 고객의 신체에서 드러나는 문제의 단서는 객관적 검사만으로 완전히 파악하기 어렵다. 특히 고객이 아주 어린 시절에 겪은 사건이나 현재 겪고 있는 사회적, 심리적 문제는 쉽게 파악하기 어려운 문제 중 가장 흔한 것들이다. 자동차 사고로 부상을 입은 고객을 치료할 때, 사고를 당했을 때 그가 어디를 가고 또 어디에서 오고 있었는지 단순히 물어보는 것만으로도 엄청난 양의 정보를 확보할 수 있다. 고객이 전하는 이렇게 미묘하지만 신체 문제와 서로 연관성을 지닌 정보는 가치를 따질 수 없을 정도로 귀하다. 전체론적 관점에서 보면, 고객이 자신의 신체와 동조되면 될수록 좀 더 미묘한 문제, 하지만 치료와 연관된 문제를 더 잘 인지하게 된다. 그러므로 고객이 사소한 것이라도 알아챘을 때, 그것을 치료사에게 잘 전할 수 있도록 교육하는 것도 치료사의 역할 중 일부이다.

　적절하고 통찰력 있는 관찰 기법을 개발하는 것이 전체론적 근막이완요법의 또 다른 핵심이다. 시각의 80퍼센트는 뇌 안의 신경 네트워크에 의해 이루어지며 망막은 겨우 20퍼센트만 이에 관여한다(Varela, Thompson, &Rosch, 1992). 이러한 사실은 임상적으로 중요한 의미를 지니며, 고객을 관찰할 때 많은 생각을 불러 일으킨다. 치료사는 정상적인 몸이라면 이렇게 보여야 하고, 저렇게 움직이거나 동작을 행할 수 있어야 한다는 이론적 배경지식을 지니고 있다. 하지만 이런 생각은 고객의 개별적 신체 상태와 부합되지 못하는 경우가 많다. 치료사가 지닌 선입견은 고객 치료에 있어 의식적인 부분과 무의식적인 부분 모두에 영향을 미친다. 따라서 관찰 기법에는 고객을 전체론적으로 바라보는 태도도 포함된다. 다시 말해, 고객을 일련의 증상이 모인 환자로 보기보다는 전체적으로 한 명의 인간으로 보는 태도가 필요하다. 그리고 고객을 전체적으로 바라보는 생각과 태도는 고객보다 치료사에게 더욱 필요한 덕목이다.

관찰 방식에 의해 근막이완요법 적용 형태가 달라질 수 있는데, 전체론적 관찰 기법은 주로 치료사의 자기 성찰에 기반을 두고 있다. 치료사는 근막이완요법을 하는 가운데 자신이 느끼는 감각, 감정, 내면에서 올라오는 생각에 주의를 기울이면서 고객과 공명한다. 하이젠베르크는 불확정성 원리에 대해 이야기했다. 이 이론에 따르면 관찰 대상에 변화를 주지 않고 무언가를 관찰할 수 없다고 한다. 그렇다면 치료사가 고객을 관찰하는 방식 자체가 고객에게 영향을 미칠 수 있지 않을까? 치료사가 순간에서 순간으로 의식을 집중하는 방식이 고객의 몸과 마음 상태에 영향을 미칠 뿐만 아니라 치료사 자신의 몸과 마음 상태에도 영향을 미칠 수 있고, 이 과정에서 의미가 드러난다. 그러므로 치료의 명확성 또한 이러한 의식 집중의 질에 의해 결정된다. 이러한 방식을 종종 현존presence이나 그라운딩grounding 등과 같은 용어로 표현하기도 한다.

치료사들은 고객에 대해(이 사람은 매력적이다. 이 사람은 슬퍼보인다. 등등) 그리고 자기 자신에 대해(나는 피곤해, 난 집에 가고 싶어, 등등), 치료와 무관한 생각도 많이 하는데, 이러한 감각은 부수현상epiphenomenon으로 간주된다(Sheets-Johnstone, 1992). 보통 감각과 감정은 주관적이어서 종종 치료 세션에서 고객-치료사 관계와 별로 관련이 없는 것으로 치부되곤 한다. 하지만 개인적인 생각과 감정도 중요하며 치료사와 고객의 관계맺음에 영향을 미치는 요소이다. 여기엔 심리학의 대상관계 이론인 전이transference와 역전이countertransference 문제가 개입된다. 다시 말해, 치료사의 자기성찰self-reflection이 고객에게 가하는 접촉의 질, 양, 깊이, 지속시간을 결정하는데 영향을 미친다는 뜻이다. 예를 들어, 치료사가 자신의 개인적인 삶의 문제에 경도되어 있다면, 때때로 이러한 문제가 치료실까지 이어져 고객을 치료할 때 주의분산 문제를 야기할 수 있고, 결과적으로 접촉의 질과 치료 결과에까지 영향을 미칠 수 있다.

고객이 몸으로 경험하는 독특한 내용을 파악할 수 있는 관찰 기법skills of observation을 개발하기 위해서는 치료 감각이 있어야 한다. 이러한 감각은 고객 신체의 균형, 구조, 모양을 파악하는 심미안과 결부된다. 특히 몸의 대칭성을 관찰하는 감각과 신경계의 항진, 안정, 해소 상태를 알아보는 눈이 중요하다. 균형, 구조, 모양, 이렇게 관찰의 3차원을 심미적으로 파악할 수 있으려면 소프트시잉soft seeing과 광각시야wide angle viewing가 필요하다.

먼저 고객의 근골격계를 치료하기 위해서는 대칭성이 있는 상태와 대칭성이 부족한 상태를 관찰을 통해 학습해야 한다. 대칭성은 무엇보다도 인체가 중심선에서부터 발생학적으로 발달해 온 결과물이다. 치료사는 고객을 관찰한 후 한쪽 어깨가 높거나 한쪽 다리가 짧은 모습 또는 한쪽 골반이 더 높거나 머리가 중심선에서 벗어나 있다는 사실을 알아챈다. 하지만 발생학적인 발달 과정에서 보면 인체는 대칭적으로 디자인되어 있지 않다(Blechschmidt & Gasser, 1978). 인체는 모두 내적, 자연적, 좌우, 전후, 상하 구분되는 점이 있다(Dychtwald, 1977). 하지만 실제로 인체는 DNA와 RNA 이중나선 패턴을 모방하며 중심선에서부터 나선형 패턴으로 발달한다(Dart, 1950). 그렇기 때문에 인체를 대칭적으로 보기보다는, 구조와 균형을 전체적으로 보고 접근해야 하며, 이런 접근을 하기 위해서는 다른 종류의 시야가 필요하다.

대칭성이 떨어졌는지 관찰하는 것만으로는 정형학적 트라우마를 경험한 고객에 대한 정확한 정보를 파악하긴 어렵다. 하지만 여기에 소위 소프트시잉을 개발한다면 고객 신체의 이력을 좀 더 면밀하게 파악할 수 있다. 소프트시잉Soft seeing이란 중추신경계, 자율신경계, 장신경계에 의해 드러나는 고객의 신체 증후를 파악하고, 이들 신경계가 막을 통해 스트레스, 쇼크, 트라우마를 매개하는 방식을 추적할 수 있는 관찰 기법의 일종이다. 소프트시잉으로 관찰해야 할 것에는 고객의 피부 색, 자세 톤, 급속안구운동, 근수축 패턴, 그리고 떨림, 전율, 호흡 변화, 목소리 패턴, 발한 등과 같은 미세움직임(**근섬유다발수축**)이 포함된다. 이들은 자율신경계가 항진되었음을 알리는 신호이다. 고객의 신체는 내재하는 스트레스와 트라우마를 이러한 증후를 통해 드러내고 있을지도 모른다(Levine, 1997).

자율신경계는 교감신경계와 부교감신경계로 구별된다. 임상적으로 교감신경계가 항진되면 부교감신경에도 영향을 미친다(Siegel, 1999). 이는 두 신경계가 서로 상호적으로 기능하도록 디자인되었음을 의미한다. 고객의 미주신경 브레이크vagal brake가 작동하여 항진된 교감신경계 톤을 낮추면 부교감신경계의 톤이 올라간다(Porges, Doussard-Roosevelt, & Maiti, 1994). 치료사는 고객의 자율신경계가 활성화되고 항진되었다가 안정되고 해소되는 주기를 관찰하여야 한다. 이렇게 자율신경계의 주기를 잘 관찰하면 근막이완요법을 통해 좀 더 임상적으로 유효한 결과를 도출할 수 있기 때문이다. 치료사는 고객의 자율신경계 스타일에 맞추어 도수치료의 속도를 조절할 수 있어야 한다. 그러므로 소프트시잉 기법은 고객이 약속을 잡고 치료실로 걸어 들어오는 순간부터 시작되며, 치료사가 고객 신체에서 일어나는 자율신경계 활동을 관찰하며 치료를 해나가는 과정 전체에 적용되어야 한다.

고객의 교감신경계가 항진되었다는 것을 알아채는 일은 매우 중요하다. 왜냐면 교감신경계가 과도하게 활성화되면 신체가 과항진되어 근막이완 효과를 대폭 떨어드리기 때문이다. 교감신경계 항진과 관련된 임상적 증후는 고객이 앉아 있을 때, 서 있을 때, 또는 치료 테이블에 누워 있을 때와 상관없이 관찰할 수 있다. 자율신경계 관련 문제는 스트레스, 쇼크, 트라우마에 의해 야기되는데, 이런 것들은 근막이완 테크닉을 적용할 때 치료 속도를 늦추고, 접촉을 가볍게 하며, 고객과 언어적으로, 운동학적으로 소통함으로써 해결할 수 있다. 치료 중 고객의 신체에서 미세한 근섬유다발수축fasciculation이 저절로 일어나면, 치료사는 이에 대해 고객을 안심시킬 필요가 있다. 근막이완을 하는 중에 이런 미세움직임이 일어날 수 있다는 사실을 고객이 인지하고 있다면, 그리고 그 상태를 치료사가 평가하거나 방해하지 않으면, 그런 현상은 자연스럽게 흘러가기 때문이다. 그렇게 되어야 치료사가 현재 적용하고 있는 근막이완요법과 고객의 몸에서 일어나는 자율신경 반응 사이에 통합이 일어나며, 기존의 트라우마가 재발되는 것을 피할 수 있다(Levine, 1997).

전체론적 근막이완요법Holistic myofascial release의 목적 중 하나는 치료사들이 환자를 새로운 눈으로 보고 새로운 손으로 대할 수 있도록 하는 것이다. 치료사들은 고객을 불균형한 외형과 토로하는 불만으로 평가하는 것이 아닌 온전한 한 명의 인간으로 대할 수 있어야 한다. 고객이 전하는 내적인 감정과 사회적 환경에서 비롯되는 비언어적 메세지에도 관심을 기울일 수 있어야 한다. 고객이 살아온 다양한 문화적 배경까지도 이해하고 포용할 수 있어야 한다는 뜻이다. 예를 들어, 치료실 안에서 속옷을 입는 방식도 치료를 받는 고객이 살아온 환경에 따라 다를 수 있고,

때론 치료사를 당황케 할 수 있다. 하지만 이러한 당황과 혼란 또한 접근법을 달리할 수 있는 기회로 삼아 고객을 이완시키는 계기로 삼을 수 있다. 치료사들은 고객 개인에게 적합하고 좀 더 효율적인 접근을 취해야 한다. 성공적인 치료 결과를 얻기 위한 핵심은 고객이 안전하다고 느낄 수 있게 대하면서 동시에 신뢰를 얻는 것이다.

전체론적 근막이완요법에서는 살아온 과거 경험에 의해 구조화된 고객의 몸을 살핀다. 치료사는 근막이완요법을 통해 이렇게 구조화된 몸을 재구조화시켜 새로운 구조가 창조될 수 있는 계기를 제공한다. 정형학적 부상, 쇼크, 트라우마, 스트레스 등에 의해 세상과 접촉하는 방식이 뒤틀리면, 고객의 내부 세계도 왜곡된다. 고객을 치료하는 전체론적인 접근법은 이렇게 왜곡된 근막패턴myofascial patterns을 재조정하는 것에 집중한다. 이러한 접근법의 목표 중 하나는 바로 고객이 내부에서 신체를 경험하는 방식과 외부 세계와의 관계 사이에 상호연결성을 경험할 수 있도록 돕는 것이다. 여기엔 감각, 느낌, 감정이 몸 안에서 어떻게 구조화되는지, 그리고 어떻게 의미와 기억에 영향을 미치는지도 포함된다(Keleman, 1986).

지금까지 이야기했던, 전체론적 근막이완요법을 구성하는 요소에 대해 요약 정리하자면 다음과 같다. 첫째, 이 접근법에서는 고객 개인의 생각과 느낌에 관심을 기울인 다음 지금 이 순간에 의식 집중을 하며 치료해 나간다. 둘째, 고객은 전체적으로 독특한 존재이기 때문에 주의깊게 리스닝하며 관찰해야 한다. 셋째, 고객이 경험하며 살아온 과정을 통해 형성된 균형, 구조, 형태를 심미적으로 바라볼 수 있어야 한다. 특히 자율신경계 징후에 집중한다. 근막이완요법은 조각 도구이며 치료사는 조각가이다. 지금까지 설명한 기본적인 기법들이 바로 근막이완 치료 계획을 짜는 근간을 이룬다. 이게 바로 근막이완요법을 전체론적으로 이해하는 시작점이다.

막의 전체론적 측면
Holistic Aspects of Fascia

근막이완요법을 전체론적으로 적용하기 위해서는 막시스템fascial system의 생물학적 원리와 시스템적인 특징에 대해 이해하는 것이 중요하다. 여러분이 여기서 알아야 할 첫 번째 원리는 바로 막시스템은 전기적, 화학적, 자기적으로 소통하는 유기결정organic crystal 시스템이라는 사실이다(Oschman, 1993a). 정형학적 부상, 스트레스, 쇼크, 트라우마를 겪게 되면 인체의 생전기자기적bioelectromagnetic 환경이 세포 수준에서부터 변하는데, 막과 같은 결정물질crystalline substance에 압력이 가해지면 해당 조직의 전기장이 변하게 된다. 이렇게 막의 결정격자crystalline lattice에 압력이 가해지면서 생기는 변화를 압전효과piezoelectric effect라 한다. 막은 반도체semiconductor이다. 그러므로 근막이완요법을 통해 인체의 막에 압력을 직접적으로 가해 해당 조직의 생전기자기적 환경을 변화시키거나 개선시킬 수 있다. 비록 이 분야에 대한 연구가 더 필요하긴 하지만, 인체의 생전기자기적 환경을 개선시키면 순환을 촉진시켜 치유반응시간healing response time을 빠르게 할 수 있다는 사실은 이미 알려져 있다(Rubik et al., 1994).

두 번째로 알아야 할 것은 막시스템이 인체의 모든 근육, 장부, 뼈를 둘러싸고 있으며 연결되어 있다는 사실이다. 특히 얕은근막superficial fascia은 진피하층에서 하나로 연결된 막층을 이룬다. 발과 발목에 있는 지지띠retinaculum는 두툼한 막으로 인체의 깊은 층과 얕은 층에 있는 막을 연결하는 다리 역할을 한다. 막은 결합조직에 속하며, 아교섬유, 탄력섬유, 그물섬유 등을 포함하고 있다(Oschman, 1984). 이 중에서 아교섬유collagen fiber는 네 개의 범주로 구분할 수 있다. Type I 아교 섬유는 성긴결합조직과 치밀결합조직에서 발견되며 가장 흔하다. Type II 아교섬유는 유리연골hyaline cartilage에서 발견되며, Type III 아교섬유는 태아의 진피와 동맥의 내벽에 존재한다. 그리고 Type IV 아교섬유는 세포 바닥막basement membrane에 존재한다(Grodin & Cantu, 1992). 인체에 있는 모든 세포의 핵은 미세관microtubules을 통해 바닥막의 벽까지 이어지고, 여기서 다시 막 자체의 아교섬유까지 구조적으로 연결되며 소통한다(Grodin & Cantu, 1992). 이것이 암시하는 바는 근막이완요법을 적용했을 때 국소적인 차원뿐만 아니라 계통적인 차원까지 영향을 줄 수 있다는 것이다. 따라서 치료사는 고객의 몸 전체를 관찰하여 막과 자율신경계의 상호연결성까지 살펴야 한다. 왜냐하면 자율신경이 직접적으로 막까지 연결되어 있기 때문이다.

막에 대해 알아야 할 세 번째 생물학적 원리는, 모든 결합조직은 바탕질ground substance로 이루어져 있다는 것이다. 바탕질은 수분을 다량 함유하고 점성과 무정형성을 지닌 용액이며, 여기엔 아교섬유뿐만 아니라 섬유모세포fibroblasts 같은 특수한 세포들도 포함되어 있다. 조직학적으로 보면 섬유모세포는 결합조직 안에서 주로 분비세포 역할을 하며, 바탕질뿐만 아니라 아교섬유, 탄력섬유elastin fiber, 그물섬유reticular fiber에도 존재한다. 바탕질은 영양물질을 확산시키고 노폐물질을 처리하는 기능을 하며, 박테리아나 다른 미생물들이 침투하지 못하도록 막는 기계적 관문mechanical barrier 역할도 한다. 이렇게 다양한 종류의 아교섬유와 바탕질을 합쳐서 세포바깥바탕질이라 한다(Grodin & Cantu, 1992).

바탕질의 주된 구성 물질은 글리코사미노글리칸glycosaminoglycans과 물이다. 글리코사미노글리칸은 공식적으로는 산성점액다당류acid mucopolysaccharides로 명명된다. 이들은 황산화 그룹과 비황산화 그룹으로 나눌 수 있고, 비황산화 그룹엔 히

알루론산hyaluronic acid이 많으며 물과 결합한다. 결합조직은 약 70% 정도의 수분을 함유하고 있기 때문에, 이 수분 함량이 변하면 바탕질에 있는 섬유사이간격interfiber distance에 치명적인 영향을 미치게 된다. 연부조직에 상처가 생기면 바탕질에 탈수 현상이 일어나고, 이로 인해 아교섬유가 서로 결합하여 젤-솔 관계gel-sol relationship 를 형성한다. 막시스템에 정형학적 트라우마나 이와 연관된 스트레스가 발생해도 바탕질에 탈수화가 진행되며, 결국 아교섬유의 섬유사이간격이 짧아진다. 이 탈수 화로 인해 바탕질은 아교glue 또는 젤gel과 같은 상태가 된다. 아교섬유가 서로 교차 하기 시작하면 몸을 보호하기 위해 좀 더 단단하게 뭉치는데, 근막이완요법에 특정 한 목적을 지닌 움직임을 가미하여 세션을 진행하면 바탕질의 탈수화를 되돌려 젤 상태를 용액 상태로 역전시킬 수 있다. 그러면 꼬인 아교섬유가 풀리며 섬유사이간 격이 건강한 상태로 회복된다. 이건 바로 막이 지닌 젤-솔 관계 때문에 가능한 일 이다. 임상적으로 부상이 있는 곳 주변의 피부와 막이 단단하고 건조하게 느껴지곤 하는데, 적절한 도수치료가 가해지면 조직에 가볍고 부드러운 느낌이 생긴다. 바탕 질에서 일어나는 이 모든 변화는 막의 생전기자기적 환경에서 기인한 것이다.

네 번째 원리는 막이 스트레스stress와 스트레인strain에 반응하는 유동시스템 fluid system처럼 작용한다는 사실이다. 생명체에 스트레스와 스트레인이 가해지는 것을 생체유동학biorheology에서는 전단력shear force과 장력tension이라는 용어로 설 명한다. 막은 아교섬유가 지닌 장력 때문에 비뉴턴형 유체/반고체non-Newtonian-type fluid/semi-solid 속성을 지니며 카오스 행동chaotic behavior을 드러낸다. 그렇기 때문에 이 막시스템에 스트레스가 가해지면 예측하기 어려운 결과가 발생할 수 있다. 다시 말해, 막시스템에 부상이 발생하면 국소적인 부위에서 뿐만 아니라 몸 전체 시스템 에서 보상compensation 작용이 일어난다. 하지만 어떤 보상패턴compensatory patterns 이 일어날지 예측하긴 어렵다(Feitis & Schultz, 1996). 몸-내장Somato-visceral 상호작 용과 내장-몸viscero-somatic 상호작용이 일어나는 곳은 척수 분절에만 한정되진 않는다(Patterson & Howell, 1989). 내장 입력visceral input 신호는 몸들신경somatic afferents 정보와 함께 관련된 척수에서 만나지만, 다른 분절의 척수 분절뿐만 아니라 척수 전체와 뇌에도 영향을 주어 하나의 상동뉴런풀homogenous neuronal pool을 형성한다 (Willard & Patterson, 1992). 이는 무릎관절에 단순한 통증이 발생한다고 해도 인체 시스템 전체에 영향을 미칠 가능성이 존재할 수도 있다는 의미이다. 또한 만성과 급성 신경뿌리자극nerve root irritation이 발생하면 관련된 막시스템뿐만 아니라 몸 전체에서 문제가 발생할 수 있다. 만성 무릎통증과 같은 몸 문제는 방광, 간과 같은 내장 문제까지 일으킬 수 있으며, 이로 인해 눈과 다른 부위까지도 안 좋은 영향이 미칠 수 있다.

통각Nociception은 통증 감각이며 인체와 중추신경계에 광범위한 영향을 미친다. 통각 때문에 적응 반응이 유도되어 국소적이면서도 동시에 중추적인 영향이 전해진다는 의미이다. 그러므로 몸의 특정 부위에 아주 작은 부상을 입더라도, 이 문제가 스트레스 상황을 야기하면 몸 전체 시스템에 매우 커다란 반향을 불러 일으킬수 있다(Willard & Patterson, 1992). 예를 들어, 간헐적 변비와 같은 무증상 내장 문제가 발생한 고객은 발목염좌가 생겼다가, 두통, 불면증으로 발전할 수 있다. 다시 말해, 겉으로 보기엔 무해한 사건 때문에 일정 기간 동안 만성통증이 발생할 수도 있다는 뜻이다.

막과 관련된 다섯 번째 생물학적 원리는, 인체가 제거할 수 있는 것보다 더 많은 막이 생성될 수 있다는 것이다. 과학자들은 생명체가 환경에 빠르게 적응하는 패턴을 발전시키려는 경향성을 진화 과정의 일부로 여긴다(Oschman, 1993a). 인체의 연부조직에 어떠한 종류의 손상이 일어나더라도 이를 치유하기 위해서는 조직이 짧아지고 단단해지는 과정을 겪는다. 이 과정에서 손상 후 20분 이내에 아교섬유가 뭉치는 변화가 일어나거나, 자세의 비틀림이 지속된다. 이러한 비틀림의 시간이 오래될수록, 그리고 고정된 자세가 오래 유지될수록, 아교섬유는 더욱 뭉쳐서 이전에 본 적 없는 딱딱한 섬유를 형성하고, 시간이 지남에 따라 이렇게 딱딱하게 뭉친 섬유가 손상을 입은 부위 위아래에 있는 관절로 퍼져나간다. 막은 위에서 아래로, 바깥에서 안으로, 다층의 연속체를 이루기 때문에 막이 뭉치면 몸 전체가 영향을 받는다. 이는 근막통증후군myofascial pain syndromes이 있을 때 반사적 현상이 일어나는 것을 설명해준다(Travell & Simons, 1992). 그렇기 때문에 몸 전체의 막시스템이 트라우마와 손상에 어떻게 보상compensate, 적응adapt하는지 아는 것이 근막이완 치료에서 중요한 요소이다.

치료 전략
Treatment Strategies

근막이완 치료를 하는 중에 보통 얕은근막superficial fascia에서 처음 20~30분을, 다음으로 깊은근막deep fascia에서 10~15분 정도의 시간을 투자한다. 그리고 치료 끝부분엔 다시 얕은근막으로 돌아와 해당 근막의 일부를 조직화organizing시키는 통합근막을 다룬다. 보통 통합근막integrative fascia이란 척추기립근(척추세움근)을 둘러싸고 있는 대부분의 척추옆근막paraspinal fascia을 가리킨다. 척추옆근막을 조직화시키면 생체역학적인 측면에서 치아인대denticulate ligaments와 경질막 연결을 통해 뇌와 척수에 직접적이며 긍정적인 효과를 줄 수 있다. 여기엔 바스톤총Baston's plexus으로 알려진 척추의 혈관과 림프관도 포함된다. 이렇게 인체의 중추와 중심선을 통해 조직의 변화가 직접적으로 생물학적, 신경학적으로 뇌와 척수로 전해진다.

한 명의 고객에게도 다양한 형태의 치료 세션이 가능하지만, 세 개의 세션을 하나의 단위로 구성할 수도 있다. 세 개의 세션을 하나의 단위로 근막이완 치료에 적용할 때 가능한 옵션은 다음과 같다. 먼저 다리뼈와 골반대(다리이음뼈)에서 하나의 세션을 하고, 다음으로 견갑대(어깨이음뼈)와 어깨뼈에서, 그 다음엔 몸의 중심축과 척추에 특화된 세션을 해서 첫 번째 트라이애드triad 세션을 진행한다. 얕은근막에 세션 세 번, 깊은근막에 세션 세 번, 그리고 척추옆근막에 통합세션 세 번을 하는 방식으로 트라이애드 세션을 구성할 수도 있다. 이러한 트라이애드는 다양한 조합이 가능하다.

이제 인체를 조직화하는 또 다른 세 가지 컨셉을 소개하도록 하겠다. 첫 번째는 몸통을 중심으로 등쪽근막dorsal fascia과 배쪽근막ventral fascia은 스트레스 받거나 손상을 당하면 가쪽으로 밀려나는 경향이 있다는 것이다. 이러한 사실은 많은 치료사들이 임상 관찰을 통해 도출해 낸 결론이다. 이게 의미하는 것은, 근막이완요법을 할 때 치료사들이 배부위와 흉곽(가슴우리)의 근막을 위쪽과 척추 방향으로 이완시켜야 자세톤postural tone을 회복시킬 수 있다는 뜻이다. 그런 다음 척추기립근(척추세움근) 위쪽 근막은 안쪽과 아래쪽으로, 승모근(등세모근)에서 천골(엉치뼈)까지 이완시킨다. 배쪽근막은 앞쪽에서는 위로 들어올리고, 뒤쪽에서는 아래로 내리는 방식으로 단순하게 이완시키면 된다.

근막제한fascial restrictions이 있는 부위를 이완시키는 전략은 막시스템의 기능적 분할 상태에 따라 달라진다. 또한 얼마나 적절한 접촉을 막시스템에 적용하느냐에 따라서도 달라진다. 여기서 말하는 분할이란 얕은근막과 깊은근막의 구분을 말한다. 막시스템에 접근하는 가장 쉬운 방법은 바로 얕은근막 레벨, 그리고 얕은 부위의 자세지지근postural support muscles을 위에서 덮고 있는 근막에서 시작하는 것이다. 얕은근막층이 넓고 가벼운 접촉을 통해 자유로워지고 되살아나면, 깊은근막에 접근한다(Rolf, 1989). 깊은근막층은 깊은 부위의 자세지지근을 둘러싸면서 이어져 있다. 여기에는 다리뼈에 부착된 경골근(정강근)과 비골근(종아리근)그룹, 경골(정강뼈)과 비골(종아리뼈) 사이에 있는 골막(뼈사이막), 엉덩-허리-횡격막ilio-psoas-diaphragm그룹, 종격(가슴세로칸), 소흉근(작은가슴근)과 견갑하근(어깨밑근), 사각근(목갈비근), 익상근(날개근), 그리고 뇌척수막meninges이 포함된다.

두 번째로, 근막이완요법 치료사는 고객이 옆으로 누운 자세를 취하면 관상면coronal plane을 따라 얕은근막에서 접근해야 한다. 여기서 관상면은 재단사가 양복이나 바지의 옆면에 표시한 솔기seam와 같은 역할을 하는데, 이 부위에서 복부근막abdominal fascia과 허리근막lumbar fascia의 건막(널힘줄) 같은 다양한 근막면fascial planes이 만난다. 특히 장골능(엉덩뼈능선)과 같은 뼈의 경계는 관상면 주위에 위치하면서 다양한 근막층이 만나는 부위이기 때문에 세션을 적용하기에 매우 이상적인 부위이다. 또한 외과(가쪽복사), 경골두(종아리뼈머리), 대전자(큰돌기), 장골능(엉덩뼈능선), 늑골(갈비뼈), 상완골두(위팔뼈머리), 관골의 유양돌기(관자뼈의 꼭지돌기), 두정골(마루뼈) 능선, 그리고 후두골린(뒤통수뼈 비늘)이 관상면에서 접근하여 이완시켜야 하는 핵심적인 구조물들이다.

세 번째, 치료사는 근육 사이의 근막중격fascial septa을 분리시키려는 의도를 가지고 세션을 진행해야 한다. 근막중격은 주머니와 같은 구조물로, 여기엔 개개의 근육들이 담겨있다. 그런데 부상을 입게 되면 근막에 있는 바탕질의 겔-솔 관계 변화에 의해 중격이 서로 엉겨 붙어 움직임을 제한하게 되므로 이 부위를 분리시켜 주어야 한다. 또한 다리, 팔, 몸통, 그리고 척추에 있는 다양한 지지대(지지띠)에도 근막이완을 적용해야 한다. 나는 척추기립근(척추세움근)을 잡아주는 후거근(뒤톱니근)도 지지띠 역할을 한다고 생각한다. 얕은근막과 깊은근막이 보통 지지띠가 있는 부위에서 만나는데, 여기서 지지띠는 해당 조직을 잡아주는 역할을 한다. 따라서 얕은근막과 깊은근막의 결합부인 지지띠를 이완시키면 막의 움직임을 자유롭게 하고 자세를 정렬시키는 데 크게 기여한다.

근막이완요법을 활용해 치료를 할 때 중요하게 염두에 두어야 할 요소가 바로 이탈disengagement이다. 치료사는 고객의 몸에 직접적인 압력을 가하며 세션을 진행하다가도, 주기적으로(약 3분에 한 번 정도) 손을 떼고 이탈의 시간을 가지며 고객이 호흡하는 모습을 1~2회 정도 관찰하여야 한다. 이렇게 적절한 시간에 휴식을 취하면 세션과 고객의 자율신경계 사이에 통합이 일어나고, 그 모습을 치료사가 관찰하는 과정에서 누적된 치료 효과를 평가할 수 있는 여유가 생긴다. 이렇게 주기적으로 휴식을 취하며 세션 속도를 조절해야 고객의 자율신경계가 적절히 통합되면서 트라우마가 재현되는 위험이 줄어든다(Levine, 1997). 근막이완을 통해 일어난 연부조직의 변화가 중추신경계와 말초신경계와 통합되기 위해서는 오랜 시간이 필요하다.

이탈의 시간엔 고객을 머리에서 발끝까지 스캔하며 관찰하라. 이때는 눈, 피부 색, 자세톤, 얼굴 표정, 턱의 상태, 사각근(목갈비근)의 긴장패턴, 머리의 굽힘, 몸통의 위치(특정 부위가 올라가거나 내려갔는지 확인), 팔다리의 떨림, 복직근(배곧은근)의 수축 등을 확인하면 된다. 이를 통해 자율신경계의 항진 상태를 파악할 수 있다. 이런 신호를 스캔하면, 치료사는 보통 세션 속도를 늦추거나 조직에 접촉하여 압력을 가하는 중간에 좀 더 긴 시간을 투자해 휴식을 취하는 것이 좋다. 물론 고객에게 접촉과 압력이 불편하게 느껴지지 않는지 직접 물어보고 피드백 할 수도 있다. 또한 치료사는 고객의 몸에서 불수의적인 움직임이 일어나는지도 주의깊게 관찰해야 한다. 질문을 할 때는 느낌이 어떠냐는 것보다 어디에서 감각이 느껴지는지 묻는 편이 더 낫다. 느낌에 대한 질문이 때론 고객이 답하기에 부담으로 다가올 수도 있기 때문이다. 근막이완을 할 때 고객이 자신의 몸에서 일어나는 감각에 집중할 수 있게 하는 것은 매우 가치있는 일이다. 또한 "내버려두세요"라는 표현을 통해 고객이 자신의 몸에서 일어나는 현상을 자유롭게 탐험할 수 있는 여지를 줄 수도 있다. 예를 들어, "이 감각이 등으로 이동하도록 내버려 둘 수 있나요?", "이 감각이 엉덩이로 움직일 수 있도록 내버려 두세요!" 등과 같은 표현이면 좋다.

임상적으로 가동성이 떨어져 동결된 조직은 쇼크나 트라우마의 결과물일 수 있다(Levine, 1997). 흐물흐물한 조직(손가락으로 눌렀다 뗐을 때 하얀 자국이 몇 분간 남아 있다)이나 톤이 떨어진 조직 또한 쇼크나 트라우마의 결과물일 수 있다. 쇼크나 트라우마가 발생하는 동안, 도피flight 또는 투쟁fight 반응이 막히면 유기체는 두 가지 선택을 한다. 첫 번째는 억제동결inhibitory freezing이라 부르는 선택인데, 이는 두려움에 몸이 딱딱하게 굳는 현상을 말한다. 이 동결 반응은 감정뇌라 불리는 변연계limbic system 깊은 곳에 자리한 편도amygdala에서 담당한다. 억제동결 반응에 의해 연부조직이 짧아지면 순환 능력이 줄어든다(Levine, 1992). 그리고 이렇게 단축된 조직이 치료되지 않고 시간이 지나면, 불안한 마음의 영향으로 관련된 부위의 몸이 뻣뻣한 갑옷을 입은 것처럼 변한다(Reich, 1945).

쇼크나 트라우마가 생겼을 때 유기체가 하는 또 다른 선택은 바로 포기resignation이다. 이 포기 반응은 신경계 깊은 곳에 각인되어 있는데 동물의 세계에서는 꽤 자주 볼 수 있다. 천적을 만났을 때 동물들이 하는 "자는척하기" 행동이 바로 그것이다. 무방비 상태에서 몸이 붕괴되면 연부조직의 톤이 떨어지는데, 이러한 상황 또한 심리학적인 측면과 연관이 있다. 이런 현상은 내인성 우울증endogenous depression을 앓고 있는 사람들에게서 흔히 볼 수 있다(Herman, 1997). 쇼크나 트라우마를 겪었을 때 나타나는 억제동결 반응이나 포기 반응을 통해 생긴 문제는 근막시스템에 깊게 각인된다. 그런데 이 근막시스템은 느리고, 조용하고, 사려깊고, 적절한 속도로 진행되는 도수치료에 최적으로 반응한다. 전체론적 근막이완요법에서 사용하는 접촉 기법은, 이미 앞에서 이야기 했던 것처럼 치료사가 시행하는 접촉의 양, 질, 깊이, 방향, 그리고 지속시간에 따라 결정된다. 아이다 롤프Ida Rolf는, "해부학적으로 올바른 위치에서 조직에 접근한 후 움직임을 요청하라"라는 말을 한 적이 있다. 치료사가 세션을 할 때 고객이 참여하는 움직임이 가미되면 막의 재구조화가 일어나며 신경계의 통합이 더욱 촉진된다. 또한 민감한 신체 부위에서 세션을 진행할 때 생기는 통증을 예방하는 효과도 있다. 근막이완을 해나갈 때 접촉 부위로 호흡을 넣어달라고 고객에게 요청하는 것도 치료 효과를 높인다. 고객이 느리고, 목적이 있는 움직임으로 세션에 참여해주면 톤이 저하된 조직의 기능을 회복시키는 데에도 효과적이다. 이렇게 고객이 세션에 의식적으로 참여해주는 비율이 높을수록 근막이완 성공 확률 또한 커진다. 톤이 떨어진 조직을 회복시키는 세션을 할 때 고객의 능동적 참여를 통한 의식적 움직임이 가미되었을 때 상대적으로 좋은 결과가 생기기 때문이다.

요약과 결론
Review and Conclusion

전체론적 근막이완요법의 특징은 치료사의 의도가 담긴 테크닉 시퀀스와 고객의 움직임 참여를 통한 자기 신체 인지에 있다. 여기에 치료사가 고객에게 접촉 부위로 호흡을 해달라고 하면서 능동적으로 움직여줄 것을 요청하는 것도 포함된다. 치료사는 자신의 몸과 마음을 총동원해 의식 집중을 하고, 적절한 언어 신호로 고객과 상호작용하며, 최종적으로 통합을 이끌며 치료를 마무리 한다. 사실 고객이 치료 예약을 하는 순간 언어 이전의 어떠한 직관적인 생각과 느낌이 치료사에게 전달되며 접촉contact이 시작된다. 고객에 대한 접촉에는 주의깊은 리스닝과 병력의 관찰도 포함된다. 그리고 고객이 치료실로 들어와 직접 손으로 조직을 촉진하는 단계로 접촉 흐름the flow of the contact이 자연스럽게 이어진다.

치료실에서는 호흡을 관찰하며, 고객에게 접촉 부위로 느리고 깊게 호흡을 할 수 있도록 유도하면 자율신경계에서 통합이 일어나면서, 고객에게도 자신이 세션을 통제하고 있다는 느낌을 선사할 수 있다. 호흡패턴이 달라지는 것은 자율신경계가 항진됨을 뜻한다. 치료사는 자신의 호흡을 감지하고 그 패턴을 인지함으로써 치료를 하고 있는 고객의 몸에 현존하여 그라운딩을 이룰 수 있다. 이러한 태도로 근막이완 세션을 진행하면 고객과 치료사의 신경계가 서로 공명resonance하게 된다(Siegel, 1999). 세션을 하는 도중에 치료사가 하는 호흡은 중요한 피드백시스템feedback system에 해당된다. 치료사의 내적 상태뿐만 아니라 고객의 상태까지도 일종의 지각전이perceptual transference를 통해 치료사의 호흡에 반영되기 때문이다.

여기서 말한 접촉의 단계stages of contact를 통해 고객은 자신의 긴장패턴pattern of tension과 고정패턴pattern of holding을 스스로 인지할 수 있는 기회를 얻게 된다. 그리고 이러한 인지가 높아지면 몸의 스트레스가 감소하여 편안하며 부드러운 몸 상태와 재연결reassociation된다. 이러한 재연결은 치료사가 근막이완 기법들을 통해 가이드함으로써 고객의 내부에서부터 창출되는 것으로 볼 수 있다. 편안하고 부드러운 몸 상태와 재연결을 이루면, 궁극적으로 고객은 자신이 겪은 부상에서 비롯된 쇼크와 트라우마에서 벗어나 좀 더 구조화되고 의미있는 경험을 창조하게 된다(Perls, 1951). 편안한 감각과 재연결을 이루어 조직에 쌓인 쇼크와 트라우마를 벗겨내고 신체 인지를 높이는 것은 매우 중요한 일이다. 치료사는 고객이 이러한 재연결을 이룰 수 있도록 집중하여야 하며, 그래야 좀 더 깊은 층에서 통합이 일어나며 기능 개선이 이루어진다. 이를 좀 더 쉽게 표현하면, 치료 받는 중에 고객이 자신의 몸에 있던 긴장패턴과 고정패턴을 알아채서, 거의 한 달 정도 쌓인 긴장을 이제 막 떨쳐내고, 좀 더 나아진 걸음걸이로 치료실 밖을 나갈 수 있다는 뜻이다.

고객이 자신의 신체에서 어느 부위를 잘 인지할 수 있을지 예측하긴 어렵다. 이는 치료사가 적용하는 근막이완 기법들에 의해 좌우되기도 한다. 고객의 몸에 형성된 막과 신경 시스템의 패턴들은 매우 복잡하여 적절한 치료적 중재가 필요하며, 이러한 패턴은 다른 시스템뿐만 아니라 고객이 현재 살아가는 사회문화적 환경과도 중요한 관련을 맺고 있다. 그렇기 때문에 막시스템을 치료하는 것은 고객의 삶에 다양한 층차로 영향력을 미친다. 치료사는 근막이완요법의 기본 원리와 기법을 이해하고 있어야 하며, 단지 테크닉을 적용하는 것에서 그치지 말고, 고객이 주체적으로 자신의 몸에 대한 통찰을 얻어나갈 수 있는 계기를 마련해 주어야 좀 더 성공적인 임상 결과를 이끌어낼 수 있다.

지금까지 설명한 것은 전체론적 근막이완요법 모델이다. 하지만 이 모델의 성과는 고객이 자신의 몸과 자기자신, 그리고 현재 살아가고 있는 사회적 맥락과 연계되어 있을 뿐만 아니라 치료사가 제공하는 테크닉의 속도, 깊이, 방향 같은 매우 구체적이고 실제적인 부분에도 영향을 받는다. 이렇게 전체론적 모델을 통해 접근하면 의사나 치료사에게 인간미를 느끼지 못하고 거리감이 생겨 불평과 냉소를 하는 고객들과의 관계 또한 원만해진다. 고객은 치료사가 공감을 해주고 자신의 전체적인 측면에 열린 마음으로 접근해 주었을 때 고무된다. 그렇게 되면 치료사만 고객과 공명하는 것이 아니라 고객 또한 치료사와 공명을 하게 되어, 현재 적용되는 근막이완요법은 협응의 장이 된다.

전체론적 근막이완요법을 진행하는 치료사는 자기자신에 대한 인지뿐만 아니라 미묘한 관찰 기법까지 갖추고 있어야 한다. 또한 적용하는 테크닉 속도를 늦춰야 할 때, 손을 떼야 할 때를 치료사에게 말로 전달할 수 있도록 고객을 지도해야 한다. 이를 정지규칙rule of stop이라 한다. 따라서 치료사는 주관적인 감각, 떠오르는 생각과 이미지를 고객이 스스로 무시하거나 억누르지 않도록 세심하게 교육하여야 만 한다. 물론 전체론적 치료 모델을 적용하는 치료사가 근막이완요법에 대한 통찰, 감정적 명료함, 평가와 치료에 대한 감수성을 지니고 있는 것이 무엇보다 중요하다(Johnson, 1986).

적절한 접촉Proper contact이야말로 근막이완요법의 핵심이다. 접촉은 고객을 단지 만지는 행위가 아니며 언어 이상의 그 무엇이다. 선입견 없이, 조건화되지 않은 채로, 판단하지 않고 고객의 전체적인 측면과 접촉하는 것이야말로 전체론적 치료법의 핵심이다. 그러므로 이 치료 원칙은 고객을 관찰하고 만지는 기법들의 근간을 이룬다. 근막이완은 단지 매개 수단일 뿐이다. 메세지는 이미 치료사 자신의 생각, 느낌, 이미지, 감각 안에 담겨 있고, 고객이 보내는 냉담함과 따스함 속에 함축되어 있으며, 그러한 반응을 이해하며 고객을 대하는 치료사의 태도 안에 존재한다(Keleman, 1986). 이렇게 전체론적 근막이완요법이 올바르게 적용되면, 좀 더 빠르게 상처 입은 조직이 치유되고, 의미 있는 삶을 향한 고객의 가능성 또한 커진다.

이 글은 원래 하워스 메디컬 프레스Haworth Medical Press에서 출간된 근막이완요법 임상 학술지Clinical Bulletin of Myofascial Therapy, Vol.2, No.1에 실렸었다. 제목은, "근막이완:정형학적인 모델과 체성 모델의 결합Myofascial Release:Blending the Orthopedic and Somatic Models."이며, 물리치료사인 데일 키워스(Dale Keyworth)가 공저자로 참여했다.

Chapter 2

막 해부학과
미세생리학 요약

Fascial Anatomy and Microphysiology Simplified

결합조직 분류와 조직학적 설명

결합조직의 종류

치밀 규칙dense regular

치밀 불규칙dense irregular

성긴 불규칙loose irregular

결합조직의 구성

세포(섬유모세포): 아교섬유와 바탕질 합성(연골모세포, 골모세포가 사촌격이다)

세포외기질

세포외기질(섬유들)Extracellular Matrix (FIBERS)

아교섬유collagen

① Type I: 보통의 조직(**성긴 조직**)과 뼈

② Type II: 유리연골

③ Type III: 태아의 진피, 동맥

④ Type IV: 바닥막

탄력섬유^{elastin}

① 동맥 혈관

그물섬유^{reticulin}

① 분비샘과 림프절을 지지해준다.

■ 세포외기질(바탕질)Extracellular Matrix (Ground Substance)

바탕질

① 수분을 다량 함유한 점성 겔
② 아교섬유를 포함한 물질

하는 일

① 양분과 노폐물질을 확산
② 해당 조직의 조직학적 특성을 어느 정도 결정함
③ 필수적인 섬유사이 거리를 유지
④ 어려서는 좀 더 풍부하나 나이가 들수록 감소
⑤ 박테리아에 대한 기계적 관문 역할

구성 물질

① 글리코사미노글리칸에 의한 윤활 효과
② 필수적인 섬유사이 거리를 유지하며 아교섬유가 뭉치는 것을 최소화
③ 프로테오글리칸^{proteoglycans}; 주로 물과 결합

▌결합조직의 종류에 따른 분포 부위

치밀 규칙 결합조직

① 널힘줄aponeurosis

② 관절낭joint capsules

③ 골막periosteum

④ 피부의 진피dermis of skin

⑤ 근막초(기계적 스트레스가 있는 부위)fascial sheaths

성긴 불규칙 결합조직

① 얕은근막초superficial fascial sheaths

② 신경초(내장초를 지지)nerve sheaths

③ 근육

④ 아교섬유의 얇은 그물

막은 내장, 근육, 뼈를 둘러싸고 있다. 뼈를 둘러싸고 있는 막은 골막(뼈막)이고, 다양한 장부와 내장을 둘러싸고 있는 막은 장막하막subserous fascia이라 한다. 피하막 주머니subcutaneous fascial bag는 머리에서 발끝까지 몸 전체를 담고 있으며 연속적으로 이어진 얕은근막superficial fascia이라 부른다. 모든 근육은 막주머니fascial bags에 담겨 있는데, 이는 배아embryo 상태에서부터 비롯된다. 또한 장부도 막주머니 안에서 발달한다. 그러므로 인체는 막주머니와 소화계, 경질막계, 심혈관계와 같은 막관fascial tubes에 의해 발달하고 규정된다(Oschman, 1989a, 1989b; Oshman, 1990).

동맥계 전체는 결합조직 막으로 구성된 상호연결관interconnecting tubes이다. 소화계는 입에서 항문으로 이어지는데 세 개의 서로 다른 막관이 연결되어 형성된다.

뇌척수막은 뇌를 담고 있으며 치상인대(치아인대)를 통해 부척추근막(척추옆근막)과 연결된다. 하나의 근육군을 다른 근육군과 서로 연결시키는 막평면fascial planes도 존재하는데, 예를 들어 종아리근막crural fascia은 전체 복막안peritoneal cavity을 둘러싸는 배가로근막transversalis fascia과 함께 서혜인대(샅고랑인대)에서 만난다. 또 배가로근막은 위로 올라가 횡격막근막diaphragmatic fascia과 만나며, 이 근막은 다시 폐 주위에 있는 벽쪽가슴막parietal pleura에서 만나고, 벽쪽가슴막은 목근막cervical fascia과 만난다.

막은 인체에서 가장 큰 장부이면서 가장 광범위한 시스템이다. 막은 인체에 형태와 구조를 제공하는 조직이기 때문에, 치료사는 인체가 골격계나 근육계가 비틀렸다고 보는 관점에서 막시스템 안에 담겨서 비틀려 있다는 관점으로 전환할 필요가 있다. 이러한 관점 이동의 핵심엔 막이 인체의 형태와 구조를 결정한다는 생각이 놓여 있다. 움직임은 막의 형태가 변화하는 것이다. 근막이완요법에서는 움직임을 이런 관점에서 정의한다. 따라서 걷고, 기고, 서고, 달리는 사람을 볼 때, 다양한 막평면 안에서 연속적으로 형태가 변하는 모습을 그 움직임에서 읽어낼 수 있어야 한다. 이 가소성이 있는 생명 조직plastic living tissue이야말로 근막이완에서 다루는 시스템이다(Rolf, 1978).

막은 다차원적multidimentional이다. 또한 막은 자율신경계와 같은 인체의 다른 시스템들과 직접적으로 연결되어 있는 관계의 장부organ of relationship이다. 인체의 모든 결합조직은 자율신경계와 신경 연결을 하고 있기 때문에, 스트레스로 가득한 몸에서 교감신경 톤이 높아지면 그 영향이 막시스템을 통해 몸 전체에 전달된다(Korr, 1979). 따라서 연부조직을 치료하면 교감신경계에도 영향이 가지 않을 수 없다. 특히 근막이완요법을 적용하면 근막이 늘어나 느슨해지면서 움직임이 촉진될 뿐만 아니라 스트레스로 인해 항진된 교감신경 톤도 낮출 수 있다. 교감신경계는 몸 전체 혈액의 흐름과 속도를 통제하는데, 이를 혈관운동시스템vasomotor system이라 한다. 인체는 스트레스를 받으면 긴장되지만, 근막이완요법을 통해 이 혈관운동 시스템이 활성화되면, 긴장된 막에 의해 화학적으로 압박을 받았을 수도 있는 조직에 양분이 공급된다. 교감신경계는 인체의 모든 연부조직과 혈관에 신경 연결을 하고 있다는 사실을 기억하고 있어야 한다. 따라서 정형학적 손상을 입은 사람에겐, 필요하다면 근막이완을 해주어야 할 뿐만 아니라, 그의 교감신경계에 접근하여 스테로이드 분비steroid secretion 사이클을 감소시킬 필요도 있다. 자율신경계는 스트레스가 해소된 후에도 종종 스테로이드 분비를 멈추지 못하는 경향이 있기 때문이다 (Willard & Patterson, 1992).

세포생물학자들은 전자현미경을 이용해 막을 세포 레벨까지 살펴보고 인체에 존재하는 각각의 세포들은 미세관microtubules이라는 결합조직뼈대connective tissue skeleton가 있다는 사실을 발견했다. 아리조나 대학University of Arizona에서는, 어떻게 의식이 소통되는지 탐구하는 매력적인 연구에서 이 미세관이 주제로 채택되었다 (Freedman, 1994; Horgan, 1994). 세포의 형태와 구조 또한 결합조직 막에 의해 결정된다. 이는 세포를 지지하는 막네트워크fascial network의 일부인 당단백질glycoprotein이 세포막을 통해 매우 중요한 물질인 세포외기질의 바탕질과 연결되기 때문이다. 세포는 전기적 결합electrical bonding을 통해 바탕질과 연결된다. 당단백질은 시알산sialic acid이란 용액에 녹아있는데, 이 시알산이 바탕질을 통해 인체의 모든 세포와 전기적 결합을 하게 해준다(Oshman, 1984). 바탕질은 이를 둘러싸고 있는 아교섬유와 연결되어 있기 때문에 막시스템에서 통합과 관련된 부분을 담당하고 있다. 여기서 핵심은 분자 레벨에서 봤을 때 전기적 결합에 의해 생기는 장력tensile strength이 막의 기본 속성을 이룬다는 점이다.

막은 유기결정체organic crystal이며, 반도체semiconductor이다. 이 결정체에 압력이 가해지면 약한 전기장electrical field이 발생하는데 이를 압전효과라 한다(앞 장에서 소개한 내용을 확인하라). 인체가 어떤 동작을 하든 막에 압박이 가해질 수밖에 없다. 다시 말해, 움직이는 몸에서는 막시스템의 고체회로망solid-state circuitry에 지속적으로 전기가 발생한다는 뜻이다. 인체에는 막시스템에 의해 발생하는 전류가 흐르기 때문에, 도수치료를 하는 치료사는 이 영역을 다룰 수밖에 없다. 치료사가 고객의 몸에 손으로 압력을 가하면서 능동적/수동적 움직임을 가미하면 전기장이 발생하고 변화한다(Rubik et al., 1994). 여기서 발생하는 전류가 중요한 이유는, 이 전류가 바로 세포의 활동 패턴을 결정하기 때문이다. 어떤 세포는 조직을 만들기 위해 디자인되었고, 어떤 세포는 노폐물을 제거하도록 디자인되었다. 이게 의미하는 바는, 아교섬유가 두터워지거나 뭉쳐서 몸의 특정 부위에 압전효과가 전해지지 못하면 막에 문제가 발생할 수 있다는 뜻이다. 따라서 세포의 정상적인 활동 패턴이 방해를 받으면, 조직이 짧아지거나 두터워지면서 관절가동범위가 줄어들 수 있다.

신체 조직에서 전기 전도성electrical conductivity은 세포외기질의 수분 함량과도 관련이 있다. 여기서 중요한 것은 바탕질이다. 바탕질은 스펀지와 같은 역할을 하는데, 도수치료와 움직임요법을 통해 바탕질의 수분 함량이 변한다. 바탕질은 용액 상태에서 겔 상태로, 겔 상태에서 용액 상태로 변하는 놀라운 속성도 지니고 있다. 이를 겔-솔 관계gel-sol relationship라 하는데, 겔-솔 관계는 막이 짧아지거나 두터워져서 바탕질의 수분이 빠져나갔을 때 발생한다. 다시 말해, 조직이 단축되거나 딱딱해지면, 바탕질이 용액 상태에서 겔 상태로 변한다는 뜻이다. 겔은 끈적한 접착제와 같다. 바탕질이 겔 상태로 변하면 섬유사이간격이 짧아져 다양한 막평면과 아교섬유가 달라붙게 된다. 조직이 상처를 입으면 해당 부위의 아교섬유들이 서로 뭉쳐서 장력 또한 증가하는데, 이로 인해 관절의 움직임이 제한을 받고, 아교섬유가 제거되는 비율보다 뭉치는 비율이 커지면서 부가적으로 조직이 더욱 두터워진다 (Ratner, 1979; Schoenheimer, 1942). 인체는 환경에 빠르게 적응해야만 한다. 이게 의미하는 바는, 부딪치거나 발목을 접지르면, 발목 주변의 조직을 회복시키기 위한 치유 과정이 빠르게 일어난다는 뜻이다. 그러므로 올바른 치유가 일어나기 전까지는 조직을 손상시키지 않아야 한다.

근막이완요법에서는 아교섬유를 다룬다. 이 아교섬유야말로 막을 구성하는 섬유 중 가장 많은 비율을 차지한다. 인체에 존재하는 모든 막은 아교섬유를 품고 있다. 심지어 뼈를 싸고 있는 골막(뼈막), 뇌와 척수를 싸고 있는 뇌척수막 또한 아교섬유를 지니고 있다. 아교섬유는 탄성단백질elastic protein이다. 그렇기 때문에 적절한 압력을 가하면, 녹이거나 늘릴 수 있다. 트라우마로 인해 뻣뻣해진 조직에서는 아교섬유도 뻣뻣해진다. 아교섬유는 수축력contractile capability도 지니고 있다. 그러므로 질긴 막tough membrane은 견고함, 탄성, 수축력, 장력을 모두 지니고 있다.

촉진 기법을 개발하면, 조직이 두툼해졌는지 뻣뻣해졌는지 구별할 수 있다. 조직의 두툼함과 뻣뻣함은 아교섬유의 밀도에 따라 결정되며, 이런 조직은 장력도 매우 높다. 어떤 조직은 평방 인치 당 약 2000파운드 정도의 장력을 지니는데, 이는 자동차 바퀴와 맞먹는다(경질막이나 엉덩정강근막띠가 여기에 해당된다). 허리근막lumbar fascia이나 볼기근막gluteal fascia과 같은 자세근막postural fascia 또한 장력이 매우 높은 조직에 속한다(Macintosh, Bogduk, & Gracovetsky, 1987). 이러한 자세근막을 푸는 것은 근막이완요법에서도 중요하게 다루어진다. 근막이 두툼해져 달라붙으면 매우 딱딱해지거나 다른 구조물로 이동하게 된다. 막시스템을 구성하는 아교섬유는 스트레스를 받으면 짧아지거나 두툼해지는 경향이 있는데, 시간이 지남에 따라 거미줄처럼 주변으로 퍼져나가서 움직임을 지속적으로 제한시킨다. 몸통을 중심으로 등쪽근막dorsal fascia과 배쪽근막ventral fascia에 스트레스가 쌓이면 가쪽으로 이동하는데, 근막이완요법 치료사가 하는 세션 중에는 이렇게 이동한 근막을 몸의 중심선으로 되돌려 원래의 구조를 회복시키는 것도 있다.

근막 레벨에서 보면 신경학적인 문제가 생겨 근막이 딱딱해지는 것과 정형학적 손상으로 근막이 딱딱해지는 것은 같은 현상이며, 어떤 경우든 움직임이 제한되는 것은 마찬가지다. 인체는 자세를 유지하기 위해 지속적으로 아교섬유를 생산한다. 그런데 지속적인 움직임을 통해 관절 공간을 열어주지 못하고 조직이 딱딱해지거나 뻣뻣해지면 자세를 유지하기 위해 여분의 조직이 쌓인다. 근막이완요법 치료사는 이러한 여분의 조직이 쌓이는 것을 막는다. 지방산^{fatty acids}이나 아미노산^{amino acids}같은 생명 구성 물질은 그 반감기가 19분으로 알려져 있다(Schimke & Doyle, 1970). 이게 의미하는 바는, 인체에는 빠르게 수분을 앗아가는 시멘트와 같은 물질이 존재한다는 뜻이다. 예를 들어, 만약 금속으로 된 의자에 몸을 구부정하게 하고 한 시간 정도 강의를 듣는다면, 세포가 이렇게 안 좋은 자세를 지탱하는 조직을 만들어내며 아교섬유 활동 패턴이 변하기 시작한다. 그리고 이러한 현상은 생각보다 빠르게 일어난다. 이게 바로 그토록 많은 고객들이 치료사들에게 그렇게 자주 방문해서 근막이완을 받는 이유이며, 또한 오랜 시간 안 좋은 자세로 지내며 몸에 심각한 근막 장애가 생긴 것을 치료하기 위해 치료사들이 그토록 공격적으로 근막을 이완시키는 이유이기도 하다.

오랜 시간 근막이완요법을 통해 인체 조직에 접촉 기법을 많이 적용해본 치료사들의 경험에 의하면, 톤이 과도하게 높아진 근육에서도, 찾아보면 엄지손가락 한 마디 정도 크기의 유연하고 부드러운 조직이 끼어 있는 경우가 있다. 또 유연하지도 않고 스펀지 같지도 않으면서 딱딱하지도 않은, 하지만 널판지처럼 광범위하게 퍼져 있는 조직도 발견된다. 건강한 근육은 75%가 물로 이루어져 있다. 치료사들은 보통 이러한 사실을 알고 있지만 수년간 근막이완 세션을 하다보면, 자신이 만지고 있는 조직이 75% 물로 이루어져 있다는 사실을, 그리고 그 물이 막 안에 들어있다는 사실을 잊곤 한다. 신경학적, 정형학적 문제가 발생하면 탈수화^{dehydration}가 진행되는데, 이는 딱딱해진 조직에 기계적 압력이 증가하면서 수분이 근육과 근막 양쪽에서 빠져나가기 때문이다. 탈수화가 진행되면 심혈관계 흐름도 감소한다. 인체에 있는 그 어떤 근육에도 수많은 근섬유 다발이 포함되어 있고, 이 모든 근섬유 다발에는 모세혈관계^{capillary bed}가 지나가기 때문이다.

근육은 생리학적으로 수축–이완^{contract-relax} 작용을 잘 할 수 있도록 디자인되어 있다. 그런데 특정 질병에 걸리면 근섬유가 일정 기간 수축 상태로 유지된다. 이는 마치 근섬유 빨대에서 수분을 뽑아내고, 그 빨대를 눌러 짜는 것과 비슷하다. 그 결과 혈류가 감소한다. 근육 연소^{muscle combustion}는 꽤 독특한 형태로 진행되는데, 산소메커니즘^{aerobic mechanism}을 하도록 디자인되었지만 무산소메커니즘^{anaerobic mechanism} 또한 백업으로 지니고 있다. 이는 근육에 전해지는 신경 자극이 과도해져 조직에 흘러가는 양분과 산소의 흐름이 최소화되더라도 경직 상태^{spatic state}가 지속될 것이라는 의미이다. 결국엔 노폐물질을 배출하는 역할을 하던 혈액이 근수축에 맞춰 빠져나가며 대사성 황무지^{metabolic wasteland} 상태로 끝나게 된다. 근육 연소의 주된 부산물은 피루브산^{pyrubic acid}인데, 이 물질이 크렙스회로^{krebs cycle}로 들어가지 못하면 이산화탄소와 물로 분해될 수 없어서 젖산^{lactic acid}과 다른 부산물이 근육에 누적된다. 그렇게 되면 자넷 트라벨 박사^{Dr. Janet Travell}가 "연관통증"이라 명명한 현상이 일어난다(Travell & Simons, 1998). 이때 발생하는 부산물은 신경종말을 자극하는 물질이다. 이러한 자극 물질은 연관된 척수에 감각 각성을 일으키고 몇 개의 척추 마디를 오르내리며 연부조직, 장부, 심혈관계 등에도 신경 신호를 내보낼 수 있다. 인체에 있는 각각의 시스템들은 서로 다른 척수 분절과 관계를 맺는다. 그렇기 때문에 특정한 척수 분절이 과도하게 자극받아 항진되면 운동 신호를 활성화시켜 통각을 받아들이는 통증수용기를 여기저기서 지속적으로 자극한다. 예를 들어, 회전근개(돌림근띠) 근육 뒤쪽, 극하근(가시아래근)에 문제가 생기면 통증이 뇌기저(머리뼈바닥), 어깨사이공간^{interscapular space}, 어깨 앞쪽, 팔꿈치, 앞팔, 그리고 손목 등에 발생할 수 있다. 이는 심혈관계 흐름이 감소해서 발생하는 신체 연관통증의 일례일 뿐인다. 이뿐만 아니라 연부조직 도수치료를 할 때 치료사들은 보통 몸–내장 반사^{somato-visceral reflexes}를 간과하고 세션을 진행하곤 한다(Boissonnault & Bass, 1990).

근막이 한 번 이완되었다고 해서 그 상태가 계속 지속되리라는 보장은 없다. 경험에 의하면, 이완은 늘 적게 일어나고, 고객 자신의 개인적 성장, 발달, 그리고 생활방식에 따라 이완의 정도가 좌우된다. 건강을 크게 개선시키는 요소를 하나 들자면, 그것은 바로 그들의 학습education 수준과 연관되어 있다(Pincus & Callahan, 1995). 그렇기 때문에 고객이 달성하는 학습 수준 또한 간과해서는 안 되는 요소이다. 대부분의 경우, 근막이완은 일종의 신체 학습body education이다. 그러므로 근막이완요법을 적용하는 치료사들은 고객의 운동지성kinesthetic intelligence을 높일 수 있도록 노력해야 한다(Gardner, 1983). 운동지성은 근막myofascia 안에 함장되어 있다.

Chapter 3

막은 소통의
장부이다

Fascia as an Organ of Communication by Robert Schleip

20년 훨씬 이전에, 펠덴크라이스 메소드Feldenkrais Method를 가르치는 소마교육somatic education 전문가들과 롤핑 메소드Rolfing Method를 하는 구조통합structural integration 전문가들 사이에 논쟁이 있었다. 구조통합을 지지하는 사람들은 수많은 자세 문제가 막네트워크의 순수한 기계적 유착과 제한으로 인해 일어난다고 주장 했지만, 소마교육을 중시하는 이들은 "모든 것은 뇌 안에 있다"는 주장을 하며, 모든 제한 상황이 감각운동조절 기능장애 때문에 발생한다고 믿었다. 소마교육 전문가들은 밀턴 트라거Milton Trager가 제시한 사례를 인용하였다. 밀턴 트라거는 몸이 매우 뻣뻣하고 단단해져 병원에 입원한 어떤 노인이, 마취 상태에서 근육 톤이 떨어지더니 마치 어린 아이처럼 몸이 유연하고 부드럽게 바뀌는 현상을 관찰하였다(Trager, Guadagno-Hammond, & Turnley Walker, 1987). 이 노인은 마취에서 깨어나 의식이 되돌아오면 다시 몸이 뻣뻣해지며 단단해졌다.

그 이후로도 이 두 학파의 입장을 대변하는 몇 가지 실험이 설계된 적이 있다. 예를 들어, 정형학적 손상으로 무릎 수술을 받은 세 명의 환자에게 동의를 구하고 마취 전후의 수동적 관절가동범위 검사를 했다. 환자들은 누운 자세에서 팔을 머리 위쪽으로 들고 자유롭게 움직였는데, 이들 중 한 환자만이 마취 전에 항상 팔꿈치를 수동적으로 테이블까지 떨어뜨릴 수 있었고, 의식을 잃은 후에도 별 차이가 없었다. 하지만 다른 두 환자는 의식이 깨어 있을 때는 수동적으로 팔꿈치를 움직여 테이블로 떨어뜨릴 정도로 가동범위가 확보되지 못해 팔이 늘 머리 위 특정 공간에 머무르곤 했지만, 마취를 해서 의식을 잃고 5분이 지나서 팔을 머리 위로 가져갔더니 팔꿈치를 테이블로, 놀랍게도 아무런 제한도 없이 떨어뜨릴 수 있게 되었다. 여기에 더하여 이 세 명의 환자 모두가 족배굴곡(발등굽힘) 상태였는데, 마취를 하고 있는 중에도 발목에서는 어떠한 관절가동범위 개선이 일어나지 않았다(특별한 측정 도구를 사용한 것은 아니고, 오직 주관적인 비교만 했다).

이 테스트의 결과는 꽤 쇼킹하다. 롤퍼Rolfer 관점에서 보면 마취를 했다고 해도 근막에 문제가 있다면, 그 제한은 남아서 팔이 테이블로 떨어지지 않아야 한다(그렇기 때문에 발목관절의 가동성이 변하지 않은 것은 놀라운 일이 아니다. 롤퍼의 관점에 맞게 이 세 명의 환자 모두 발목관절엔 제한이 없는 것처럼 보였다). 제한된 조건 하에서 엄밀한 과학적 조사가 이루어진다 해도, 이 경우를 볼 때 이미 조직에 발생한 기계적 고정fixation이 어쩌면 부분적으로는 신경근조절neuromuscular regulation과 연관성이 있을 수 있다는 생각을 해볼 수는 있다.

이 테스트 이후에도 두 학파 사이에서 지속된 논쟁이 있었지만, 결국 근막이완요법에 대한 전통적 개념에 대해 다시 생각해봐야 한다는 결론에 이르렀고, 수년 후에 근막이완요법의 효과를 적절하게 설명하는 신경학적 모델이 최초로 제시되기에 이른다(Cottingham, 1986). 나중에 다른 많은 전문가들이 이 모델을 설명하기도 하였다(Schleip, 2003; Figure 3.1).

막네트워크는 몸 전체에 퍼져 있으며 자세를 유지하고 움직임을 만드는데 중요한 역할을 한다. 그래서 막을 종종 구조의 장부the organ of form라고 부르기도 한다. 하지만 수십 년 동안 인대, 관절주머니, 그리고 다른 치밀막조직dense fascial tissues에 대해서는 이들의 기계적 속성 외에는 특별한 관심을 주지 않았다. 하지만 1990년대에 들어서 인대가 지닌 고유감각 특성에 대한 이해가 높아지기 시작했으며, 점차 무릎과 다른 관절을 수술하는 가이드라인에도 영향을 미치기 시작했다. 마찬가지로, 막은 선 자세에서 자세통제postural control와 관련된 감각운동조절sensorimotor regulation에도 기여한다는 사실이 밝혀졌다.

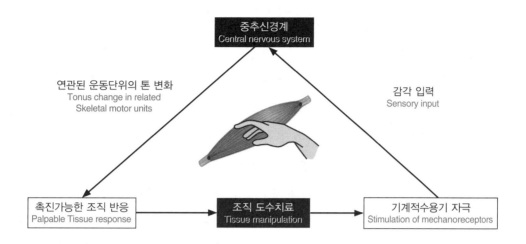

현재는 막네트워크를 가장 발달한 감각기관^{sensory organs} 중 하나로 보고 있는데, 막네트워크 표면에는 수백만 개의 근육속막주머니^{endomysial sacs}와 다른 형태의 막주머니^{membaranous pockets}가 있기 때문이다. 이는 피부 전체 표면이나 다른 신체 조직 표면적을 훨씬 넘어선다. 흥미롭게도 막에 있는 신경 연결은 근육조직의 근방추^{muscle spindles}에 비해 대략 6배 이상이다. 심지어 근방추는 근육에서 결합조직으로 힘을 전달하는 부위에서만 주로 발견된다. 막네트워크에 감각수용기 범주에는 보통 골지^{Golgi}, 파치니^{Pacini}, 루피니^{Ruffini} 신경종말과 같은 말이집 고유수용감각^{myelinated proprioceptive} 신경종말뿐만 아니라, 막 조직 어디에서나 볼 수 있는, 하지만 특히 골막(뼈막), 근육속막층^{endomysial layer}, 근육다발막층^{perimysial layer}, 그리고 내장결합조직^{visceral connective tissue} 등에 있는 민말이집 자유신경종말^{unmyelinated free nerve endings}까지 포함된다. 이렇게 작은 막신경종말^{fascial nerve endingsa}까지 계산에 넣으면, 막수용기^{fascial receptors}의 양은, 아마도 인체에서 가장 감각신경이 많이 분포되어 있다고 알려진 망막^{retina}의 신경분포와 비슷하거나 이를 넘어서는 수준이다. 어쨌든, 순수한 고유수용감각, 통증감각, 또는 내장 내수용감각^{visceral interoception} 등과 비교해봐도, 감각신경 관점에서 보면, 막이야말로 확실히 인체에서 가장 중요한 지각기관^{perceptual organ}이라고 할 수 있다.

막 스트레칭요법이나 막 도수치료뿐만 아니라 수동관절운동passive joint mobility
이 딱딱해진 조직을 늘리고 이완시키는데 긍정적인 효과가 있는 것처럼 보이지만,
이를 뒷받침하는 정확한 생리학적 기전에 대해서는 명확히 밝혀진 바가 아직까진
없다. 이러한 요법들을 통해 바탕질의 수분 함량이 역동적으로 변하거나, 바탕질
에서 링크단백질link protein이 변한다거나, 섬유모세포의 활동이 변하는 등의 잠재
적 메커니즘 변화가 관찰되기는 했다. 하지만 최근엔 막네트워크가 지닌 기계감각
적mechanosensory 특성과 숙련된 접촉 자극에 반응하는 막 내부의 다양한 감각수용
기의 반응 능력을 자신들이 적용하는 요법을 설명하는 개념적 기반으로 삼는 전문
가들이 점점 증가하고 있다. 여기서 질문이 있다. 막이 지닌 감각 능력 중에서 정말
알려진 것은 무엇인가? 또 다양한 막 수용기들을 자극했을 때 어떤 특별한 생리학
적 반응이 일어나길 기대할 수 있는가?

막은 고유수용감각proprioception, 내수용감각interoception, 통증감각nociception에
있어 중요한 역할을 한다. 고유수용감각은 운동감각이며, 인체 각 부위의 상대적
위치, 자세, 균형, 그리고 움직임을 감지할 수 있는 감각이다. 이 감각은 보통 신체
외부에서 오는 자극을 처리하는 외수용감각exteroception이나 인체가 지닌 생리적 욕
구와 관련된 감각인 내수용감각과는 구별된다. 막조직fascial tissues은 고유수용감각
에 중요한 역할을 한다(Van der Kolk, 2012). 과거에는 막조직보다 주로 관절수용기
joint receptors가 고유수용감각과 관련이 있다고 생각하고 이를 더 크게 강조하였다
(관절수용기는 관절주머니와 관절 주변 인대에 분포되어 있다). 하지만 최근엔 좀 더 얕은 층에
위치한 기계수용기mechanoreceptors, 특히 깊은근막과 얕은근막 사이에 있는 이행부
transitional area에 고유수용감각 신경종말이 훨씬 풍부하게 분포되어 있다는 사실이
밝혀졌다. 막은 몸 전체에 네트워크처럼 퍼져 있고 수많은 근육에 의해 기본 장력
을 유지하고 있기 때문에, 근육이 수축하면 막이 존재하는 특수한 부위까지 스트레
칭 자극이 전달되어 해당 부위의 고유수용감각을 자극할 수 있다는 가설이 제기되

었다(Stecco et al., 2007). 비록 이러한 사실이 스포츠의학에서 사용하는 피부 테이핑 요법에 타당한 근거를 제공하기도 하고(종종 그 효과가 매우 크게 나타나기도 한다) 다른 치료 분야에도 적용할 수 있는 원리가 될 수도 있지만, 얕은근막층을 자극하는 것이 어느 정도나 고유수용감각 조절에 영향을 미치고, 또 건강과 병리에 얼마나 큰 효과를 주는지에 대해서는 더 많은 연구가 필요하다.

막 내수용감각Fascial interoception에 대해서도 새로운 내용이 발견되고 있다. 이는 내장이나 다른 조직에 있는 자유신경종말에서 전해지는 무의식적 신호전달subconscious signalling에 의해, 인체가 생리적 상태physiological state에 있다는 정보나 항상성homeostasis을 유지할 필요가 있다는 신호가 뇌에 전달되는 것과 주로 관련이 있다(Schleip & Jager, 2012). 반면 고유수용감각 수용기를 통해 전달되는 감각은 보통 뇌의 몸운동겉질somatosensory cortex로 투사되고, 내수용감각 수용기에서 온 정보는 뇌섬엽insula 부위에서 처리되어 보통 감정emotional이나 동기motivational 정보와 결합된다. 이 또한 과민대장증후군irrtable bowel syndrome이나 본태고혈압essential hypertension처럼 몸감정somatoemotional 요소와 관련이 있는 장애를 이해하고 치료하는데 적용할 수 있는 흥미로운 분야이다.

막은 통각도 감지할 수 있는 가능성이 존재한다(통각은 통증수용기 자극을 통해 전달되는 통증을 느끼는 감각이다). 하이델베르그Heidelberg 대학의 연구자들(Hoheisel, Taguchi, & Mense, 2012)은 허리근막lumbar fascia에서 통증감각을 감지할 수 있는지 알아보는 연구를 수행하였다. 그들이 연구 대상으로 허리근막을 선정한 것은 우연이 아니다. 요통은 척추사이원반spinal disc이 변형되어 일어나기도 한다. 하지만, 몇 차례의 대규모 자기공명영상MRI 연구에 따르면, 척추사이원반의 변형 때문에 발생하는 요통은 그다지 많지 않고, 오히려 대부분의 요통이 신체 다른 부위에서 비롯될 수 있다는 사실이 명확하게 밝혀졌다. 이러한 연구를 바탕으로 요통을 설명하는 새로운 가설이 판자비(Panjabi, 2006)에 의해 제시되었고, 이후에 다른 연구자들에 의해 정교하게 다듬어졌다(Langevin & Sherman, 2007; Schleip, Vleeming, Lehmann-Horn, & Klingler, 2007). 이들의 조사에 따르면, 허리에 있는 결합조직에 미세한 손상이 일어나 통증 신호를 유발하면 후속 효과로 이와 연관된 요통이 발생할 수 있다고 한다. 하이델베르그 그룹에서는 허리근막이 통증감각을 전달할 수 있다는 새로운 결과를 내놓았다. 그들은 허리에 있는 근육이나 다른 연부조직보다는 막조직이 비특발성 요통nonspecific lower back pain을 지닌 환자들의 요통에서 더 중요한 요인으로 작용한다는 주장을 했다. 이러한 결과는 요통을 진단하고 치료하는데 적용 가능성이 무궁무진하다고 할 수 있다. 비록 새롭게 떠오르는 분야이기는 하지만, 이들의 연구가 현대인들의 건강 관리에 있어 중요한 영역으로 부각되고 있으며 더 나은 조사와 연구를 촉발시키게 될 것이다.

Chapter 4

근막이완
기법

The Skills of Myofascial Release

근막이완을 할 때는 지식보다 기법이 필요하다. 다른 이들의 몸을 접촉하는 일은 치료를 위한 관계를 형성하는데 매우 중요하기 때문에 적절한 기법이 필요하다. 여기서는 근막이완요법을 적용하는데 기반이 되는 기법을 4가지 범주로 단순화시켜서 소개한다. 접촉 기법, 감지 기법, 언어 기법, 동작 기법이 이 네 범주에 속한다. 각각의 기법을 가볍게 살펴보고 어떻게 구성되어 있는지 확인해보자.

접촉 기법
Contact Skills

접촉하기 위해서는, 그라운딩이 되어야 하고, 적절한 경계가 있어야 하며, 제한되지 않은 호흡을 즐길 수 있어야 한다. 그리고 느낌에 접근할 수 있어야 하며, 현존하려는 의도도 지녀야 한다. 온전히 현존하려면, 자신의 기능적이며 지속적인 측면을 고려하라. ―Conger, 1994, p.56

1. 첫 번째 접촉 기법은 자신의 호흡패턴과 연결하는 능력과 관련되어 있다. "당신은 어떻게 호흡하고 있으며, 고객과 접촉하고 있을 때 당신의 호흡이 고객과 연결될 수 있는가?"하는 점이다. 치료사의 호흡은 자신의 내부 상태에 대해 많은 것을 알려준다. 그리고 호흡 횡격막은 지렛대의 받침점 역할을 하며 여기에서 전체 근막시스템이 비롯된다. 이는 고객 신체에 대한 정보에 접근하기 위해서는 거기에 접촉하고 있는 치료사의 신체와 생리에 집중해야 한다는 의미이다.
2. 고객의 신체 조직에 압력을 가할 때마다 당신의 척추 길이를 인지하고 있어야 한다. 일단 고객의 몸에 접촉하면, 척추를 느끼면서 늘리기 시작하라.

특히 손목, 어깨, 목 관절을 통해서 그렇게 한다. 부연하자면, 머리와 척추가 서로 멀어지면서 동시에 접촉하고 있는 고객 신체 조직에 가하는 힘의 벡터와 반대되는 방향으로 스트레칭이 일어나게 한다.

3. 세션을 할 때 발과 지면이 닿는 부위에 대한 인지를 유지하라. 양발 사이를 너무 크게 벌리지 말고, 앞발과 뒷발 사이도 너무 멀게 하지 말라. 고객의 신체에 압력을 가할 땐 넙다리뒤근육hamstring을 살짝 늘려서 척추가 후만되지 않도록 자세를 조절한다. 보통, 견갑대(팔이음뼈)와 골반대(다리이음뼈)를 잇는 선은 고객 신체에 가하는 압력 벡터와 서로 직각을 이루어야 한다.

4. 센터링Centering은 일종의 테크닉이다. 이 센터링에는 세션을 하는 중에 당신의 몸에서 일어나는 어떠한 감각에 의식을 집중하는 것도 포함된다. 고객의 신체에 접촉해 테크닉을 적용하면 당신의 허리, 다리, 가슴, 또는 다른 어느 부위에서든 어떤 감각이 느껴질 수 있다. 이 감각을 외면하고 무시하기보다는 호기심을 가지고 알아채려고 노력하라.

5. 세션을 진행하는 중에 떠오르는 마음과 생각을 관찰하라. 특히 고객의 신체를 치료하고야 말겠다는 충동이 일어날 때 여기에 저항하는 마음이 일어날 수도 있다. 그냥 중립적인 마음 상태를 유지하며 호기심을 가지고 세션에 임하면 된다. 고객을 어떻게든 치료하겠다는 마음이나 드러나는 증상을 제거하겠다는 생각을 하면 치료가 공격적으로 변한다. 이런 태도는 삼가라.

감지 기법
Sensing Skills

1. 감지를 잘 하기 위해서는 연습이 필요하다. 치료사는 고객의 신체 조직에 너무 급하게 접근하려는 경향이 있다. 감지는 고객뿐만 아니라 치료사 자신에 대해 유용한 정보를 얻을 수 있는 첫 번째 수단이다.

2. 감지는 중립을 지킬 때 잘 일어난다. 가볍고 부드러운 접촉으로 고객의 신체에 접촉하면 조직의 움직임이 느껴진다. 이때 조직의 움직임이 잘 일어나거나 잘 안 일어나는 부위를 감지하라. 서지 파올레티Serge Paoletti는 이를 다음과 같이 묘사했다. "손이 조직 위에 놓이면, 공간의 모든 평면으로 떠오르는 느낌을 감지해야 한다. 마치 물이 가득 담긴 바구니의 수면에 손을 얹는 느낌과 같다"(Paoletti, 2006, p. 207). 파올레티는 이를 리스닝listening이라 부른다.

3. 감지 과정에서 당신이 무언가를 느낀 것 같다면, 그건 느낀 것이다. 이때 초점을 좁히기보다는 즉흥적으로 일어나는 의도를 유지하려고 노력하라. 열린 태도와 호기심으로 세션을 진행하다보면 어떤 일이든 일어날 수 있다.

4. 심장 레벨에서 고객과 연결될 수 있는지 확인하라. 이게 의미하는 바는 세션 중에 여러분의 심장을 인지하라는 것이다. 그러면 한 발 더 깊게 들어가 여러분 자신의 심장 안에서 고객의 심장을 감지할 수 있다. 사랑의 장소로 알려진 심장에서부터 세션을 해나간다는 것은 판단에 의지하기보다 모든 고정관념을 내려놓고 시작하라는 의미이다. 이를 위해 따로 연습이 필요하지만 그럴 만한 가치가 있다. 연구에 따르면 치료사와 고객의 연결성이 좀 더 조화로울 때 인체 조직이 더 잘 반응한다고 한다.

언어 기법
Verbal Skills

1. 언어 기법 중 가장 중요한 것은 정지규칙^{rule of stop}이다. 고객은 언제든 세션을 중지해달라는 요청을 치료사에게 할 수 있어야 한다. 하지만 이러한 요청을 자연스럽게 하지 못하는 고객들도 있다. 어떤 고객은 세션을 중간에 멈춰달라고 하면 치료사가 마음에 상처를 입을까봐 저어하기도 한다. 고객은 치료사에게 세션을 멈춰달라거나, 테크닉 적용 속도를 줄여달라거나, 잠깐 기다리라는 요청을 말로 전달할 수 있어야 한다.

2. 도수치료가 효과적으로 적용되려면, 치료사가 접촉하고 있는 부위를 고객이 인지할 수 있어야 한다. 이런 일이 어떤 이들이겐 매우 어렵게 느껴질 수 있지만, 고객이 자신의 몸에 현존하는 것은 치유 효과를 높이는데 큰 도움이 된다. 이렇게 고객이 자신의 몸을 잘 인지할 수 있도록 하기 위해 치료사는 감각과 교육을 활용한다. 일단 치료사는 고객이 느끼는 통증 감각을 기준으로 몸과 연결성을 되살리려 노력하라. 또한 호흡을 통해서도 이완을 촉진시켜라. 여기서 말하는 통증에는 물리적인 통증뿐만 아니라 감정적인 통증까지도 포함된다.

3. 전체론적 근막이완요법의 주된 기법 중에는 리스닝^{listening}이 포함된다. 치료사는 고객의 몸과 관련된 언어적 측면뿐만 아니라 비언어적 측면까지 리스닝해야 한다. 주의깊게 듣고 민감하게 리스닝하지 못하면 학문적인 판단만으로 치료에 임하게 되어 치료실에 찾아온 고객의 주관적이며 독특한 측면을 이해하지 못하게 될 것이다.

4. 고객의 신체는 치료사에게 많은 정보를 전한다. 이는 치료사가 고객의 언어

를 제대로 리스닝할 때만 파악될 수 있다.

5. 고객이 지닌 독특한 전체상을 주의깊게 리스닝하고 관찰하라.

6. 필요하다면 다른 전문가에게 보내야 한다.

동작 기법
Action Skills

1. 아이다 롤프Ida Rolf는 직접적인 도수치료의 특징은, 마음을 다하여 조직에 접촉해 뻣뻣한 부위를 찾고, 그 조직을 제한장벽까지 가지고 가서 해부학적으로 올바른 위치를 찾으면서, 고객에게 움직임을 요청하는 것이라고, 이야기하곤 했다. 이때의 뻣뻣함tightness은 단일한 방향에서 뻣뻣함일 수도 있고 한 방향 이상에서 뻣뻣함일 수도 있다.

2. 몇 파운드의 압력을 직접 조직에 가하라. 때론 15~20파운드 압력을 해당 부위에 가할 수도 있다. 압력을 가하는 부위가 뼈나 건일 수도 있다. 고객 개개인이 독특한 자신만의 삶의 이야기 또는 자신만의 체형을 지니고 있다는 사실을 기억하라. 따라서 몸에 쌓인 유착adhesion이 오래되면 될수록 이를 풀어내는 노력 또한 많이 필요하다.

3. 부상이나 트라우마를 입은 조직을 치료사가 더 빨리 치료하면 할수록 결과가 좋아진다.

4. 항상 조직에 접촉할 때는 느리게 들어가라. 여기엔 예외가 없다. 섬세하게 그리고 마음을 다해 손을 접촉하고, 부드럽게 싱크sink한 후, 느리게 움직여라.

5. 테크닉을 적용하는 동안 언제든지 고객이, "느리게 해주세요", "거기서 잠

시 멈춰주세요", "1분만 힘을 빼주세요" 등과 같은 말을 할 수 있도록 지도
한다.

6. 항상 소프트시잉 기법을 활용하라. 눈을 열고 고객의 신체에서 방어기제가
작동하지 않는지 계속 스캔하라.

7. 고객에게 때때로 움직임을 요청하는 것은 두 가지 목적을 지니고 있다. 첫
째는 고객의 주의를 잠시 다른 데로 돌리는 것이고, 이보다 중요한 것은 움
직임 기법을 통해 근막이완을 촉진시킬 수 있다는 점이다. 이때의 움직임
은 느리게 이루어져야 한다.

8. 테크닉을 적용하고 있는 부위로 호흡을 넣을 수 있도록 계속해서 고객을 지
도하라. 이러한 호흡 기법은 치료 효과를 높이는데 가장 큰 기여를 할 것이
다. 근막이완요법을 고객의 신경계와 통합시킬 수 있는 가장 효율적인 방
법이 바로 호흡 기법이다.

9. 항상 자율신경계의 활동을 관찰하며 적절한 기법을 적용하라. 교감신경계
가 과도하게 자극을 받으면 항진되어 전체론적 근막이완요법의 효과가 크
게 감소하기 때문에 이를 관찰하는 것은 임상적으로 매우 중요한 작업이다.

10. 치료사는 시간을 두고 자신의 신체를 늘 주의해서 관리하여야 한다.

Chapter 5

치료
전략

Treatment Strategies

치료 관계 형성하기
The Therapeutic Relationship

고객이 전화를 걸어 약속을 잡으면서부터 세션은 시작된다. 이때 치료사는 여유를 가지고 고객에게 건강 이력과 관련된 중요한 질문을 한다. "세션 약속을 잡기 전에 고객님의 신체적, 감정적 건강 상태에 대해 알아야 할 것이 있나요?" "고객님이 원하시는 치료 목표는 무엇인가요?" 이런 질문을 통해 고객이 문을 열고 들어올 때까지 준비를 할 수 있는 여유를 가질 수 있다. 일단 고객이 치료실 문을 열고 들어오면 따뜻하게 반기는 순간부터 많은 일들이 일어난다. 고객은 치료사가 자신을 좋아할지, 또는 현재 있는 곳이 안전한 장소인지 궁금해한다. 치료사는 고객에게 치료가 안전하다는 느낌과 자신이 신뢰할만한 사람이라는 사실을 전해주어야 한다. 눈을 마주치고, 진실되고 따뜻하게 반기며, 마음으로 고객과 연결하는 것. 이게 바로 모든 치료 관계 형성의 시작점이다. 치료 과정에서 고객의 건강 이력과 신체 정보를 이해하는 것 또한 매우 중요한 일이다. 고객과 치료사 사이에 허심탄회한 관계가 형성되어야 안전한 환경에서 효과적인 치료가 가능해진다.

치료사가 지금 이 순간에 현존하며 의식 집중을 하는 일은 치료에 있어 중요한 요소이다. 고객을 치료하는 과정에서 치료사는 늘 자신의 신체 감각을 깨어서 인지하고 있어야 한다. 조사에 따르면, "예의 바른 태도, 명확한 경계, 그리고 치료자의 몸과 마음 상태가 치료 관계의 질을 형성하며, 의식 집중의 질이 고객 신경계에 영향을 미친다"고 한다(Bechara & Naqvi, 2004). 치료 테크닉 자체가 아니라, 이러한 기본적인 것들이 고객과의 관계를 형성하는데 중요한 요소로 작용한다는 뜻이다. 이는 고객 중심 치료가 중요하다는 의미이며, 또한 치료사와 그 치료사가 제공하는 서비스의 역할이 중요하다는 의미이기도 하다.

치료 관계를 형성하는 일에는 치료사 자신이 지닌 지식과 기법을 적절히 활용하여 고객이 원하는 목표를 달성할 수 있도록 돕는 능력까지도 포함된다. 비록 세션을 진행할 때 치료사들은 자신만의 치료 전략을 자유롭게 사용하기는 하지만, 치료사가 고객과 함께 치료 계획과 목표에 대해 서로 토론하며 의견일치를 보는 것도 중요하다. 이렇게 공유된 목표는 현실적이어야 하며 동시에 명확해야 한다. 건강을 회복하는 것은 고객이 상상했던 것보다 더 오랜 시간이 걸린다. 그러므로 목표를 공유할 때 치료사가 독단적으로 결정하는 것보다 고객과 함께 설정해 나가야 한다. 고객과 치료사 사이에 목표를 공유할 때는 신뢰, 예상 결과, 적절한 경계, 그리고 무엇보다도 안정성이 확보될 수 있도록 해야 한다.

공감
Empathy

공감이란 타인의 느낌과 감정을 감지하는 능력이다. 치료사의 뇌는 고객의 목소리 톤, 얼굴 표정, 몸의 움직임을 보고 그들의 느낌과 감정을 민감하게 감지할 수 있다. 이는 거울뉴런mirror neurons이라 불리는 것이 모든 인간의 뇌와 심장에 존재하기 때문이다. 일단 타인의 감정이 뇌와 심장에 거울처럼 투사되면, 그것을 받는 사람(여기서는 치료사)의 몸에서도 느껴진다. 이러한 미러링mirroring은 종종 무의식적으로 이루어지며, 고객의 몸을 치료하는 치료사도 고객의 감정을 인지하게 된다. 요가에서 명상까지, 몸의 인지를 높이는 다양한 기법들이 존재한다. 어쨌든 치료사는 자신의 느낌과 감정을 고객의 것과 구분할 수 있어야 한다. 이렇게 치료사가 자신의 신체 감각에 의식적인 주의를 기울이면 고객과 공명을 이루어 안전한 치료를 이끌 수 있다(Siegel 1999). 여기서 공명resonance이란 한 사람의 신경계가 타인의 신경계와 동조synchronize되는 신경학적 현상이다.

동조 과정이 진행되면 공감이 깊어져 동감compassion이 된다. 동감 상태가 되면 고객에게 다음에 어떤 테크닉을 적용할지 그냥 알게 된다. 결국 고객 또한 치료사와 공감하여 자연스럽게 안전한 느낌을 받게 되고, 치료사도 고객이 안전감을 느끼는 것을 감지하게 된다. 이는 마치 두 사람 사이에 회로가 형성된 것과 같다. 각자가 공감을 강화하며 향상시키는 이러한 현상을 과학적 용어로 대인관계 신경생물학PNB, interpersonal neurobiology이라 한다(Siegel, 2010). 치료 관계에 있는 이들은 서로가 공감과 동감의 의도를 이해하며, 이는 궁극적으로 이완을 촉진하고 치유 환경을 개선시킨다.

공감과 연민sympathy은 많이 다르다. 연민은 한 사람이 타인에 대해 마음을 다해 돌보는 것이며 일방교통로와 같다. 이는 타인의 감정에 공감하는 것과는 다르다. 공감은 타인과의 관계에서 사랑을 느낄 때 분비되는 호르몬인 옥시토신oxytocin과 연계되어 있다. 이렇게 심층적인 돌봄, 즉 사랑의 마음은 실제로 세션을 진행하는 과정에서도 올라온다. 사랑은 좀 더 깊게 지지받고 보살핌 받는 감정이다. 누군가 신체 인지를 통해 공감과 동감을 높이면 사랑의 감정이 자동적으로 일어난다. 치료사는 단순히 시간을 들여 주기적으로 사랑의 마음 가득한 친절을 베푸는 습관을 형성하기만 해도 이런 일들이 일어난다. 사랑 가득한 친절함은 자신의 삶에서 만나는 사람, 맞닥뜨리는 사건에 주기적으로 감사하는 태도에서부터 시작된다. 이는 가슴 중앙에서 심장 박동을 감지하는 것처럼 간단한 일이다. 이렇게 감사하는 태도가 공감 능력을 높이고 타인을 사랑으로 대하는 기반이 된다.

테크닉을 바르게 적용하기 위한 조언
Tips on Proper Execution

테크닉을 바르게 적용하기 위해서는 고객의 몸에 손을 부드럽게 접촉하고, 느리게 세션을 진행하며, 주기적으로 멈추면 된다. 치료사는 관찰하고, 부드럽게 손을 대고, 미묘하게 찾는다. 조직을 찌르고, 파내고, 미는 것이 아니다. 세션을 진행하다 의심이 나면 그 조직 위에 손을 부드럽게 올리고 고객의 호흡을 따라가라.

1. 시간을 들여 세션을 진행하기에 최고로 편안하고 힘을 효율적으로 쓸 수 있는 자세를 잡는다. 가능한 접촉하는 방향과 몸은 수직을 이루어야 한다. 골반대(다리이음뼈)와 견갑대(팔이음뼈)가 힘의 방향과 정렬을 이루도록 하라.

2. 90도 각도로 천천히 움직이며 고정된 근막층을 찾는다. 접촉해서 움직이는 선이 곡선을 그린다고 상상하라.

3. 일단 찾으려던 근막층에 도달하면 조금씩 각도를 변화시킨다. 고정된 근막층에 사선으로 압력을 가하며 글라이드^{glide} 기법을 적용하라. 다시, 고정된 (딱딱한, 비가동적인) 조직을 움직이며, 액체로 된 조직 안에서 뱀이 꿈틀대며 움직이면서 조직에 가동성과 역동성을 만든다고 상상하라.

4. 고정된 부위나 딱딱해진 조직의 경계를 따라 구르듯 또는 미끄러지듯 작게 움직여라. 보통 제한장벽을 풀어가며 해부학적으로 바른 위치로 움직이면 된다. 이게 바로 직접 테크닉^{direct technique}이다.

5. 그런 다음 그 자세에서 고객에게 움직임을 요청하라. 그렇게 하면 감각을 증폭시키거나 고정된 근막층을 이완시키는데 도움이 된다. 테크닉을 적용

하는 부위로 호흡을 넣어달라고 요청하면 고객의 인지를 높이고 통증을 감소시킬 수 있으며, 근막과 신경계를 통합시킬 수 있다. 조직을 딱딱하게 만드는 원인에 대해 관심을 가져라.

6. 테크닉을 적용하는 조직이 액체처럼 부드러워지거나 가벼워지는 느낌이 날수 있다. 이러한 느낌이 나는 것은 이완이 일어나고 있다는 의미이기 때문에, 그 지점에서 멈춰라. 이후에 어느 부위를 이완시킬지 분석한 다음 그리로 움직인다. 때때로 조직 감각이 변하거나 열감이 발생하는 것이 아니라, 심호흡을 하는 것과 같은 자율신경계 반응이 발생할 수도 있다.

7. 한 부위에 1분 이상 머무르지 말라. 아무런 반응이 없다면 다른 부위로 이동하면 된다(이동하는 거리는 1/2인치 이내면 된다).

8. 뼈의 경계 부위에서 테크닉을 진행한다. 이 부위는 얕은근막과 깊은근막이 만나는 부위이다. 여기서는 뼈도 연부조직으로 간주된다는 사실을 기억하라.

9. 접촉하고 있는 조직 아래에 있는 해부학적 구조를 떠올리며, 이를 감싸고 있는 막과 연결한다고 상상하라.

10. 이완은 테크닉을 적용하고 있는 조직에서만 일어나지 않고 다양한 방식으로 진행된다. 그러니 해당 조직에만 인지를 제한하지 말라. 움직임을 느꼈다는 생각이 들면, 그 또한 느낀 것이라는 사실을 기억하라. 인간의 손은 머리카락 굵기 1/100 정도 움직임도 감지할 수 있다.

덧붙이자면, 양발 사이를 떨어뜨려 자세를 잡는 것보다 양발을 골반 아래 모으는 자세를 유지하는 편이 낫다. 이렇게 하면 척추에 피로가 쌓여 손상되는 것을 방지할 수 있다.

고객에게 움직임을 요청하는 요령
Tips on Asking for Movement

세션을 진행하면서 고객에게 부드럽게 움직여달라고 요청하면 해당 조직을 이완시키는 데 도움이 된다. 또한 치료사가 결합조직 내에 있는 일련의 제한 부위를 감지하는 데도 도움이 된다. 치료사와 고객이 서로 대화를 통해 상호작용을 하면 불편한 느낌을 감소시킬 수 있다. 치료사는 요청한 바로 그 움직임을 고객이 제대로 수행할 수 있는지 확인하면서 불필요한 움직임이 일어나지 않도록 체크해야 한다.

1. 세션을 시작하기 전과 후에 고객을 일으켜 세운 다음 걸어보게 하라. 고객이 누운 자세로 가만히 있을 때보다 서 있을 때 관찰하면 다른 정보를 얻기 쉽다. 물론 세션 중에도 가끔씩 고객을 일으켜 세워서 관찰하라.
2. 가동성이 떨어져 있거나 정렬 상태가 어긋나 보이는 결합조직에 접촉하기 전에 고객에게 움직임을 요청해보라.
3. 테크닉을 적용하면서 제한 부위가 발견되면 작은 움직임을 요청하라. 1인치 정도 움직이는 것에서 시작하여 필요하다면 조금씩 늘리거나 줄여나갈 수 있다. 고객이 맨 처음으로 움직임 참여를 하는 순간을 주의해서 관찰하라. 보통 이때는 얕은근막이 큰 움직임을 담당하면서 깊은근막은 동원되지 못하곤 한다. 고객에게 처음에 1인치 정도 움직였던 것을 재현해달라고 요청하라. 그런 다음 그 절반 정도만 움직여달라고 하고, 또 그 절반 정도만 움직여달라는 방식으로 진행한다.

4. 세션을 진행하는 치료사의 요청에 의해 처음으로 움직임 참여를 한 고객은, 움직임 조절에 서툴기 때문에 전체적으로 큰 움직임이 일어난다. 하지만 치료사의 지도를 통해 고객이 움직임을 적절하게 그리고 느리게 조절할 수 있게 되면, 현재 세션을 진행하는 근막층에서 비롯되는 움직임을 유도할 수 있다.

5. 정확한 움직임을 발견할 때까지 한 번에 한 가지 형태의 움직임만 요청하라.

6. 테크닉을 적용하는 치료사의 손 방향으로 움직여달라고 요청하라. 고객이 움직임을 멈추고 이완하고 있을 때는 깊게 파고드는 테크닉을 삼간다.

7. 움직임 요청 방법

① 호흡을 접촉 부위로 넣어주세요.

② 숨을 내쉬면서 그 감각이 일어나는대로 내버려 두세요.

③ 안에서부터 제 방향으로 움직여주세요.

④ 뼈가 제 방향으로 움직이게 하세요.

⑤ 척추사이원반을 움직여주세요(고객이 평소에 하지 않던 움직임 또는 어려워하는 움직임을 요청했을 때 효과가 커진다. 이는 좀 더 깊은근막이 의식적인 움직임에 동원되기 때문이다. 그냥 척추사이원반을 움직인다고 상상하라).

⑥ 손을 대고 있는 부위와 가까운 관절을 움직여주세요(세션을 진행하고 있는 부위와 가까운 관절을 움직이면 그 주변의 근육군이 동원된다).

⑦ 느리지만 최대한 크게 움직여주세요(만일 관절가동범위를 높이는 것이 세션의 목적 중 하나라면 이렇게 움직임 요청을 하라).

8. 이러한 움직임 요청 기법에 익숙해질 때까지 한 번에 하나의 움직임 이상을 요청하지 말라. 하지만 기본적인 움직임 요청 기법에 익숙해지면, 세션을 진행하면서 여러 가지 형태의 움직임 시퀀스를 동시에 요청할 수도 있다.

9. 한손 또는 양손을 활용해 호흡을 넣을 수 있게 유도할 수 있다. 한손을 쓸 때는, 먼저 그 손을 현재 세션을 하고 있는 부위 또는 방금 세션을 마친 부

위에 대고 그쪽으로 호흡을 넣어달라고 요청한다. 양손을 쓸 때는, 한손은 몸 앞쪽에 다른 손은 몸 뒤쪽에 대고 양손 사이 공간으로 천천히 호흡을 넣어달라고 요청하면 된다. 양손을 접촉하기 전에 호흡을 넣게 할 수도 있고, 접촉한 이후에 호흡을 넣게 할 수도 있다. 천천히 양손 사이에서 편안한 호흡이 일어나게 하라. 이때 고객의 척추 앞쪽이 호흡에 따라 위아래로 움직인다.

10. 신체 어느 부위에 세션을 적용하고 있더라도, 고객에게 꼬리뼈 움직임을 요청하면, 요근(허리근) 주변의 깊은근막에 접근할 수 있다.

11. 고객이 자신의 장부나 세션을 적용하는 부위의 구조물을 시각화할 수 있게 하라. 이는 해부학 책에 나오는 그림을 보여주면 된다. 그런 다음 세션을 하고 있는 구조물 또는 그 주변으로 호흡을 넣을 수 있게 유도한다. 고객이 해당 장부를 움직인다고 상상하게 하라. 이런 방식을 쓰면 뇌의 다른 부위가 동원되어 세션을 통합시키는데 도움이 된다.

자율신경계가 피로해지는 것을 피하는 법
Avoiding Autonomic Exhaustion

여기서 제시한 방법을 따르면 자율신경계와 관련된 문제를 피해갈 수 있다. 피부가 붉어지거나, 땀이 나거나, 손발이 축축해지고 근육이 연축하며, 때때로 감정적 이완이 일어나는 증상이 바로 그것이다. 자율신경계가 활성화되는 것을 온전히 피하긴 어렵다. 하지만 다음 테크닉을 통해 그 강도를 적절히 조절할 수는 있다.

1. 세션 속도를 조절하라. 각각의 테크닉 사이에 "안정화가 생길 수 있는" 여유 시간을 주어라. 몇 분에 한 번 정도 휴식 시간을 갖고, 고객의 신체에 접촉하고 있지 않는 동안 2~3회 정도 호흡을 할 수 있게 한다. 몸 전체를 지속적으로 스캔한다.

2. "느낌은 어떠세요?", "괜찮으신가요?" 또는, "너무 빠르지 않나요?" 등의 질문을 계속 하면서 고객과 언어적 접촉을 유지한다. 그런 다음 대답을 듣거나 몸의 반응을 관찰하며 질문을 이어간다.

3. 고객의 눈과 피부 색을 관찰하라. 팔다리가 축축해지거나 떨리는 현상이 일어나는지도 확인하라. 자율신경계가 항진되거나 풀리는 현상이 보이면 세션 속도를 줄이거나 멈춘다. 때때로 고객의 횡격막과 그 주변에 양손을 대고 몇 분 동안 상태를 체크하며 리스닝한다.

4. 가끔 심호흡을 하면 자율신경계 문제를 예방할 수 있다. 하지만 지나치게 오래 하지는 말라. 과호흡은 피한다. 고객의 호흡 속도를 낮추게 하라. 일 분 정도 손을 고객의 횡격막 위에 올리거나, 마음을 가라앉히게 하면 된다.

5. 자율신경계의 흥분이 발생하지 않는 부위도 관찰할 수 있다. 자율신경계 방전*이 몸 전체에 일어나는 것이 최상이다. 자율신경계의 개입으로 보통 경추 1번과 후두골이 만나는 곳, 흉추, 호흡횡격막, 또는 골반기저부 횡격막과 같은 인체의 주된 가로 횡격막 중 한 곳이 억제된다. 세션을 하는 중에 횡격막이 열린 상태에서 이완될 수 있도록 유지하라. 목 뒤쪽, 늑골궁, 또는 복부에 손을 부드럽게 접촉하면서 접근하면 주된 가로 횡격막들을 열린 상태로 유지할 수 있다. 다음과 같은 말로 신호를 보내도 된다. "가슴의 느낌이 다리로 흘러가게 내버려둘 수 있나요?", "다리의 떨림이 복부로 지나가게 해보세요." 이렇게 고객에게 질문을 던지거나 요청하는 방식으로 떨리고 있는 부위의 에너지가 이와 연접한 주변 부위로 퍼져나가도록 만들 수 있다.

6. 고객이 몸을 떨거나 정체된 에너지를 털어낼 수 있도록 허용하라. 이는 미주신경긴장성 반응이며 자율신경계 방전과 다르게 보인다. 방전이 일어나는 동안 척추에서 아치가 일어나거나 몇 분 간격으로 파동 패턴이 펼쳐질 수도 있다. 이는 부교감신경 톤이 증가해서 일어나는 현상이다. 두통과 구토 또한 미주신경긴장성 반응에 속한다.

7. 트라우마가 있는 조직 또는 꿈틀대는 반응을 보이는 부위에 너무 빠르게 접근하면 자율신경 스파크autonomic spikes를 유발시킬 수 있다. 이는 고객의 트라우마에 너무 깊게 접근해서 생기는 일인다. 그러니 세션 속도를 줄여라. 트라우마에 깊게 접근하면 막으로 둘러싸인 장부가 긴장하거나 자율신경계가 해리될 수 있다.

---

* 이 주제와 관련해서는 14장의 설명을 참조하라

8. 세션 중에 자율신경계 방전 현상을 보이는 고객이 있으면, 쉴 수 있게 한 다음 조용히 일어서게 하여 이리저리 천천히 움직이게 한 후 진정시킨다. 그리고 정상적인 호흡을 하는지 확인하라. 고객에게 호흡을 유도하여 심호흡을 할 수 있게 해도 된다. 특히 복부, 골반, 상부 늑골 부위로 호흡을 할 수 있게 하라.

9. 떨림이나 진동이 장부 방향으로 움직여 지나갈 수 있도록 허용하라. 장부의 이름을 구체적으로 말해주면 도움이 된다. 때때로 방전된 에너지가 뼈나 고정이 있는 다른 인체 시스템(예를 들어 신장 문제, 암, 변비 등이 있는 경우 이와 관련된 부위를 지정해준다)으로 흘러갈 수 있도록 도움을 줄 수도 있다. "그 떨림을 장부쪽으로 이동하게 할 수 있나요?", "그 진동을 뼈로 가져갈 수 있나요?" 이렇게 하면 신경계에 좀 더 깊은 통합이 일어난다.

10. 치료사가 하는 일은 교감신경계 방전을 인도하여 고객이 그 방전 에너지를 장부나 부교감신경계에 보내 트라우마를 재구조화, 재조정할 수 있게 하는 것이다.

이들은 모두 소프트시잉 기법을 통해 확인해야 할 요소들이다. 도수치료는 단지 신체 조직을 이완하는 형태에서 자율신경계와 관련된 좀 더 다양한 인체 시스템까지 다루는 형태로 진화해왔다. 그렇기 때문에 자율신경계에 내재한 이 방전 패턴을 촉진하여 고객의 신체에서 문제가 되는 부위와 그들이 가지고 있는 병력을 좀 더 광범위하게 통합할 수 있게 이를 활용할 수 있어야 한다.

감정 이완이 일어날 때 돕는 법
Support During Emotional Release

근막이완 세션을 받는 중에 고객이 감정을 표출하는 일은 흔하다. 인체 깊은 곳이 풀리면서 화학적 반응이 유발되며 감정 이완이 일어나는 것이다. 정신건강 분야에서 전문 자격을 획득하지 못한 치료사가 이러한 감정에 대처하는 것은 역량 범주를 넘어서는 일이다. 하지만 공감과 동감을 통해 고객을 도울 수는 있다. 여기에 감정 이완을 다루는 간단한 방법을 소개한다.

- ▶ 고객이 울면 휴지를 건네라.
- ▶ 친절하게 물어라. "어떻게 도와드릴까요?", "지금 필요한 게 뭔가요?", "세션을 끝내고 싶으신가요?"
- ▶ 열린 마음으로 고객의 말을 경청하며 그 순간을 함께 하라.
- ▶ 치료사가 꼭 뭔가를 해야 할 필요는 없다는 사실을 기억하라.
- ▶ 호흡을 조절하며 중심을 잡고 기다려라.
- ▶ 고객이 호흡을 조절할 수 있도록 도와라.
- ▶ 고객이 자신의 발을 만질 수 있도록 해서 그라운딩을 촉진하라.
- ▶ 필요하다면 혼자 조용한 시간을 갖게 하라.
- ▶ 필요하다면 대화를 나눠라.
- ▶ 고개를 끄덕이며 고객의 말을 받아들이는 자세에서 경청하라.
- ▶ 도움을 주며 수용적인 태도를 지녀라.
- ▶ 고객이 치료실을 편안하게 느낄 수 있게 하라.

- 세션 중에 일어나는 일을 존중하고 받아들여라. 지금 현재 일어나는 사건은 고객의 인생에서 정말 중요하다는 점을 기억하라.
- 충고를 하려고 하지 말라.
- 회피하거나 독단적으로 판단하지 말고, 가능하면 심리치료 테크닉을 활용하라.
- 치료사 또한 자신의 개인적인 느낌을 받아들여라. 자신이 느끼는 것을 진정으로 인정하고 책임을 져라.

고객에게 감정 이완이 일어나면서 치료사의 감정 또한 자극을 받는 일은 매우 흔하다. 장기적으로 봤을 때, 치료사도 자신에 대한 자기인지self-awareness를 높여야 고객의 감정이 표출되었을 때 편안한 마음으로 대처할 수 있다. 자신이 대처하기 힘든 문제는 선임자에게 도움을 요청하는 것도 좋다. 치료사 개인의 문제는 치료 중에 일시적으로 미뤄두는 법을 배워야 한다. 필요하다면 고객이 치료실을 떠난 후에 적절한 도움을 구하도록 하라. 마사지테라피스트는 고객의 정신적인 문제에 대한 치료를 피해야 한다. 이러한 문제는 심리치료 영역에 속하기 때문이다. 다음과 같은 상황은 윤리적 문제를 낳기 때문에 피하는 것이 좋다.

- "그 다음에 무슨 일이 일어났죠?" 또는 "그때 무엇을 했죠?"
  이렇게 물어보면서 고객에게 더 많은 정보를 내놓도록 자극하는 행동
- 더욱 강하게 감정 이완이 일어나도록 고무시키는 행동
- 고객이 드러내는 감정이 무언가와 연계되어 있을 수 있다는 식의 암시
- 감정 문제에만 초점을 맞추는 것
- 고객의 언어적 정보나 감정적 표현을 주관적으로 해석하려는 태도

Chapter 6

근막이완
세션

The Myofascial Release Session

얕은 층을 웜업하라
Warm up Superfically

고객을 엎드리게 하고 잠시 그라운딩시킨다. 그런 다음 손을 천골과 심장 또는 천골과 경추 7번에 부드럽게 댄다. 고객의 호흡과 여러분의 호흡을 동조시킨 후에 마치 손으로 그 호흡이 들어온다는 느낌으로 연결하라. 양손 사이에서 고객의 호흡이 안 느껴지면, 숨을 쉴 때 천골과 심장에 놓인 손을 확인해보라고 고객에게 요청하면 된다. 2~3회 정도 호흡 사이클을 느낀 후 천천히 손을 뗀다. 세션을 시작하며 고객과 연결을 맺으려면 짧게 바디스캔을 시키면 된다. 예를 들어, 고객에게 치료실을 인지할 수 있는지 물어본다. 온습포 팩이 통 안에서 데워지는 소리, 부드럽게 흐르는 음악 소리 등을 들어보라고 할 수도 있다. 그런 다음 의식을 몸으로 가져오게 한다. 특히 피부 표면의 느낌을 찾게 한다. "시트에 닿아 있는 피부 느낌이 어떤가요?" 이런 식으로 발, 다리, 골반 등도 인지하게 한다. 몸의 앞면, 뒷면뿐만 아니라 옆면도 느껴보게 한다. 이게 중요한 이유는 무엇일까? 바로 치유가 몸 안에서 일어나기 때문이다. 사람들은 자신의 몸 바깥에서 살아간다. 그래서 때론 자신의 몸을 인지하는 것 자체를 두려워하는 이도 있다. 자기 자신의 몸과 관계 맺는 것 자체를 불편하게 느끼는 사람도 있는 것이다. 바디스캔을 연습하면 몸의 스트레스를 밖으로 내보낼 수 있다. 때론 고객 스스로 자신의 손을 심장 부위에 얹고 심호흡을 하도록 코칭하는 것만으로 충분하다. 이것만으로도 내적으로 안전하고 편안한 느낌을 선사하기 때문이다. 치료실에 들어오는 순간 스트레스로 가득한 모습을 보인다면, 그 고객은 이미 힘든 하루를 보냈다고 예상할 수 있다. 특히 하루 일과를 마감하고 치료실에 찾아오는 고객에겐 호흡 연습을 시켜보라. 그러면서 호흡을 할 때 움직이는 늑골의 형태를 관찰할 수 있다. 어쩌면 고객은 세션을 하는 중에 이렇게 호흡하는 시간을 기다릴지도 모른다. 호흡법을 잘 배운 고객은 마치 마음챙김 명상을 하듯 일상 생활에서도 이를 활용하게 될 것이다.

테크닉 속도 조절은 고객에 따라 달라질 수 있다. 호흡법을 활용하거나 간단한 바디스캔은 세션을 시작하기에 좋은 기법이다. 이를 통해 더 깊은근막 층으로 나아가기 전, 고객의 자율신경계 유연성을 검사해 볼 수 있다. 척추기립근(**척추세움근**)과 등 위쪽은 얕은근막에서 세션을 시작하는 것이 안전성 측면에서 좋은 접근법이다. 이렇게 엎드린 자세에서 접근하는 것이 중립성 확보 측면에서 더 효과적이다. 등을 대고 누운 자세는 훨씬 위험도가 높다. 다리 부위에서부터 시작하는 방식도 괜찮다. 이는 정골의학 모델이며, 롤핑에서도 이렇게 한다. 롤핑 모델에서는 발에서 시작해 위로 올라가면서 세션을 진행한다. 앞쪽의 복부근막을 위로 올려 어깨 뒤로 떨어뜨리고, 등으로 내리는 것을 상상해보라. 이러한 접근이 세션의 안정된 기반을 형성한다. 신경발달요법 모델에서는 몸통이 실질적인 기반을 이룬다고 본다. 서로 다른 접근법들을 살펴보면서도 여러분의 직관에 귀를 기울이고, 이를 통해 고객에게 최선의 접근법을 찾아라. 여기서 핵심은 세션을 진행하는 과정에서 전체성과 관련된 개념을 잊지 않고 나아가는 것이다. 몸의 문제를 단지 어깨, 단지 무릎에서 찾지 말라. 막시스템을 통해 인체의 모든 부위가 연결되어 있다. 따라서 치료 또한 전체적인 관점에서 이루어져야 한다.

더 깊은 층으로 들어가라
Go Deeper

세션을 진행할 때 테크닉 적용 속도를 너무 빠르게 하거나 허락을 구하지 않고 접근하면 고객이 지닌 트라우마를 심화시킬 가능성이 존재한다. 정지법칙을 기억하라. 그리고 눈을 크게 뜨고 관찰하라. 몸을 스캔하면서 자율신경계 방전이 일어나는지도 살펴보라. 고객의 몸에 스트레스가 많을수록 접근 속도를 늦춰야 한다. 한 번의 세션에 이완은 3~5회 정도 이끌어내면 적합하다. 만일 세션 시간이 60분이면 이중 20~30분은 얕은층에, 또 20~30분은 깊은층에 투자하고, 나머지 시간을 통합 테크닉으로 마무리하면 된다. 세션 시간이 90분이라면, 깊은근막에 대략 45분 정도의 시간을 투자할 수 있다. 물론 고객의 자율신경계가 항진되거나 몸에 자극이 많이 가해졌다고 판단하여 세션 시간을 과감히 줄일 수도 있다. 인체 시스템이 편안하게 적응할 수 있는 여유를 주어라. 세션 시간이 15분밖에 안 남았다고 요근(허리근) 이완을 급하게 이끌어내거나 내전근(모음근)에 테크닉을 강하게 할 필요는 없다. 물론 고객이 좀 더 해달라고 요청하면, 왜 이 정도가 적당한지 친절하게 설명해주어야 한다. 이렇게 하면 세션을 통합시키고 마무리할 때 도움이 된다.

치료사는 언어적으로 고객에게 합의를 이끌어내야 한다. 이 부분은 어떤 분야 바디워크를 하든 중요한 사항이다. 특히 깊은근막 조직을 이완시킬 때 더욱 중요하다. 물론 서류상으로 세션과 관련된 사인을 받았겠지만, 테크닉을 적용하는 과정에서도 다음과 같은 말로 언어적 합의를 이루도록 하라. "통증 스케일로 고객님의 통증 정도를 점수 매기려고 합니다. 0점은 통증이 없을 때, 10점은 차 문에 손가락을 찢었을 때 정도의 통증이에요. 7또는 8점 정도 이상의 통증이 느껴지시면 멈출게요. 그러니 느끼시는 통증에 따라 제가 가하는 압력을 줄일지 높일지 알려주세요." "아프지만 기분 좋은 통증"에 대해서도 알려줄 필요가 있다. 이런 통증은 아프지만 결국 만족스러운 결과를 가져오기 때문이다. 자율신경계가 항진되거나 이로 인해 몸에 긴장이 유발되지 않도록 주의해야 한다. 그러니 조직에 접촉해 들어갈 때는 늘 주의하고 집중해야 한다. 가볍게 조직에 손을 얹고, 적절한 압력을 가하면서, 느리게 싱크sink해 들어간 다음, 조직이 부드러워지는 느낌이 나면 움직여라. 깊은근막을 이완시킬 때는 훨씬 고려할 사항이 많다.

테크닉을 적용하는 매 순간마다 압력을 가하는 질, 양, 깊이, 지속시간, 방향 등의 요소를 모니터링해야 한다. 이는 세션을 진행하는 지금 이 순간에 머물러야 함을 의미한다. 테크닉을 적용하는 순간에 현존하여야 고객의 신체가 통합될 수 있도록 하는데 도움을 줄 수 있다. 자율신경계 방전이 꼭 일어나야 좋은 것은 아니다. 접촉을 하며 압력을 가할 때 지나친 것은 무엇이고 부족한 점은 무엇인가? 고객의 신체에서 이완시켜야 할 부위는 어디이고 세션에 도움을 주는 요소는 무엇인가? 어떻게 하면 고객의 치유 능력을 향상시킬 수 있겠는가? 긴장이 높아진 부위는 어디인가? 접촉을 느리게 해서 점진적으로 압력을 가하라. 화학에서는 이를 적정titration이라 부른다. 조심해서 느리게 조직에 접근하면 형태적으로 그리고 시스템적으로 일종의 변형의 임계점이 찾아온다. 이때 입력 신호를 적정하면, 고객이 풀려난 생전기자기적 에너지를 활용하게 된다. 당신은 신경계가 과부하 걸릴 수 있는 가능성을 줄이기만 하면 된다(Levine, 2010).

1장에는 트라이애드 모델, 조직화 개념, 이탈 등 치료 가능성을 높이는 방법이 좀 더 자세히 소개되어 있으니 참조하라. 좀 더 안전하고 효과적인 도수치료를 통해 고객에게 도움을 줄 수 있는 방법도 다양하게 소개해 놓았으니 확인하기 바란다.

통합
Integration

깊은근막을 몇 개 푼 이후엔 통합근막을 풀며 세션을 마무리하고 싶을 것이다. 이때 천골균형 테크닉^{sacral balancing technique} 같은 것으로 세션을 마무리하면 좋은 결과를 가져온다. 환추후두(**고리뒤통수**) 관절 이완이나 후두하근(**뒤통수밑근**), 측두근(**관자근**), 그리고 머리의 근막을 풀며 마무리해도 괜찮다. 인체 중심선으로 이동하여 꼭대기에서 바닥까지 그리고 바닥에서 꼭대기까지 연결하며 세션을 진행할 수도 있다. 머리에서 발까지 그리고 발에서 머리까지 길게 경찰법^{effleurage}을 느리게 적용해도 세션을 온전하게 완료한 느낌을 전해준다.

재교육
Reeducation

근막이완 과정의 마지막 부분은 재교육이다. 모든 치료사가 자기만의 다양한 재교육 방법을 지니고 있다. 신경발달요법을 배워온 치료사라면 고객의 움직임을 개선시키는 작업을 할 것이다. 어쩌면 당신은 몇 종류의 스트레칭 기법과 다양한 운동법을 가르쳐 줄 수도 있을 것이다. 요가 클래스를 추천하는 것도 매우 좋은 선택이다. 훌륭한 영양사, 상담가, 장치료 전문가, 또는 물리치료사를 소개해주어도 된다. 언제 어떤 전문가에게 자신의 고객을 소개시킬지 아는 것도 치료사가 갖춰야 할 중요한 덕목이다.

Chapter 7

근막이완
적응증과 금기증

도수치료를 적용할 때 가장 큰 금기증은 바로, 어떤 문제를 호소하든, 고객 개인이 느끼는 안정감 상실이다. 안정감이란 주관적인 요소이기 때문에, 치료사는 세션을 진행하는 동안 그냥 고객의 개인적인 마음 상태에 초점을 맞춰야 한다. 또 적용하는 근막이완 테크닉이 얼마나 효과적인가에 상관없이 조금이라도 의구심이 든다면 세션을 멈추어야 한다. 근막이완요법을 시행할 수 있는 다양한 형태의 적응증과 전통적인 금기증은 다음과 같다.

적응증
Indications

발목Ankle

아킬레스 건염achilles tendinitis

굴곡근 건염flexot tendinitis

족저 근막염flexor fascitis

발목터널 증후군tarsal tunnel syndrome

요족(갈퀴발)pes cavus (claw foot)

내번 염좌inversion sprain

인대 염좌: 종비인대Calcaneofibular, 전거비인대Ant. talofibular,

후거비인대post talofibular, 거주인대talonavicular

무릎Knee

슬개골 연골 연화증chondromalacia of patella

슬개대퇴 기능장애patellarfemoral dysfunction

슬개 건염patellar tendinitis

내측/외측 측부인대 염좌medial/lateral collateral ligament sprain

거위발 건염pes anserinus tendinitis **– 3개의 부착부**3 insersions：봉공근sartorius,

　박근gracilis, 반건양근semitendinosus

점액낭염bursitis **：**슬개하infrapatellar, 슬개상suprapatellar 등등(무릎 주위에 19개의

　점액낭이 존재한다)

무릎관절 전치환술total knee replacement

▌엉덩이와 허벅지 Hip and Thigh

대전자 윤활낭염trochanteric bursitis

지각이상 대퇴신경통(외측 대퇴)meralgia parestherica (outer thigh)

장경인대 증후군IT band syndrome

이상근 증후군piriformis syndrome

요근 기능장애psoas dysfunction

둔근 건염gluteal tendinitis

내전근 건염adductor tendinitis

만성 고관절 탈구chronic hip displacement

고관절 전치환술total hip replacement

인대 염좌ligament sprain：장골대퇴iliofemoral, 치골대퇴pubofemoral,

　좌골대퇴ischiofemoral

▌허리와 엉덩이 Low Back and Hip

요추 염좌 lumbar strain

요추 기능장애 lumbar dysfunction

요추 척추증 lumbar spondylosis

좌골신경통 sciatica

요천추 신경근염 lumbosacral radiculitis

천장관절 불안 sacroiliac instability

천골 염좌 sacral sprain

미골통 coccygodynia

척추 융합술 vertebral fusion

척추 후궁절제술 laminectomy

척추협착증 spinal stenosis, 척추측만증 scoliosis

강직성 척추염 ankylosing spondylitis

▌목 Neck

외상성 경추 염좌 traumatic cervical sprain

연축 사경 spasmodic torticollis

상완 신경근염 brachial radiculitis

두통 cephalgia

흉곽출구 증후군 thoracic outlet syndrome

경추 협착증 cervical stenosis

어깨Shoulder

유착성 어깨 관절낭염adhesive shoulder capsulitis

회전근개 증후군rotator cuff syndrome

극상근 증후군supraspinatus syndrome

상완이두근 건염biceps tendinitis

만성 탈구chronic dislocations

인대 염좌ligament sprain**:** 견봉쇄골acromioclavicular, 오훼쇄골coracoclavicular,

오훼견봉coracoacromial; 오훼상완coracohumeral, 관절와상완glenohumeral,

상완횡transverse-humeral, 측면삼각근medial deltoid

윤활낭염bursitis**:** 견봉하subacromial, 오훼하subcoracoid, 삼각근하subdeltoid

손목과 손Wrist and Hand

수근관 증후군carpal tunnel syndrome

수장 근막염palmar fascitis

손과 손목의 건염tendinitis of hand or wrist

관 증후군들tunnel syndromes

두개골 부위Cranial Region

턱관절 기능장애TMJ dysfunction

이명tinnitus

부비동염sinusitis

긴장성 두통 Tension headaches

▌계통적 근골격계 문제Systemic Musculoskeletal

협심증angina pectoris

회귀성 류머티즘palindromic rheumatism

관절염(25종)arthritis (25 different types)

관절 석회화calcification of Joint

섬유근염fibromyositis

진행성 화골성 근염progressive myositis ossificans

신경통neuralgia, **신경염**neuritis

월경통dysmenorrhea

▌계통적 신경계 문제Systemic Nervous

벨 마비bell's palsy

호너 증후군horner's syndrome

신경병증neuropathy; **신경 포착**entrapment

이상감각paresthesia

동통성 틱tic douloureux

삼차 신경통trigeminal neuralgia

경직성 뇌성마비spastic cerebral palsy

뇌졸증으로 인한 경직spasticity due to stroke

금기증
Contraindications

마사지 배울 때 마사지사는 고객에게 해를 끼치지 않는 요령을 맨 먼저 배운다. 아래의 리스트에는 고객이 지닌 병력과 관련된 특수한 형태의 금기증이 포함되어 있지 않을 수도 있다. 하지만 이를 바탕으로 치료 계획을 세우거나, 시간을 들여 고객 상태를 충분히 검사하면 세션의 안전성을 확보하는 데 도움이 될 것이다.

급성 순환 문제acute circulatory conditions

급성 류마티스 관절염acute rheumatoid arthritis

급성 트라우마/염증acute trauma/inflammation

심각한 퇴행성 변화advanced degenerative changes

심각한 당뇨병advanced diabetes

동맥류aneurysm

항응고 요법anticoagulant therapies

봉와직염cellulitis

감기와 독감colds and flu

전염성 피부 문제contagious skin conditions

감각저하/신경병증decreased sensation/neuropathy

극심한 통증extreme pain

고열(발열)febrile state (fever)

섬유근육통fibromyalgia

골절 치유 중^{healing fractures}

피부 통각과민^{hypersensitivity of skin}

악성종양^{malignancy}

폐쇄성 부종^{obstructive edema}

개방창^{open wounds}

골수염^{osteomyelitis}

골다공증^{osteoporosis}

구조적 문제^{structural issues}

계통 또는 국소 감염^{systemic or localized infections}

봉합^{sutures}

Part 2

그림
Psyche mit Schmetterling am Seeufer(Ca. 1870-80)
Wilhelm Kray(German, 1828–1889)

사진으로 배우는
근막이완요법 실습

Chapter 8

척추와
흉곽 이완

Release of Spine and Thorax

기능적 호흡 이완
Functional Breath Release

쇼크를 받거나 트라우마를 겪은 후 흉곽이 경직되거나 고정된 패턴을 갖게 되는 고객들이 많다. 이런 패턴을 지닌 이들은 호흡 또한 매우 급해져 과호흡이 되거나, 매우 느려져 저호흡이 되곤 한다. 이로 인해 호흡계 내에 이산화탄소 농도가 증가하면 호흡성 산성증respiratory acidosis이 되거나, 혈중 산소 농도가 증가하면 호흡성 알칼리증respiratory alkalosis이 되기도 한다. 이유가 어떻든 늑골(갈비뼈)의 움직임이 고정되면 흉곽(갈비우리) 전체의 움직임이 제한되며, 이로 인해 호흡이 제한된 이들을 밖에서 보면 마치 통형 가슴이나 붕괴형 가슴을 지니고 있는 것처럼 보인다. 붕괴형 가슴을 지닌 이들은 흉곽이 안쪽으로 많이 움직이기 때문에 호흡을 할 때마다 머리가 앞쪽으로 끌어당겨져 소위 전방머리자세forward head posture가 되곤 한다. 정형학적 또는 신경학적 트라우마가 발생하면 놀람반사 메커니즘startle reflex mechanism이 우선적으로 발동되는데, 이 반사로 인해 들숨이 아주 빠르게 일어난다. 그 이유는 숨을 들이쉴 때 인체가 자동적으로 흉곽출구를 열린 상태로 유지하기 위해 상부 늑골을 고정시키기 때문이다. 정형학적 손상이나 일련의 트라우마를 겪은 환자에게 도수치료를 해주고 나서도 종종 호흡 문제를 간과하는 경우가 많다. 여기서 제시하는 테크닉은 흉곽을 열고 호흡을 할 때 그 가동범위를 최대로 확보해 흉곽의 관절 사이 공간이 최대로 확보될 수 있도록 고안되어 있다. 여기서 소개하는 기능적 호흡 이완 테크닉의 첫 번째 목표는 연부조직이나 뼈가 아니라 호흡이라는 점을 기억하길 바란다. 접촉 기법, 압력의 정도, 언어 기법을 잘 조화시키는 것은 치료사가 갖추어야 할 중요한 덕목이다. 특히 근막을 이완하기 위해 압력을 가할 때, 고객에게 숨을 들이쉬거나 내쉬라고 요청하는 언어 기법을 잘 활용하여야 한다. 테크닉을 적용할 때 이 언어 기법을 활용해 고객의 몸통 움직임을 스캔한다면 치료 효율을 높일 수 있기 때문이다. 기능적 호흡 이완 테크닉 4가지를 소개하도록 하겠다.

▌기능적 호흡 이완 1

고객이 숨을 내쉴 때 부드럽게 흉곽을 압박하면서 테크닉을 시작한다. 흉곽을 가볍게 압박하면서 늑골과 몸통이 삼차원적으로 움직이는 방향 또는 벡터를 검사하는데, 고객이 앙와위(누운 자세)로 누워있다면 그 움직임 방향은 내측으로 척추, 하방으로 골반, 그리고 후방으로 테이블을 향하게 된다. 고객이 한두 번 숨을 쉴 때 흉곽의 움직임을 따라가면서 어느 방향 또는 벡터에서 가장 움직임이 고정되어 있는지 확인하라. 어느 벡터로 힘을 가해야 할지 결정한 다음 세 번째와 네 번째 날숨이 일어날 때 그쪽 방향으로만 압박을 가한다. 양손으로 약 20~30 파운드의 기계적 압박을 위쪽으로 가하며 날숨이 완벽이 끝나는 지점까지 가게 하고, 동시에 언어 기법을 활용해 고객 스스로도 날숨의 끝점까지 도달한 느낌이 날 때까지 숨을 내쉬라고 요청한다. 고객이 숨을 들이쉴 때는 압력을 제거한다. 하지만 압력을 제거하더라도 흉곽에서 손을 완전히 떼지는 않는다. 그렇다고 숨을 들이쉴 때 방해가 되지는 않게 한다. 언어 기법을 활용해 숨을 완벽히 내쉬라고 요청했던 것처럼 들이쉴 때도 마찬가지 요청을 할 수 있다.

[사진 8-1]을 보라. 치료사의 왼손은 고객의 오른쪽 가슴 위쪽에, 오른손은 늑골궁(갈비활) 부위에 견고하게 접촉되어 있는 모습이 보인다. 사진에서처럼 양손이 고객의 가슴을 압박하지 않게 배치되어야 한다. 가슴을 압박하는 치료 자세는 고객에게 불편함을 야기하기 때문이다. 고객의 우측 흉곽에 양손을 사진처럼 배치했다면

앞에서 설명했던 스텝을 밟아나간다. 첫 번째, 두 번째 호흡 사이클이 일어날 때는 매우 가벼운 압력으로 고객의 호흡을 따라가라. 거의 압력을 가하지 않고도 고객의 호흡을 따라갈 수 있으면 어느 벡터에서 움직임이 고정되어 있는지 감지할 수 있다. 이는 감지sensing 기법의 매우 좋은 예이다. 호흡을 따라 조금씩 움직이면서 고객에게, "천천히 숨을 내쉬어 공기가 모두 밖으로 나가게 하세요"라고 요청해 날숨의 끝점까지 나아간다. 그런 다음 날숨까지 압력을 조절하며 천천히 늑골을 압박한다. 날숨에 맞춰 몇 초간 내측으로, 그리고 동시에 하방의 골반 그리고 후방으로 압박을 가한다. 비록 후방의 테이블 방향으로 압박을 가할 때는 양손의 위치를 약간 흉곽 앞쪽으로 이동시켜야 할 수도 있지만, 테크닉을 시행하는 동안 양손을 이동시키는 것이 그리 어려운 문제는 아니다. 이 테크닉은 고객 몸의 관상면에서 적용되어야 하고 양손에 가해지는 압력은 동일해야 한다. 고객들 중에는 치료사의 손에서 가해지는 압력이 어느 한쪽에서 더 강하게 느껴진다고 호소하는 분들이 꽤 많기 때문이다.

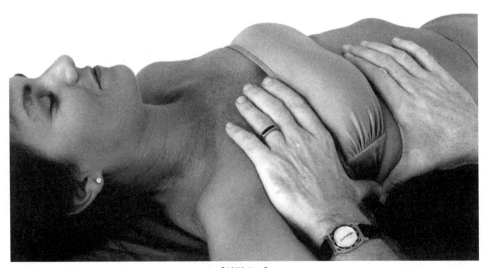

[사진 8-1]

| 테크닉 적용 과정 |

고객의 자세: 앙와위

① 치료사는 한 손을 고객의 가슴 부위에 다른 손은 늑골궁 위에 올리며 시작한다.

② 가벼운 터치를 하며 고객의 호흡을 모니터 또는 리스닝listening한다.

③ 고객이 숨을 내쉬는 동안 흉곽에 압박을 가한다.

④ 흉곽을 압박하면서 흉곽의 움직임을 검사한다. 한 번 호흡을 내쉴 때마다 흉곽과 몸통이 척추 방향, 골반/발 방향, 테이블 방향, 이렇게 서로 다른 세 방향으로 움직이는 모습을 검사한다.

⑤ 또 다른 날숨 사이클에 맞춰 어떤 방향에서 가장 움직임이 고정되는지 평가한다.

⑥ 어느 방향으로 압력을 더 가해야 하는지 결정한다. 세 번째와 네 번째 날숨 사이클에서는 가장 고정이 심한 한쪽 방향으로만 압력을 가한다.

⑦ 언어 기법을 써서 고객이 완전히, 기계적으로 숨을 완전히 내쉴 수 있도록 유도한다.

⑧ 숨을 들이쉴 때 압력을 제거한다. 이때 손을 고객의 몸에서 완전히 떼지는 않는다. 단지 접촉을 유지하며 호흡에 맞춰 따라간다.

▌ 기능적 호흡 이완 2

두 번째 테크닉은 치료사의 손을 고객의 흉골(복장뼈) 위에 올려놓으면서 시작한다. 이때 수근부(손뒤꿈치)는 흉골병(복장뼈자루) 위에, 손가락은 검상돌기(칼돌기) 위에 놓는다. 이 자세에서는 후방의 테이블, 하방의 골반쪽 벡터만을 체크한다. [사진 8-2]에서처럼 다른 손은 복장뼈에 닿은 손 위에 겹쳐 올려 지지한다. 두 벡터 중 좀 더 제한이 많은 쪽을 감지하고 그 방향으로 압박을 더 가한다.

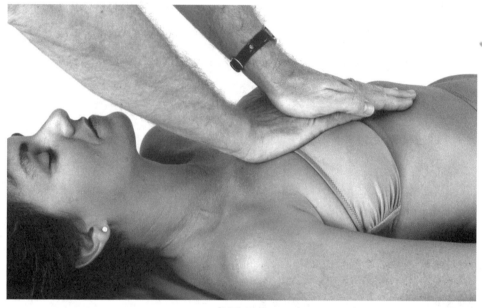

[사진 8-2]

▌테크닉 적용 과정 ▏

고객의 자세: 앙와위

① 한 손을 복장뼈 위에 올려놓으면서 시작한다. 이때 수근부는 흉골병에, 손가락은 검상돌기 위에 놓는다. 다른 손은 위쪽에서 보조한다.

② 벡터는 테이블과 골반 방향이다.

③ 움직임이 가장 제한된 벡터를 검사하고, 그 방향으로 압력을 가한다.

▌기능적 호흡 이완 3

세 번째 테크닉은 복와위(엎드린 자세)에서 시작한다. 치료사는 [사진 8-3]에서 보이는 것처럼 엎드린 고객의 견갑골(어깨뼈)과 흉곽 위에 양손을 올린다. 이 테크닉을 할 때 중요한 점은 척추는 압박하지 않고 견갑골과 흉곽에 초점을 맞추는 것이다. 치료사는 양손을 중립 자세에 놓고 고객의 호흡을 따라간다. 숨을 내쉴 때 압력을 가하면서 고객의 몸을 기준으로 전방과 하방의 움직임을 검사한다. 어느 벡터의 움직임이 가장 제한되는지 감지하고, 다음 두 번의 날숨이 일어나는 동안 그 제한된 방향으로 압력을 집중한다. 고객이 여성인 경우 특히 베개를 아래쪽에 댄 후 테크닉을 시행하도록 한다. 여성 고객이 양손을 테이블 바깥쪽으로 늘어뜨릴 수 있다면 견갑골의 어느 한쪽에 더 많은 압력이 가해지지 않도록 주의한다.

| 테크닉 적용 과정 |

고객의 자세: 복와위, 가슴 아래에 베개를 댄다.

① 양손을 고객의 견갑대와 흉곽 위에 올린다.

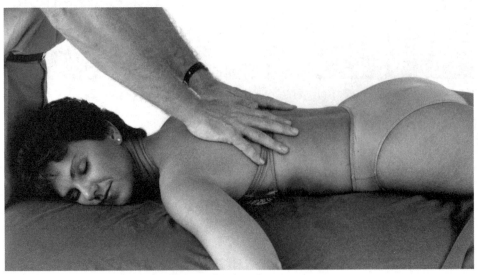

[사진 8-3]

② 호흡을 따라가며, 날숨에 압박을 가한다.

③ 전방, 하방 벡터 중에서 더 제한된 움직임을 감지한다.

④ 제한된 방향으로 압력을 가한다.

▌기능적 호흡 이완 4

네 번째 테크닉은 측와위(옆으로 누운 자세)에서 시작한다. 치료사는 [사진 8-4]에서 처럼 왼손으로 고객의 액와(겨드랑이)를 받치고, 오른손은 삼각근(어깨세모근) 위에 올린다. 앞에서 했던 것과 마찬가지로 테크닉을 적용하는 동안 고객의 호흡을 따라가며, 이번엔 날숨이 일어날 때 왼손을 이용해 내측으로 압력을 가하면서 제한된 움직임 방향을 체크한다. 왼손으로는 척추 방향으로 압력을 가하고, 오른손은 견갑대를 하방으로 압박하면서, 동시에 외측으로 당긴다. 다시 말해, 한 손으로는 압박하고 다른 손으로 당기면서 움직임이 제한된 방향, 즉 이완시켜야 할 벡터를 찾는다. 고객이 숨을 내쉬는 동안 테크닉을 적용하며 숨을 들이쉴 때는 압력을 푼다. 두 번째와 세 번째 날숨에서도 이완시켜야 할 벡터를 계속 찾는다. 날숨이 끝나는 지점에서는 끝느낌end feel을 확연히 구별할 수 있다. 고객이 날숨의 끝점에 도달하면 거기서 조금 더 나아갈 수 있는데, 이때 고객에게 언어 기법을 활용해, "좀 더 숨을 내쉬어 주세요"라고 요청할 수도 있다. 날숨의 끝점에서는 호흡을 2초 이상 참지 않게 주의하라. 대부분의 고객들은 숨을 들이쉬라는 말을 듣기 전까지 멈추고 있는 경우가 많기 때문에 신경을 써서 살핀다. 호흡을 따라 테크닉을 직접 적용하기 때문에, 고객이 호흡 사이클의 어느 지점에 와있는지 늘 확인하라. 치료사가 언어 기법으로 숨을 쉬라는 요청이 있기 전까지 고객은 다음 호흡을 하지 않고 머물러 있다는 사실을 늘 기억하라. 여기서 소개한 4개의 테크닉을 이제 막 배운 이들이라면, 의심할 바 없이, 가장 단순한 테크닉이 고객에게 가장 효율적이라는 점을 새기고 있어야 한다.

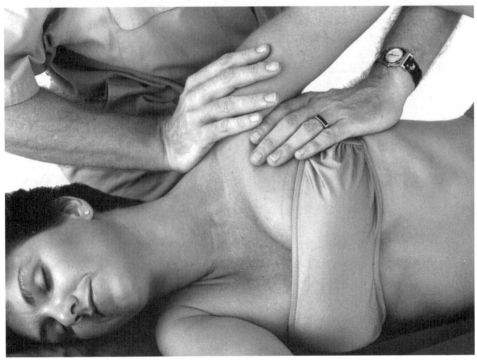

[사진 8-4]

| 테크닉 적용 과정 |

고객의 자세: 측와위, 무릎은 45도 정도 굴곡한다.

① 왼손은 고객의 액와에 넣고, 오른손은 삼각근 위에 올린다.

② 고객이 숨을 내쉴 때 흉곽은 테이블 방향으로, 어깨는 측면과 하방의 골반
   쪽으로 움직이는지 체크하라.

③ 치료사는 왼손으로 테이블 쪽으로 압력을 가하면서 동시에 오른손으로는
   어깨를 외측으로 압박하고 하방으로 미끄러뜨린다.

④ 필요하다면 언어 기법을 활용해 호흡을 유도한다.

▌폐 엽간열Lung Fissure

폐에는 세 개의 엽간열(엽 사이 틈새)이 존재하며 폐엽 사이를 구분해준다. 우폐엔 수평 엽간열horizontal fissure이 대략 4번째 늑골 위치에서 중부관상면을 따라 흉골 방향으로 지나간다. 우폐와 좌폐엔 사선 엽간열oblique fissures이 존재하며 대략 관상면을 따라 4번째 늑골에서 시작해 8번째 늑골 방향으로 사선으로 지나간다. [사진 8-5]를 보라. 치료사의 손이 우폐의 사선 엽간열을 따라 배치되어 있다. 이 테크닉은 손을 사선 엽간열이 지나가는 대략적인 위치에 올리면서 시작한다. 치료사는 엄지와 검지의 내측면을 따라 사선 엽간열 부위에 압박을 가한다.

고객이 숨을 들이쉬는 것에 따라 테크닉을 시작하고 내쉬는 숨에 맞춰 압박을 가한다. 날숨의 끝점에 이르면 고객이 들숨을 시작하는 동안 최대 압박력을 유지한다. 두 번째 또는 세 번째 호흡 사이클이 반복되면 손이 좀 더 내측 척추쪽으로, 하방 골반쪽으로 미끄러지는 느낌을 받을 수 있다. 일단 이 느낌이 전해지면 이완이 일어났다고 볼 수 있다. 압력은 대략 5~10 파운드 정도 견고하고 깊게 유지한다. 이 테크닉을 시작하기 전에 해부학 책을 꺼내 폐 엽간열의 위치를 확인하길 권한다. [사진 8-5]를 보면, 치료사가 손을 대고 있는 흉곽의 반대쪽으로 고객의 머리가 돌아가 있다. 이렇게 하면 흉막(가슴막) 전체가 스트레칭 되게 할 수 있다. 이 테크닉은 보통 몸통에 정형학적 손상을 입었거나 호흡계 문제를 지닌 이들, 늑골이 부러졌거나 골절된 경력이 있는 이들에게도 큰 도움이 된다는 것을 알 수 있을 것이다.

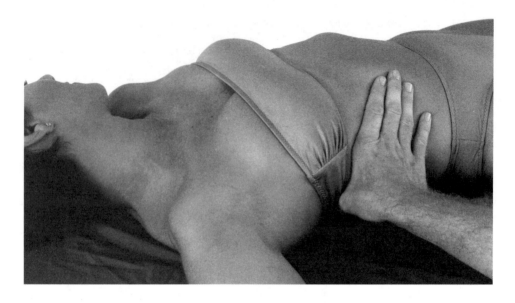

[사진 8-5]

| 테크닉 적용 과정 |

고객의 자세: 앙와위

① 치료사는 오른손을 고객의 우측 사선 엽간열 위치에 댄다.

② 오른손 엄지와 검지 내측으로 약 5~10 파운드의 압력을 가한다.

③ 숨을 들이쉴 때는 압력을 풀어 따라가고, 숨을 내쉴 때는 압력을 가한다.

④ 날숨의 끝점에서, 고객이 들숨을 시작하는 동안 최대 압력을 유지한다.

⑤ 조직이 부드러워지는 느낌이 날 때까지 기다린다. 우측 수평 엽간열에서도
  같은 테크닉을 반복한다.

⑥ 그런 다음 좌측 사선 엽간열에서 테크닉을 시작한다.

▌ 늑추관절과 늑횡돌관절Costovertebral and Costotransverse Joints

[사진 8-6과 8-7]에는 늑추관절(갈비척추관절)과 늑횡관절(갈비가로돌기관절)을 푸는 모습이 담겨 있다. 여기서는 매우 부드럽고 가벼운 힘으로 고객의 척추를 기분좋게 스트레칭하는 모습이 보인다. 이 테크닉은 언제라도 고객의 등쪽 늑골 주변을 풀때 효과적이다. 고객은 양발을 테이블 아래로 늘어뜨린 자세로 앉고, 양손으로 깍지를 껴서 목 뒤쪽에 댄다. 치료사는 왼손으로 고객의 팔꿈치 아래를 잡아 걸고 몸무게를 그쪽으로 기대라고 요청한다. 오른손으로는 [사진 8-6]에 보이는 것처럼 고객의 등 중간 척추 부위에 댄다. 고객의 몸무게가 왼팔에 가해지는 것을 감지하면 천천히 왼손을 들어올려 몸통을 신전시킨다. 이때 치료사는 오른손으로 몇 파운드 정도의 힘을 가해 천천히 고객의 척추를 앞쪽으로 민다. 신전 동작은 고객이 호흡을 내쉬는 동안 시행한다. 테크닉이 끝나면 다시 원래의 중립 자세로 되돌린 후, 치료사는 오른손을 고객 척추에서 이전보다 위쪽 또는 아래쪽으로 이동시킨다. 척추 위쪽에서 아래로 내려오면서 테크닉을 가하거나, 반대로 아래에서 위쪽으로 치료사의 오른손을 이동시키면서 테크닉을 시작해도 된다. 어쨌든 이 테크닉을 할 때 움직임의 축이 되는 부위는 척추 뒤쪽, 흉추와 요추가 만나는 지점이다.

압력을 척추에 가하지 않고, [사진 8-7]에 보이는 것처럼, 늑골의 후각posterior angle에 가할 수도 있다. 그러면 스트레칭이 더 크게 일어나는데, 이 과정에서 뼈가 부딪치는 소리가 들려도 놀라지 말라. 이는 매우 흔한 현상이며, 이런 연부조직 도수치료를 통해 골격계가 통합될 수 있다. 동작을 할 때 고객이 치료사의 왼팔로 몸무게를 편하게 실을 수 있게 되면, 감긴 것을 푸는 언와인딩unwinding 형태 또는 나선형spiral 형태로 움직이게 해서 천천히 테크닉을 시행할 수도 있다. 이를 통해 뒤로 몸을 젖힐 때 뿐만 아니라 좌우로 측굴할 때도 테크닉을 가할 수 있다. 몸통 전체를 처음엔 오른쪽으로, 다음엔 왼쪽으로 휘돌리면서 테크닉을 할 수도 있다. 이를 통

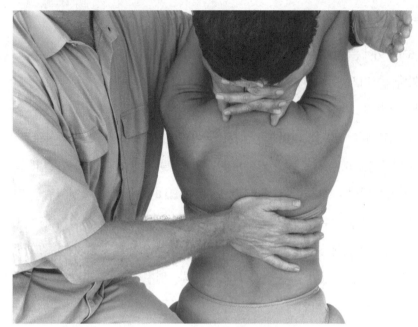

[사진 8-6]

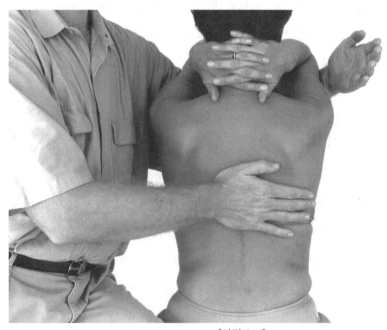

[사진 8-7]

해 근막 평면의 어느 부위에 어떠한 형태의 걸림과 제한이 있는지 느낄 수 있으며, 다음 치료를 위한 정보로 활용할 수 있다.

언와인딩 동작에 맞춰 테크닉을 할 때는 항상 세 방향의 벡터를 고려해 문제를 찾는데, 앉은 자세에서는 굴곡-신전 벡터, 좌우 측굴 벡터 그리고 회전 벡터를 체크하면 된다. 언와인딩에는 두 가지 방식이 존재한다. 첫 번째는 세 방향 벡터 중 최소저항의 길the path of least resistance을 따라가는 방식이다. 장벽들barriers과 정지점들stopping points을 리스닝하고, 최소저항의 길을 따라 이완이 일어나는 것을 기다렸다wait, 홀드하고hold, 따라가는follow 방식이다. 두 번째는 제한장벽restriction barrier에 미는 힘을 가하며 세 방향 벡터를 쌓아나가는 방식이다. 예를 들어 설명하면 다음과 같다. 먼저 고객의 척추를 굴곡-신전시켜서 신전 동작에서 제한이 더 많다면, 거기서 멈춘 다음 척추를 좌우로 측굴시키고, 여기서 다시 우측굴 동작에서 좀 더 제한된 느낌이 나면 거기서 또 멈춘다. 그런 다음 우측굴 자세에서 척추를 시계 방향과 반시계 방향으로 비틀어본다. 이때 시계 방향으로 걸리는 느낌이 나면 그 자세에서 또 멈추고 기다린다. 이게 바로 제한장벽 세 개를 쌓아나가는 방식이다. 마지막에는 이완이 일어날 때까지 기다리고, 그런 다음 또다른 장벽을 찾아 나아가서 계속 언와인딩 테크닉을 전개한다. 언와인딩 테크닉을 하면 몇 분 후에야 제한장벽이 줄어드는 감쇄반환diminishing return 현상이 일어날 수 있는데, 이는 자율신경계가 지배하는 근막 내의 수용기들이 지나치게 자극을 받을 수 있기 때문이다.

| 테크닉 적용 과정 |

고객의 자세: 테이블 끝에 앉는다.

① 고객은 양손으로 깍지를 껴 목 뒤를 잡고 양팔꿈치는 가능한 붙인다.

② 치료사는 왼팔을 고객 팔꿈치 아래에 넣고 몸무게를 거기에 실으라고 요청한다.

③ 치료사는 오른손을 고객 등 중앙 척추 위에 댄다.

④ 다시 고객에게 몸무게를 왼팔쪽으로 부드럽게 기대라고 한다.

⑤ 내쉬는 숨에 맞춰 천천히 몸을 신전시킨다.

⑥ 숨을 내쉬며 동작을 할 때, 치료사는 오른손으로 몇 파운드 정도의 압력을 척추 앞쪽 방향으로 가한다.

⑦ 다시 중립 자세로 되돌아 오게 한다.

⑧ 오른손을 이전보다 더 높이거나 낮춘 다음 시퀀스를 반복한다.

⑨ 압력을 늑골 후각에 부위에 가할 수도 있다.

⑩ 고객이 편하게 느끼면 측굴과 회전 동작도 적용할 있다.

⑪ 굴곡-신전, 좌우 측굴, 회전, 이렇게 세 방향 벡터에서 검사한다.

⑫ 언와인딩 테크닉 첫 번째는 최소저항의 길을 찾아 거기서 홀드hold한 다음 릴렉스relax하는 방식이다.

⑬ 언와인딩 테크닉 두 번째는 제한장벽에 미는 힘을 가하며 세 방향 벡터를 쌓아나간 후 이완이 될 때까지 기다리는 방식이다.

▌ 늑연골과 늑흉골 관절공간 Costochondral and Costosternal Joint Spaces

[사진 8-8]을 보면, 치료사는 양쪽 엄지손가락을 겹쳐서 고객의 늑연골(갈비연골) 관절공간 위에 올리고 있다. 여기서 말하는 관절공간joint spaces은 늑골과 흉골이 만나는 공간이다. 이 테크닉에서는 고객이 숨을 내쉬는 동안 관절공간 부위에서 몸 후방으로 약 5파운드 정도의 압력을 가한다. 고객이 숨을 들이쉴 때도 접촉 부위의 압력을 유지하지만, 이때는 아주 약간 압력을 푼다. 세 번 호흡을 하는 동안 관절 공간이 느슨해지는 느낌이 날 것이다. 모든 관절공간에 이 기법을 반복해 적용하는 것은 조금 지나친 일일 수도 있다. 늑연골 관절뿐만 아니라 흉골에서 늑골쪽으로 조금 떨어진 곳에 위치한 늑흉골(갈비복장뼈) 관절공간 모두에 테크닉을 적용할 필요

는 없다는 뜻이다. 대신 가벼운 압력으로 접촉검사를 해서 가장 고정이 많은 관절 공간에만 시행해도 된다. 고정된 늑골은 매우 견고하고 딱딱한 느낌이 난다. 늑골 이나 관절공간에 압력을 가하면 뭔가 탄력이 느껴지는데, 그렇지 않다면 해당 부위 가 고정되어 있다고 확신할 수 있다. 고객의 호흡을 개선시키기 때문에 치료사들이 좋아하는 테크닉인데, 사실 이 테크닉은 보통 고객이 자발적으로 진행한다고 봐도 무방하다. 치료사는 단지 고객의 호흡 메커니즘을 활용해 테크닉이 적용되는 과정 을 보조하는 것이 전부이다. 하지만 치료사는 압력을 넣을 때 때때로 엄지손가락을 상하좌우로 움직이거나 튕기면서 관절공간에 진동을 주어 이완이 일어나도록 자극 할 수 있다. 테크닉이 진행되는 동안 고객은 숨을 들이쉴 때 접촉 부위에 의식을 집 중하는 방법을 쓸 수도 있다. 치료사는 고객의 들숨 끝지점에서 신속하게 압력을 뺀 다음 다음 날숨에서 압박을 다시 유지하면 된다.

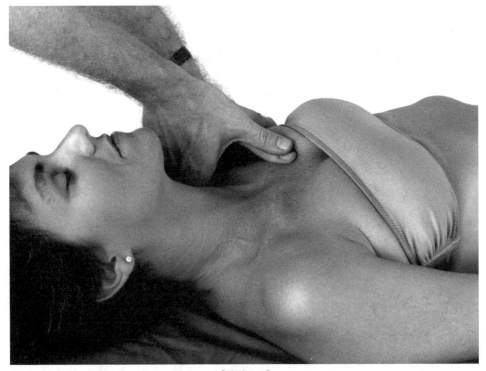

[사진 8-8]

| 테크닉 적용 과정 |

고객의 자세: 앙와위

① 양쪽 엄지손가락을 겹쳐 늑흉골 관절공간 위에 올린다.

② 치료사는 고객이 숨을 내쉬는 동안 약 5파운드 정도의 압력을 후방의 테이블 방향으로 가한다.

③ 숨을 들이쉬는 동안에도 압력을 유지하지만, 고객의 호흡에 맞춰 압력을 가볍게 한다.

④ 테크닉 적용 부위가 가벼워지는 느낌이 날 때까지 세 호흡 사이클 정도를 반복한다.

⑤ 이완감이 느껴질 때까지 가장 고정된 늑골 부위를 찾아 테크닉을 반복한다.

▌늑쇄골인대, 횡쇄골인대, 흉막, 승모근 외측연, 전사각근, 흉쇄유돌근

Costoclavicular Ligament, Transverse Clavicular Ligament, Pleura, Lateral Border of Trapezius, Anterior Scalene, and Sternocleidomastoid

고객은 측와위로 눕는다. [사진 8-9]에서 보이는 것처럼, 치료사는 쇄골 상연 superior border을 찾으며 테크닉을 시작한다. 쇄골의 근위 1/3 지점은 전사각근(앞목갈비근), 늑쇄골인대(갈비빗장인대), 그리고 횡쇄골인대(가로빗장인대)로 접근할 수 있는 부위이다. 쇄골의 중간 1/3 지점을 통해서는 쇄흉근막(빗장가슴근막)과 흉막(가슴막)의 돔(흉막정과 상흉막, 사각근막/심슨의 막)으로 접근할 수 있는 부위이다. 흉막으로 직접 접근하려면, 쇄골의 중간 부위로 들어가라. 그러면 손가락이 바로 폐쪽을 향한다. 이렇게 접근한 상태에서 흉막이 부드러워질 때까지 압력을 유지하며 기다린다. 승모근과 능형인대(마름인대) 섬유를 찾으려면 쇄골의 원위 끝지점을 찾아 들어가면 된다. 지지하는 손(사진에서는 왼손)을 위쪽으로 움직여 쇄골을 움직이면 앞서 언급한 구조물로 좀 더 깊게 접근할 수 있다는 사실을 명심하기 바란다. 고객의 호흡에 맞춰 느리게 접근한 후, 기다리고, 홀딩한 다음 다시 움직여야 한다. 흉막돔pleural dome을 이완시키기 위해서는 마찰을 가할 수도 있다.

[사진 8-9]

| 테크닉 적용 과정 |

고객의 자세: 측와위, 무릎은 45도 정도 굽힌다.

① 쇄골 상연 근위1/3 지점에서 시작한다.

② 내측으로 움직여 해당되는 모든 조직에 접근한다. 전사각근과 중사각근 사이에 놓여있는 상완신경총brachial plexus을 자극하지 않도록 주의한다.

③ 모든 조직이 부드러워질 때까지 압력을 유지하며 기다린다. 이때 지지하는 손을 활용해 간접적으로 쇄골을 위쪽으로 움직인다.

④ 고객의 호흡에 맞춰서 천천히 움직인다.

⑤ 흉막돔을 이완하기 위해 마찰을 가한다.

▌상후거근, 하후거근, 늑골거근
Serratus Posterior Superior and Inferior and the Levatores Costarum Muscles

[사진 8-10]에는 늑골거근(갈비올림근)과 하후거근(아래뒤톱니근)에서 길게 위쪽으로 테크닉을 시행하는 모습이 소개되어 있다. 고객은 측와위에서 머리를 받치고 무릎은 45도 정도 굽힌 자세를 취한다. 무릎 사이에 베개를 넣어 도움을 받는 것도 좋다. [사진 8-10]에서 보이는 테크닉은 하후거근의 상단에서부터 시작된다. 하후거근은 늑골 9번에서 12번 사이에 부착되어 있으며, 부유늑골(뜬갈비뼈), 그 중에서도 특히 12번 늑골에 영향을 주는 근육이다. 12번 늑골에는 요방형근(허리네모근), 골막, 광배근(넓은등근), 척추기립근(척추세움근), 하후거근, 횡격막, 두 개의 층으로 구성된 흉막, 내늑간근(속갈비사이근)과 외늑간근(바깥갈비사이근), 그리고 척추기립근의 심층 인대 구조물까지 다양한 조직이 부착되어 있다. 이 모든 구조물들은 대부분 12번 늑골에 연결되어 있으며 요통 문제와 이어진다. 요방형근은 장골능과 12번 늑골을 연결하는데, 요통을 지닌 이들은 이 근육의 단축에 의해 12번 늑골이 아래로 당겨져 있는 경우가 많다. 하후거근은 숨을 들이쉴 때 하부 늑골을 들어올리는 것을 보조한다. 이 하후거근은 일종의 척추기립근을 지지해주는 근육으로 볼 수도 있다. 이 테크닉은 다소 격하게 적용될 수도 있기 때문에, 시행하는 동안 언어 기법을 활용하면서 고객의 호흡에 완전히 집중하여야 한다.

치료사는 바닥에 무릎을 꿇은 자세에서 오른쪽 팔꿈치를 고객의 척추기립근 외측, 늑골 최하단 부위에 댄다. 어떤 자세를 취해야 테크닉을 효율적으로 적용할 수 있는지 확인하라. 늑골 최하단, 즉 부유늑골, 특히 12번 늑골이 어디에 위치하는지 접촉 검사를 미리 해야 한다. 팔꿈치를 부유늑골 부위에 대고 약 10~15 파운드의 압력을 몸 앞쪽으로 가한다. 이 부위는 매우 민감하기 때문에 팔꿈치를 움직일 때는 매우 느리게 진행하고, 힘은 고르게 가한다. 부유늑골 위쪽을 지나는 짧은 인대와 심층의 근섬유에 마찰을 가하듯 테크닉을 전개할 수도 있다. 고객이 숨을 들이쉴 때 마찰*기법을 적용하면 좋다. 또 고객에게 꼬리뼈를 몸쪽으로 말도록 요청하면 척추가 둥글게 변하면서 접촉 면적이 넓어진다. 일단 부유늑골 부위를 두 번 또는 세 번 정도 마찰하듯 기법을 적용한 후 멈췄다 다시 위쪽 늑골로 움직여 나간다. 치료사의 팔꿈치 접촉 부위를 위로 이동시키면서 고객에게 해당 부위로 깊게 호흡을 넣으라고 요청하라. 접촉 부위가 변하면 거기에 맞춰 그쪽으로 고객이 느리지만 숨을 깊게 들이쉴 수 있도록 유도한다. 한 부위를 지날 때 15~30초 정도만 머무르며 충분한 강도로 테크닉을 적용한다. 부유늑골이 자유로워지면 그에 따른 징후가 보인다. 고객이 측와위 자세에서 숨을 들이쉴 때, 약간 떨어져서 바라본다면, 골반은 아래쪽으로 몸통은 위쪽으로 움직여 허리 공간이 넓어지는 것처럼 보인다. 테크닉을 가하기 전에 먼저 고객의 허리에서 일어나는 이 움직임을 체크한 후, 나중에 테크닉을 끝낸 후에 비교해서 변화의 기준으로 삼을 수도 있다.

인접한 늑골 부위로 움직이면서, [사진 8-11]에서처럼, 늑골의 후각을 지렛대로 활용한다. 치료사는 팔꿈치를 늑골 후각 내측면, 즉 척추의 극돌기와 늑골 후각 사이 공간에 건다. 그런 다음 후각 부위를 여러 번 마찰한다. 모든 늑골에 마찰 기법을 적용할 필요는 없다. 가동범위 제한이 느껴지는 부위에만 적용해도 된다. 또다른 방법은 테크닉을 척추의 층판고랑lamina groove 부위에 적용하는 것이다. 특히 섬유 조직이 딱딱하거나 경결된 부위에 집중하라. 요추근막lumbar fascia의 후면 층은 천골에서 위쪽으로 경추까지 이어져 있다는 사실도 기억해야 한다. 이런 방식으로 늑골과 척추기립근뿐만 아니라 척추주위 막시스템entire paraspinal fascial system 전체에 접근할 수도 있다.

---

* 단순히 피부 표면을 비비는 것은 아니다. 좀 더 섬유의 깊은 층에서 밀거나 끌고 나가는 근막이완 특유의 기법을 여기서는 마찰로 표현한다

[사진 8-12]에 보이는 것처럼, 치료사가 상부 늑골 위치까지 도달하면, 고객은 팔을 앞쪽 벽 방향으로 뻗으며 어깨를 움직인다. 하지만 종종 고객에게 팔을 앞으로 뻗으라고 요청해도 지시하는대로 제대로 못하는 경우가 많다. 이 경우 원하는 동작을 제대로 하게 하려면, 벽이나 바닥을 향해 손가락을 먼저 뻗고, 다음으로 팔꿈치 거쳐 어깨까지 차례로 팔 전체를 늘여 달라고 요청하면 된다. 이렇게 하면 견갑골이 외전되면서 등 상부에 있는 늑골 후각이 노출된다. 상후거근(위뒤톱니근)은 능형근(마름근) 아래 위치하며 등중간선근막dorsal midline fascia에 부착되어 있다. 이 근육에 유착이 있는지 검사하려면 견갑골을 외전하며 손을 벽이나 바닥으로 더 멀리 뻗으면 된다. 트라벨과 시몬Travell and Simons이 쓴 매뉴얼에 의하면, 여기에 트리거포인트triger point가 숨겨져 있으면 등 상부 깊은 곳에 극심한 통증이 생길 수 있다고 한다(Travell & Simons, 1998). 가능하다면 고객에게 몸을 숙여 이마가 무릎을 향하게 할수도 있다. 이 동작을 하면서 테크닉을 적용하면 목과 등 뒤쪽, 나아가 어깨 위쪽까지 이완시킬 수 있다. 등 한쪽에서 약 15~20분 정도 테크닉을 시행한다.

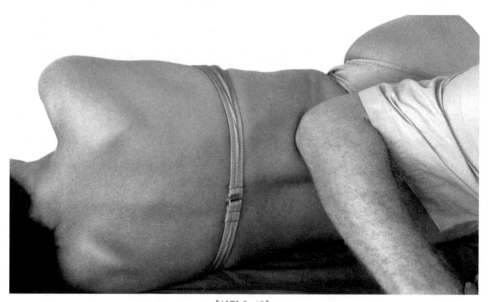

[사진 8-10]

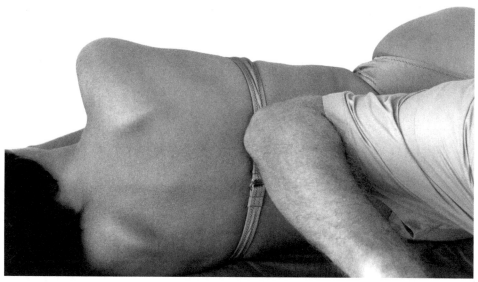

[사진 8-11]

3분에서 4분 정도 테크닉을 적용하면 2~3회 정도 호흡을 하며 충분히 쉴 수 있도록 고객에게 여유 시간을 준다. 이렇게 중간 휴식을 취하면 신경계로 들어가는 입력 신호가 안정된다. 늑골 바로 앞면으로 자율신경계 신경절이 위치해 있다는 사실을 기억하기 바란다.

| 테크닉 적용 과정 |

고객의 자세: 측와위, 무릎을 45도 정도 굽힌다.

① 치료사는 오른쪽 팔꿈치를 고객의 늑골 최하단 부위 척추기립근 외측에 댄다. 이때 치료사의 시선은 고객의 머리쪽을 향한다.

② 약 10~15 파운드 정도의 압력을 전방으로 가한다.

③ 압력을 고르게 유지하며 천천히 진행한다.

④ 들숨에서 부유늑골 위쪽에 부착된 인대와 근육을 마찰한다.

⑤ 마찰 기법을 가하는 부위로 깊게 호흡하라고 요청한 다음 위쪽으로 이동한다.

⑥ 극돌기와 횡돌기 사이에 있는 충판고랑^{lamina groove}을 마찰하는 방식도 쓸
  수 있다.

⑦ 상부 늑골 위에서 움직일 때는 고객에게 견갑골을 외전^{abduct}시키며 손을
  앞에 있는 벽이 아래 바닥쪽으로 뻗으라고 요청하면서 유착이 많이 일어난
  부위를 찾는다.

⑧ 다음과 같은 언어 기법을 활용해 움직임을 유도할 수 있다.

  ▸ 꼬리뼈를 말아보세요.

  ▸ 턱을 가슴으로 가져가보세요.

  ▸ 팔을 벽쪽으로 뻗어보세요.

  ▸ 팔을 바닥쪽으로 뻗어보세요.

  ▸ 숨을 들이쉬었다 내쉬어보세요.

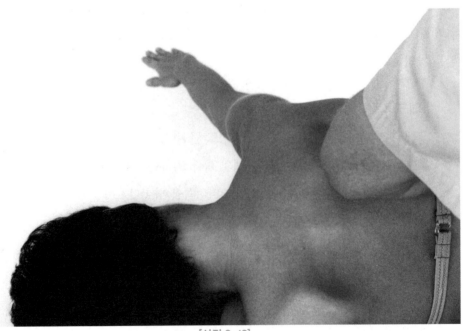

[사진 8-12]

▌ 전거근과 쇄흉근막 Serratus Anteriro and the Clavipectoral Fascia

이 테크닉은 전거근(앞톱니근)을 풀 때 유용하다. 또한 쇄흉근막을 이완시킬 때도 매우 효과적이다. 고객을 측와위로 눕힌 후 팔은 굽혀서 팔꿈치가 지면과 수직을 이루며 천정을 향하게 한다. 치료사는 [사진 8-13]에서처럼, 팔꿈치를 천천히 고객의 액와 부위에 댄다. 이때 치료사의 전완(앞팔) 전체가 관상면 상에 놓여 있어야 한다. 치료사는 고객의 바로 위쪽에 있으며 전완 밑에 전거근이 위치한다. 느리게 늑골 위쪽에 테크닉을 적용하며 고객의 내측, 즉 척추 방향으로 일정한 압력을 가한다. 동시에 고객은 팔꿈치를 천정 방향으로 들어올린다. 내측의 테이블 방향으로 압력을 가하면서 이 과정을 2~3회 반복한다. 두 번째 벡터는 골반을 향한다. 고객이 팔꿈치를 천정 방향으로 뻗은 다음 머리 위쪽으로 천천히 넘길 때, 치료사는 느리게 조금씩 골반 방향으로 팔꿈치를 이동시킨다. 테크닉을 진행하다 특별히 딱딱한 부위가 발견되면 마찰 기법을 적용할 수도 있다. 항상 고객의 호흡을 따라 진행하며, 호흡을 아군으로 삼아 테크닉을 전개하라. 전거근을 풀 때는 한 번에 약 30~45초 정도 연결이 유지되게 한다. 중요한 점은 치료사가 테크닉을 진행하는 늑골 방향으로 고객이 호흡을 넣을 수 있게 해야 한다는 것이다.

| 테크닉 적용 과정 |

고객의 자세: 측와위, 무릎은 45도 정도 굽힌다.

① 고객은 팔꿈치를 천정으로 향해서 지면과 직각이 되게 한다.

② 치료사는 고객의 발쪽을 향한 후 팔꿈치를 액와 부이에 댄다.

③ 느리게 테크닉을 적용하며 고른 압력이 늑골에 가해지게 한다.

④ 고객이 팔꿈치를 천정 방향으로 움직이는 동안, 조직이 부드러워질 때까지 기다린다. 이때 때때로 고객에게 호흡을 해당 부위로 넣도록 요청한다.

⑤ 2~3회 반복한다.

[사진 8-13]

⑥ 고객이 팔꿈치를 머리 위로 넘기는 동안, 치료사는 두 번째 벡터를 골반 방
  향으로 가하며 미끄러져 내려간다.

⑦ 고객에게 호흡을 하도록 요청한다.

⑧ 필요하면 마찰 기법을 적용한다.

⑨ 2~3회 반복한다.

복직근과 늑골궁 앞쪽의 복측근막
Ventral Fascia over the Rectus Abdominus and the Costal Arch

복직근(배곧은근) 앞쪽을 지나는 근막을 복측근막이라 하는데, 이 근막은 통합
성이 떨어지면 좌우 측면으로 느슨해지는 경향을 지닌다. 인체에 존재하는 막은 통
합성이 떨어졌을 때 각기 다양한 방향으로 느슨해진다. 영향 결핍, 운동 과다, 운

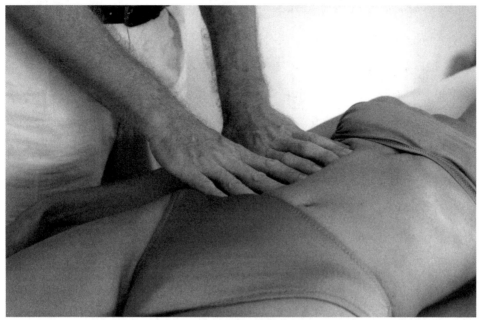

[사진 8-14]

동 부족, 수술 후 유착, 신경학적 트라우마, 특히 정형학적 트라우마가 발생한 경우이런 현상이 일어난다. 이 테크닉은 복직근을 덮고 있거나 그 주변에 형성된 근막에 통합성을 형성해준다. [사진 8-14]를 보면, 치료사는 고객의 배꼽 옆쪽, 복직근 외측에 손가락을 대고 있다. 손가락을 복부 안으로 싱크*되게 한 후 복직근을 아래에서 위로 떠올린다고 상상하라. 매우 느리게 시작하여 조직을 중심선, 배꼽 방향으로 움직인다. 몸의 중심부까지 도달하며 천천히 되돌아온 다음 다시 시작한다. 한부위에서 여러 번 반복한 후 위쪽이나 아래쪽으로 이동하라. 이 기법은 장막(배막)을 스트레칭할 때도 효과적이다. 한 번에 복직근 한쪽 측면을 5~10분 정도 시간을 투자해 이완시킨다.

---

* 싱크sink는 조직 안으로 천천히 잠겨드는 기법이다

[사진 8-15]을 보면, 치료사가 늑골궁 양측에서 테크닉을 적용하고 있다. 하지만 한 번에 한쪽씩 해도 괜찮다. 복직근은 5번 늑골까지 부착되어 있고, 이 5번 늑골은 거의 흉골 중간 정도 위치에 해당된다. 치료사는 손가락을 넓게 펴서 흉곽 바깥쪽에서 테크닉을 시작하면 된다. 약간의 각도를 가지고 흉골 방향으로 조직을 밀고 들어간다. 늑골 위 또는 그 주위에서 행하는 어떤 테크닉이든 두 가지 의미를 지닌다. 첫째는 늑골에 접촉해 밀고 들어가 호흡을 자유롭게 해준다는 것이고, 둘째는 복직근 근막을 움직인다는 것이다. 이 테크닉에서 적용되는 첫 번째 벡터는 늑골을 지나 폐와 흉막에 압력을 증가시키는 방향으로 나아가고, 두 번째 벡터는 조직을 인체 중심선으로 밀고 나가는 방향으로 진행된다. 치료사는 고객에게 때때로 복직근을 수축해 머리를 들어올리는 움직임을 요청할 수 있다. 때로는 무릎을 굽혀 다리 전체를 테이블 위에서 뗀 다음 내려놓으라는 요청도 할 수 있다. 이 테크닉을 하는 동안 복직근이 변하고 신장되는 모습을 끊임없이 관찰할 수 있다.

늑골궁에 몇 분 동안 테크닉을 적용하고 나면 몸통이 올라가고 횡격막이 확장된 모습도 보이기 시작한다. 흉곽 주변에 테크닉을 적용할 때는 고객에게 현재 이

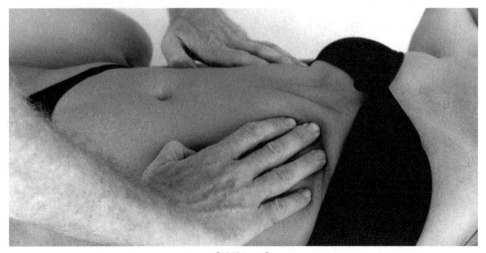

[사진 8-15]

완시키고 있는 부위에 수시로 호흡을 넣으라고 요청하라. 또한 틈나는 대로 휴식을 취해 여유를 주어야 한다. 호흡을 유도하고 휴식을 취하는 것은 하복부에서 테크닉을 적용할 때 특히 중요하다. 이는 하복부로 호흡을 잘 할 수 있는 이들이 별로 없기 때문이다. 고객에게 호흡을 요청하는 언어 기법과 관련해서는 테크닉 적용 과정에서 소개하는 움직임 요청 방법을 참조하라.

| 테크닉 적용 과정 : 복직근 앞쪽의 복측근막 |

고객의 자세: 앙와위

① 손가락을 배꼽 몇 센티미터 옆쪽에 놓는다.

② 복직근을 밑에서 위로 떠올리는 느낌으로 손가락을 복부 아래로 싱크시킨다.

③ 조직을 중심선으로 움직인다.

④ 중심선에 도달하면, 이완하고, 다시 시작한다.

| 테크닉 적용 과정 : 늑골궁 앞쪽의 복측근막 |

고객의 자세: 앙와위

① 늑골궁 양쪽에 손가락을 위치시키고 시작하거나, 한 번에 한쪽을 먼저 해도 된다.

② 늑골 방향 벡터를 적용해 늑골을 움직인다.

③ 조직이 부드러워지는 느낌이 나며, 조직을 중심선 방향으로 움직이거나, 또는 다음과 같은 움직임 요청 방법으로 제한장벽을 풀어나간다.

④ 움직임 요청 방법

▶ 머리를 들어주세요.

▶ 무릎을 굽혀주세요.

▶ 다리 전체를 테이블에서 살짝 떼세요.

▶ 숨을 들이쉬었다 내쉬세요.

▌치골결합 위쪽의 복직근Rectus Abdominus over the Pubic Symphysis

이 테크닉은 치골결합(두덩결합) 부위의 트리거포인트를 찾는 것에서부터 시작된다. 고객이 통증을 호소하는 부위, 경결이나 제한이 생긴 부위도 트리거포인트에 해당된다. [사진 8-16]에 치골결합의 뼈 구조가 보인다. 트리거포인트를 찾기 전에 고객에게 스스로 치골결합을 찾으라고 요청하라. 말로 코칭을 해야 할지도 모른다. 일단 고객이 자신의 치골결합을 찾으면, 치료사는 [사진 8-17]에서처럼, 손가락을 고객이 짚은 부위 위쪽에 접촉한다. 고객이 손을 짚은 바로 위쪽에서 테크닉을 적용해도 되고, 고객이 손을 떼고 나면 치골결합 뼈에 바로 적용할 수도 있다. 이렇게 하면 이 민감한 부위를 찾는데 드는 수고를 줄일 수 있다.

양손 엄지손가락이나 손가락 패드를 치골결합 중심선에 접촉한 다음 1~2 파운드 정도의 적은 힘으로 후방으로 압력을 가한다. 압력을 가할 때는 항상 매우 느리게 가하고, 필요하다면 점진적으로 1~2파운드 정도 더 증가시킨다. 치골결합 중심선 부위에 통증이 있는 경우라면 압력을 가할 때 고객과 계속해서 말로 소통하는 것이 중요하다. 중심선 부위에 통증이 없는 경우라면 한 번에 1/4인치씩 좌우로 손가락을 움직이며 트리거포인트를 찾는다. 하지만 중심선에서 양쪽으로 1.5인치 이상 벗어나지 않게 한다. 그리고 트리거포인트를 찾는데 3~5분 이상이 걸리지 않게 한다. 일단 트리거포인트를 찾았으면, 해당 지점에 30~45초 정도 적절한 압력을 가하면서 부드러워지는 느낌이 날 때까지 기다린다. 또는 고객이 더이상 통증을 느끼지 않는다고 말할 때까지 머물러도 된다. 이 트리거포인트는 복직근과 관련이 있으며, 골반기저부까지, 그리고 치골 바로 아래에 있는 방광까지 반사적으로 영향을 줄 수 있다. 치골 위쪽의 복직근에 마찰 기법을 적용할 수도 있고, 이 기법을 천천히 중심선 좌우에서 시행할 수도 있다. 테크닉을 적용하는 동안 고객에게 움직임을 요청할 수 있다. 치골결합은 매우 섬세하고 민감한 부위이기 때문에 고객에게 머리를 들어올리라던가 다리를 테이블에서 떼라고 할 수도 있다. 왼쪽 무릎을 먼저 굽힌 다음 오른 무릎을 굽히라고 요청할 수도 있다.

복직근뿐만 아니라 대퇴사두근(넙다리네갈래근)까지 이완시킨 후에 장요근(엉덩허리근)에 접근하는 것이 좋다. 대퇴사두근은 종종 요근(허리근)의 하부 섬유와 요근이 부착되어 있는 대퇴골(넙다리뼈)의 소전자(작은돌기) 부위보다 더 큰 힘을 발휘하곤 한다. 복직근 또한 허리를 지지하기 위해 앞쪽에서 과도하게 힘을 발휘하는 근육에 해당된다. 따라서 복직근이 지나치게 긴장되어 있으면, 복직근을 통해 요근으로 접근할 때 접촉 감각이 잘 전해지지 않곤 한다. 결국 복직근과 대퇴사두근 각각에 30~45분 정도 테크닉을 적용한 후에야 요근에 대한 접근을 시도해 볼 수 있을 정도로 긴장이 많은 이들이 있다. 따라서 요근에 접근하기 전에 복직근과 대퇴사두근을 여러 번 이완시키느라 많은 시간이 소모된다고 해서 실망할 필요는 없다. 복직근을 통해 요근에 접근할 수 없는 경우라면 간접 테크닉을 활용하라.

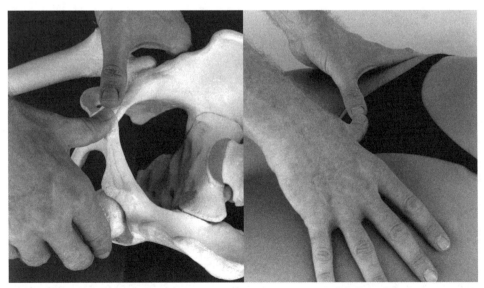

[사진 8-16]   [사진 8-17]

| 테크닉 적용 과정 |

고객의 자세: 앙와위

① 고객에게 요청하여 자신의 치골결합을 스스로 찾게 한다.

② 양손 엄지손가락을 치골결합 중심선에 대고 약 1~2파운드 정도 힘으로 압박을 가한다.

③ 압력을 천천히 가한다.

④ 치골결합 중심선에서 좌우로 움직이며 트리거포인트를 찾는다. 트리거포인트가 발견된 부위에서 30~34초 정도 머무르며 부드러워질 때까지 기다린다. 필요하다면 마찰 기법을 활용할 수 있다.

⑤ 민감한 부위이므로 고객과 계속해서 말로 소통하라.

⑥ 움직임 요청 방법

▶ 머리를 들어주세요.

▶ 다리를 차례대로 들어주세요.

▶ 무릎을 차례대로 굽혀주세요.

▌장요근 Iliopsoas Muscle

이 테크닉은 매우 직접적으로 장요근(엉덩허리근)에 접근한다. 고객은 벤치에 앉듯 발바닥을 바닥에 대고 앉아야 한다. 이때 발은 바닥에 닿지만 무릎이 엉덩이보다 높지 않게 유지한다. 다시 말해, 고객은 무릎과 엉덩이가 동일 평면상에 있거나 엉덩이가 무릎보다 살짝 높게 위치하도록 자세를 잡는다. 무릎이 엉덩이보다 높아지면, 골반 높이를 올리면 된다. 양발은 엉덩이 넓이 정도로 벌리고, 양팔은 몸 옆에서 늘어뜨린다. 치료사는 손가락을 배꼽 옆쪽, 아래에 접촉하고 복부에 접근한다. [사진 8-18]을 보면, 치료사 양손이 곧바로 복부 안쪽을 지나 척추를 향해 있다는 것을 알 수 있다. 손이 몸 안쪽을 향하기 때문에 치료사는 이완을 위해 적어도 두 방향의 벡터를 찾아야 한다. 테크닉 전개 과정에서 단단한 조직이 발견되면 손의 각도를 살짝 틀어서 적당한 방향을 찾는다. 압력을 지나치게 가하지 않은 상태에서 복부 안쪽으로 1~2인치 정도 들어가면, 고객에게 상체를 천천히 어느 정도 숙인 다음 멈추라고 요청한다. 손가락이 복부 안쪽으로 조금씩 잠겨들게 해서 고객의 머리가 무릎과의 거리 절반 정도에 이를 때까지 진행한다. 여기서 멈추고, 고객의 양손이 다른 부위에 고정되지 않고 양무릎 옆에 위치하는지 확인한다. 이 지점에 이르면 손가락이 복벽 뒤쪽을 지나 요근까지 닿게 된다. 하지만 요근에 닿았는지 확신이 들지 않으면 고객에게 한쪽 다리를 바닥에서 떼보라고 요청한다. 오른발도 괜찮고 왼발도 괜찮다. 이렇게 하면 들어올린 발쪽 요근이 손가락 아래에서 튀어오르는 느낌이 날 것이다. 이 과정을 반대쪽 발에서도 그대로 반복하라. 이렇게 한쪽씩 여러 번 반복한다. 손가락을 써서 요근에 마찰 기법을 쓰거나 멈춰서 이완이 될 때까지 기다린다. 손가락이 요근에 닿은 상태에서, 고객에게 허리를 똑바로 세워 원래 자세로 되돌아간 후 깊게 숨을 쉬라고 요청하라. 천천히 손가락을 복부에서 뺀다.

[사진 8-18]

[사진 8-19]에는 누워서 장요근에 접근하는 대체 테크닉 모습이 보인다. 고객은 앙와위 자세에서 양무릎을 세우고 양발 사이를 벌린다. 이때 무릎은 서로 붙인다. 치료사는 고객의 무릎 위에 한 손을 올리고 앞뒤로 가볍게 흔들어 고객의 다리 전체에 긴장이 빠질 수 있게 한다. 이렇게 다리 긴장이 빠지면 요근에 접근해 이완시키는데 큰 도움이 된다. 이제 [사진 8-18]에서와 같은 방식으로 손가락을 배꼽 바로 옆쪽 몇 센티미터 부위에 접촉한 후 척추 방향으로 각도를 잡고 나아간다. 손가락이 복부 아래쪽 테이블 방향을 향해 충분히 잠겨들면 고객에게 요청해 한 발을 바닥에서 떼게 한다. 일단 테크닉을 적용하고 있는 쪽 발을 바닥에서 떼면 요근이 위로 튕겨 올라오는 느낌이 손가락에 전해진다. 이렇게 뒤꿈치가 테이블에서 몇 센티미터 떨어진 자세에서, 치료사는 요근에 대한 접촉을 유지한 후 고객에게 요청해 다리를 천천히 펴게 한다. 이때 고객이 자신의 뒤꿈치를 통해 압박을 가하게 요청할 수도 있다. 이렇게 하면 요근에서 발까지 이어진 라인을 신장시키는데 도움이 된다. 반대쪽에서도 이 과정을 반복한 다음, 어느 쪽 요근 더 길고 딱딱한지, 요근의 상대적 위치가 어디인지 평가한다. 어느 쪽 요근이 더 딱딱한지 평가하는 것을 여러 번 반복한다. 복부에서 테크닉을 적용할 때는 해당 부위에서 손을 뗄 때마다 고객에게 그쪽으로 호흡을 해보라고 요청하라.

> 요근 테크닉에서 호흡은 필수적이다. 호흡 횡격막과 요근이 서로 부착부를 공유하고 있기 때문이다.

[사진 8-19]

| 테크닉 전개 과정: 좌식 테크닉 |

고객의 자세: 좌식. 발바닥을 바닥에 대고 엉덩이가 무릎과 같은 높이 또는 살짝 높게 위치시킨다.

① 치료사는 고객 바로 앞에서 무릎을 꿇는다.

② 손가락을 배꼽 옆쪽에서 복부쪽으로 향한다.

③ 부드럽게 복부 안쪽으로 들어가며 고객에게 상체를 앞으로 살짝 숙이라고 요청한다.

④ 좀 더 깊게 조직 안쪽으로 들어가라. 고객에게 상체를 더 많이 숙이게 한다. 이때 팔뿐만 아니라 상체 전체는 이완시킨다.

⑤ 치료사는 손을 좀 더 깊게 뒤쪽으로 진행시켜 요근에 접촉한다.

⑥ 만일 요근과의 접촉이 명확하지 않으면, 고객에게 한 발을 지면에서 떼라고 요청한다. 그러면 요근이 손가락 아래에서 튕겨 올라오는 느낌이 난다.

⑦ 반대쪽 발도 들어올리라고 요청하면서 이 과정을 반복한다.

⑧ 필요하다면 요근에 마찰 기법을 적용하고, 이를 몇 분 정도 시행한다.

⑨ 끝나면, 똑바로 앉게 해서 심호흡을 하게 한다. 이때도 요근에 대한 접촉은 유지한다.

| 테크닉 전개 과정: 앙와위 테크닉 |

고객의 자세: 앙와위. 무릎을 굽히고, 양발은 벌린 다음 무릎은 부드럽게 붙인다.

① 손가락을 배꼽 몇 센티미터 옆에 대고 척추쪽으로 밀고 들어간다.

② 충분히 깊게 들어갔으면 테이블에서 한 발을 떼라고 고객에게 요청한다.

③ 요근에 접촉을 유지한 상태에서, 뒤꿈치는 테이블과 몇 센티미터를 유지하면서 다리를 펴라고 요청한다. 다리를 다 펴면 뒤꿈치를 통해 압력을 가하라고 요청한다.

④ 어느 쪽 요근이 더 딱딱한지 평가하고 이를 여러 번 반복한다.

⑤ 접촉을 풀 때마다 호흡을 하라고 요청한다.

▌ 요방형근Qudratus Lumborum

요방형근(허리네모근)은 아마도 허리에서 가장 중요한 근육에 해당될 것이다. 이 근육은 요추 횡돌기, 장골능, 그리고 12번 늑골을 연결한다. 척추와 허리 문제로 인해 요방형근이 짧아지거나 그 톤tone을 잃으면, 12번 늑골이 당겨져 원래 자리를 이탈하여 장골능과 복부 안쪽의 장골근 방향으로 가까워진다. 아이다 롤프는 12번 늑골을 인체에서 매우 자주 비틀리지만, 또한 매우 중요한 구조물 중 하나로 간주했다. 12번 늑골은 다른 늑골에 비해 크기가 작지만 다양한 조직이 여기에 부착된다. 횡격막, 흉막, 광배근, 척추기립근, 하후거근, 요방형근뿐만 아니라, 몸을 회전시키는데 관여하는 몇 종류의 섬유도 12번 늑골에 부착된다. 따라서 요통증후군을 지닌 고객을 치료할 때 이 12번 늑골을 풀어주어 긴장이 빠지게 한 후 제자리를 찾게 하는 작업의 중요성은 아무리 강조해도 지나치지 않다.

[사진 8-20]을 보면, 치료사는 팔꿈치를 부유늑골 위에 접촉하고 있다. 치료사는 접촉을 넓게 유지하면서 외측에서 내측으로 사선 벡터로, 반대편 어깨를 향하여 나아간다. 이 기법은 척추주변 근막paraspinal fascia을 다룰 때 소개했던 두 원칙에 위배되는 예외의 경우에 속한다. 아래로 당겨진 부유늑골을 들어올리는 일이 얼마나 중요한 일인지 이해했다면, 요통을 지닌 고객을 다룰 때 충분히 시간을 들여 부유늑골 접촉 검사를 하길 권한다. 접촉 검사를 해보면 이 부유늑골이 어디에 위치해 있는지, 거기에 얼마나 많은 조직이 관여하는지 발견하고 깜짝 놀라게 될 것이다. 치료사는 고객의 외측에서 내측으로, 반대쪽 어깨를 향해 사선으로 진행하는 세션을 2~3회 반복한다. 다음으로, [사진 8-21]에 보이는 것처럼, 고객에게 자신의 팔꿈치로 바닥을 밀게 하면서 테크닉을 적용할 수도 있다. 먼저 부유늑골 바로 위쪽에서

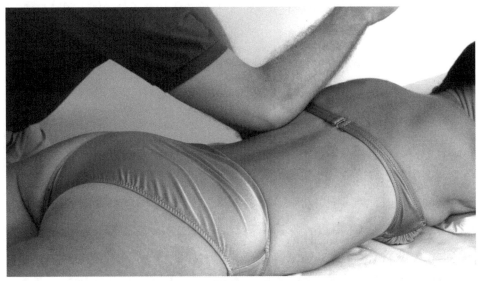

[사진 8-20]

시작하라. 팔꿈치는 기립근 중간 부위에 대고 근육에 천천히 압력을 가하며 아래에 있는 천골쪽으로 한 번에 몇 인치씩 미끄러져 내려온다. 요통을 지닌 고객은 대부분 요추 후만증을 지니고 있는데, 이는 오랜 시간에 거쳐 원래의 바른 요추 만곡을 상실했기 때문이다. 따라서 고객이 팔꿈치로 바닥을 밀면서 세션을 보조하면 요추에 정상 만곡을 형성하는데 도움을 줄 뿐만 아니라, 척추기립근, 요방형근, 그리고 부유늑골 주변조직까지 늘리는 것을 돕는다. 이 과정을 좌우 각각 2~3회 정도 반복한다. 압력은 처음엔 가볍게 시작해 점차 깊게 늘려나간다. 다시 말하지만, 항상 고객의 호흡이 세션을 하고 있는 부위로 들어올 수 있게 하라. 여기서는 부유늑골 주변 구조물들을 다루기 때문에, 해당 부위로 호흡을 할 수 있게 요청하면 된다. 고객이 팔꿈치로 상체를 들어올리면서 꼬리뼈도 약간 들어올리게 할 수 있다. 이렇게 하면 적절한 요추 만곡을 형성하는데 도움이 될 것이다.

[사진 8-21]을 보면, 치료사가 팔꿈치를 척추기립근과 요방형근 중간층에 대고 테크닉을 적용하고 있다. 여기서는 고객이 복와위 자세에서 팔꿈치로 바닥을 미는, 허리에 좀 더 스트레스가 가해지는 형태에서 세션이 이뤄지고 있다. 치료사 또한 팔꿈치로 좀 더 강한 압력을 가하고 있는데, 기억해야 할 것은, 테크닉을 적용하는 도중에 통증이 발생하지 않도록 주의해야 한다는 점이다. 이렇게 특별한 형태의 근막이완을 할 때 뿐만 아니라, 어떤 형태의 테크닉을 적용하더라도 고객에게 통증이 발생하지 않게 해야 한다.

만일 요추 전만증이 심하다면, 고객이 팔꿈치로 바닥을 밀며 세션을 보조하는 형태는 금기 사항이다. 다만 요추에 전만이 심해지지 않는 자세를 취하면서 테크닉을 적용할 수는 있다. 예를 들어, 태아 자세로 얼굴을 테이블로 향한 채로 세션을 시도하면 된다. 고객을 아이 자세로 만든 후 세션을 할 때는 계단식 스툴과 같은 바닥 받침대를 딛고 올라가서 하되, 좀 더 주의를 기울여 테크닉을 적용해야 한다.

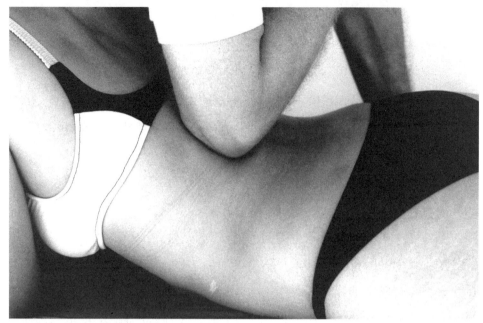

[사진 8-21]

| 테크닉 적용 과정 |

고개의 자세: 복와위

① 치료사는 엎드린 고객의 12번 늑골 위에 팔꿈치와 전완을 넓게 접촉시키고, 외측에서 내측으로 반대편 어깨를 향해 사선 벡터로 움직인다. 2~3회 반복한다.

② 고객에게 요청하여 팔꿈치로 바닥을 밀게 하고, 치료사는 팔꿈치를 부유늑골 바로 위쪽, 기립근 중간 부위에 접촉한다.

③ 근육에 압력을 가하며 천천히 아래 천골쪽으로 미끄러져 내려간다.

④ 양쪽에서 각각 2~3회 반복한다.

⑤ 움직임 요청 방법

▶ 골반을 앞으로 기울여주세요(꼬리뼈를 위로 올려주세요).

▶ 호흡을 이 부위로 넣어주세요.

▶ 대퇴골을 늘려주세요.

⑥ 척추기립근과 요방형근 사이의 근간 중격에 힘을 적용할 때는 좀 더 주의를 기울여야 하며, 이때 고객이 몸을 신전시킬 수 있게 한다.

⑦ 고객은 팔꿈치로 바닥을 밀며 몸을 신전시키며 세션을 보조할 수도 있고, 요추 전만증이 심한 경우 아이 자세에서 세션을 진행할 수도 있다.

▌천골의 표면 해부학Surface Anatomy of the Sacrum

여기서는 천골의 형태와 해부학적인 모양을 세부적으로 기술하겠다. [사진 8-22]를 보면 천골 모형이 보인다. 천골은 적어도 7개의 생체역학적 움직임 축을 지니고 있으며, 천골 위아래에는 다양한 종류의 연부조직이 부착된다. 천골은 부교감신경계의 최하단 부위인데, 천미골신경총, 또는 어떤 해부학자들이 표현하길, 내장신경이 바로 천골 앞면에서 나와 골반기저부에 있는 장부를 지배한다. 천골은 위쪽으로 요추 5번과 관절을 이루고 있으며, 좌우로 두 개의 장골과 천장관절을 형성한다. [사진 8-23]을 보면, 천골 측면에 평평하고 부드러운 면이 보이는데, 이곳이 천장관절면이다. 천장관절면 아래쪽, 미골로 향하는 부위를 보면, 천골 폭이 좁아지기 시작하는 부위가 보이는데, 이곳을 하외각ILA, inferior lateral angle이라 한다.

천골 주변의 인대 구조물 중 주된 것은 총 4개가 있다. 물론 이외에도 다른 인대들이 존재한다. 우선 천골 위쪽, 천골저base of sacrum는 5번 요추와 관절을 이루고 있는데, 이 근처에 있는 장요인대iliolumbar ligament는 5번 요추 횡돌기와 천골, 그리고 후상장골극PSIS을 이어준다. 천장인대sacroiliac ligament는 실제로 세 종류의 인대가 결합되어 있는데, 이 중 두 종류는 천골 뒤쪽, 한 종류는 앞쪽에 위치한다. 뒤쪽에 있는 천장인대는 가로와 세로 섬유로 이루어져 있다. 천장인대 아래에는 천극인대sacrospinous ligament가 ILA 좌우에 부착되는데, 이 천극인대 아래에는 천결절인대

sacrotuberous ligament가 좌우에 존재하여 천골 결절에 부착된다. 이외에도 미골인대가 미골 앞뒤좌우에 부착되어 있다.

천골에 부착된 가장 중요한 연부조직 구조물은 이상근(궁둥구멍근)인데, 이 근육은 천골 앞면에 붙어있다. 천골 앞면에는 이상근 외에도 다양한 골반횡격막이 존재하는데, 여기엔 방광, 자궁, 자궁경부, 전립선, 직장이 연결되어 있다. 이 천골 앞면 부위엔 다양한 골반 장부들이 부착되는데도 종종 그 중요성이 간과되곤 한다.

S1, S2, S3 축은 천골을 가로로 관통해 지나가는데, 이 축은 천골의 정렬이 깨졌을 때 나타나는 비생리학적nonphysiologic 축으로 간주된다. S2를 관통해 지나가는 정상적인 횡축normal transverse axis은 주로 호흡운동motion of respiration과 두개골의 율동적 임펄스CRI, cranial rhythmic impulse에 관여하며, 천골 중심을 세로로 지나가는 종

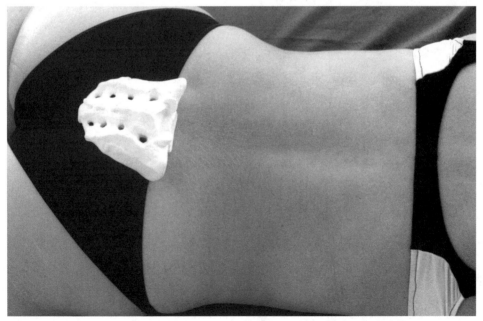

[사진 8-22]

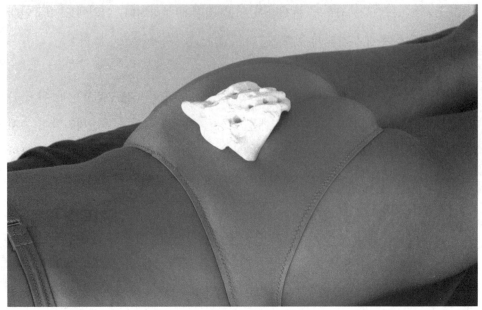

[사진 8-23]

축longitudinal axis은 천골의 회전 움직임rotational movement에 관여한다. 오른쪽 어깨에서 왼쪽 좌골결절, 그리고 왼쪽 어깨에서 오른쪽 좌골결절로 천골을 관통해 지나가는 두 개의 사선축two oblique axes도 존재한다.

슬괵부근(넙다리뒤근)은 걸을 때 좌우에서 차례대로 수축, 이완되며, 연결된 천결절인대도 차례대로 수축한다. 이로 인해 천골이 사선축을 중심으로 회전한다. 결국 천골의 움직임은 전후면anterior/posterior plane에서 존재한다. 천골은 골반의 장부와 연결되어 있기 때문에, 이 장부에 의해 앞으로 당겨질 수도 있고, 천골 주변의 인대와 흉요추 근막의 생체역학에 의해 뒤로 당겨지기도 한다.

▌ 천골: 전후 인대Sacrum: Anterior and Posterior Ligaments

천골 이완 테크닉을 시작하기 전, 천골의 생체역학적 위치를 결정하는 것이 정말 중요하다. 천골은 어느 한쪽 부위가 낮아져 있는 경우가 많고, 또한 토션패턴

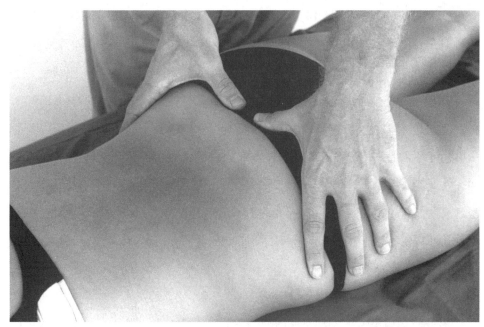

[사진 8-24]

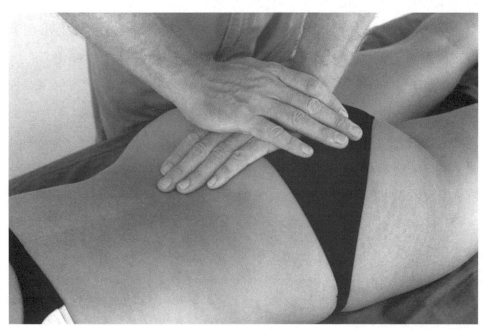

[사진 8-25]

torsion pattern도 꽤 자주 생긴다. 치료사는 양손 엄지손가락을 고객의 천장관절 부위에 대고 차례대로 가볍게 여러 번 압박을 주어 관절 공간 상태를 검사해보라. [사진 8-24]를 보면, 치료사가 양손 엄지손가락을, [사진 8-25]에서는 손바닥 전체를 이용해 고객의 천골 전체와 천장관절에서 일어나는 움직임을 검사하는 모습이 보인다. 이런 검사를 통해 천골의 어느 쪽이 더 높고 낮은지, 관절 공간 위쪽의 조직 밀도는 어떠한지 감지할 수 있다. 이 검사를 통해 천골저base of sacrum가 앞쪽과 뒤쪽으로 이동한 느낌을 알 수 있다. 다시 [사진 8-25]를 보면, 치료사가 손바닥 전체로 천골을 덮고 있는 모습이 보인다. 이때 아래 손의 수근부는 미골을 덮고 있고, 손가락은 천장관절의 가장자리를 따라 놓여있고, 위에 놓인 손은 아래쪽으로 좀 더 많은 압박을 가할 수 있게 보조하고 있다.

천골을 압박하여 모션테스트motion test를 하는 이유는 전방인대 또는 후방인대의 고정fixation 상태를 판별하기 위해서이다. 만일 치료사가 손으로 가하는 압력에 천골이 눌리지 않으면 후방인대posterior ligament가 딱딱하다는 증거이다. 반면, 압력을 가했을 때 천골이 전방으로 이동했는데, 그 압력을 천천히 풀었을 때 손으로 되돌아오는 느낌이 나지 않는다면 전방인대anterior ligament가 고정되어 있다는 증거이다. 이 천골 모션테스트*를 통해 후방인대가 실제로 천골 움직임을 제한하는 요소이거나, 또는 제한의 중심점임을 확인했다면, 천골, 허리, 회전근군rotators을 이완시키는 테크닉을 적용하면 된다. 사실 모션테스트 자체가 천골과 그 주변 인대의 가동성을 높여 고정을 제거하는 테크닉에 해당된다. 다른 모든 테크닉들과 마찬가지로, 천골을 압박할 때도 느리고 점진적으로, 압력을 쌓아나가는 방식으로 시행하여

---

* 팔을 굴곡/신전, 내전/외전시켜 견관절의 상태를 직간접적으로 알아보는 것과 같은 큰 동작에 대한 검사는 '동작검사'로 지칭하고, 천골이나 장골 등의 작은 인체 구조물의 움직임을 치료사가 직접 검사하는 것을 '모션테스트'로 구별하여 사용하도록 한다.

야 하며, 압력을 가한 후 손에 힘을 **뺄** 때도 차근차근 압력을 줄여나가는 방식으로 해야 천골이 손으로 되돌아오는 느낌을 감지할 수 있다.

　[사진 8-25]에서 보이는 것처럼, 치료사는 해당 손 모양을 통해 간접적으로 천골 언와인딩 기법을 적용할 수 있다. 천골에 있는 3개의 회전축을 떠올려 보기 바란다. 우선 S2를 지나는 횡축transverse axis에서는 굴곡과 신전 모션테스트를 할 수 있다. 일단 신전 동작이 더 잘 일어난다고 가정해보자. 천골을 신전 상태로 만든 다음, 종축longitudinal axis을 기준으로 천골을 좌우로 기울여 봐서 쉽게 움직이는 쪽을 결정한다. 이제 이 두 벡터를 견고하게 쌓아 멈춘다. 이 과정에서 최소저항의 길을 따라왔다는 것을 잊지 않길 바란다. 마지막으로, 나선축oblique axes을 기준으로 천골을 측굴시킨다. 최소저항을 따르는 세 개의 백터를 누적시켰으면, 이제 압력을 유지한 상태에서 이완이 일어날 때까지 기다린다. 이렇게 천골을 간접적으로 언와인딩시킬 수 있다. 천골은 일반적으로 이렇게 간접적인 테크닉에 잘 반응한다.

> 천골 평가에는 여러 단계가 존재한다. 따라서 여기서 설명하는 내용 전체를 이해하고 근막이완요법을 적용하는 것이 중요하다.

▌천장인대와 요추근막 Sacroiliac Ligaments and Lumbar Fascia

　이 테크닉은 특히 허리 기능장애와 골반의 연부조직에 문제를 지닌 고객에게 유용한다. [사진 8-26]을 보면, 치료사는 고객의 천골 오른쪽 천장인대에 팔꿈치를 곧바로 접촉하고 있다. 테크닉을 한쪽 천골의 ILA에서부터 시작해 몇 파운드의 압력을 천골에 가하며 느리게 5번 요추까지 미끄러져 올라간 후 멈춘다. 이 과정을 천골 좌우에서 여러 번 반복한다. 요추근막은 천골 위에서 딱딱해지는 경향이 있는데,

이 테크닉을 통해 세 종류의 천장인대를 좀 더 자유롭게 할 수 있다. 치료사의 팔꿈치가 놓인 위치를 보라. 뒤쪽 천장인대의 가로, 세로 섬유가 있는 위치이다. 테크닉을 적용하는 중에 통증이 일어나면 멈추어라. 척추 후만증이 심한 고객은 자신의 팔꿈치로 바닥을 미는 동작으로 세션을 보조하게 할 수 있다. 이렇게 하면 세션 중에 요추 만곡이 약간 살아난다. 천골을 지나 요추 옆, 천골저 부근에 이르면 고객에게 꼬리뼈를 천정 방향으로 들어올리라고 요청할 수 있다. 대퇴골을 테이블 끝점으로 늘리는 것도 고객이 할 수 있는 좋은 움직임 보조법이다. 이렇게 하면 L5, S1 결합부 주변의 짧은 인대들, 특히 장요인대(엉덩허리인대)를 이완시키는데 매우 효과적이다.

| 테크닉 적용 과정 |

고객의 자세: 복와위

① 치료사는 고객의 머리를 향하여 서서 팔꿈치를 천장인대 바로 위에 놓는다.

② 천골 ILA에서 시작하여 천천히 요추 5번 방향으로 미끄러져 올라간 후 멈춘다.

③ 천골 양측에서 여러 번 반복한다.

▸ 이 방식이 통증을 일으킨다면 멈춘다.

④ 세션 중에 요추 만곡을 높이려면 고객에게 팔꿈치로 바닥을 밀어 상체를 일으키라고 요청한다.

⑤ 움직임 요청 방법

▸ 꼬리뼈를 천장 방향으로 들어주세요.

▸ 대퇴골을 테이블 끝쪽으로 늘려주세요.

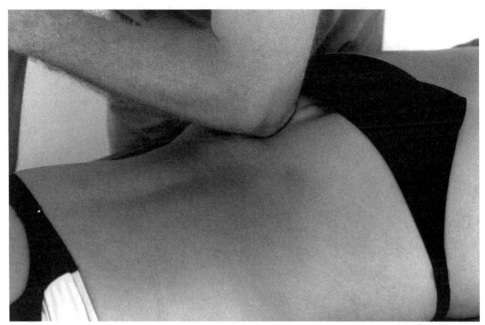

[사진 8-26]

[사진 8-27]

▌미골인대Coccygeal Ligament

미골인대(꼬리뼈인대)는 미골 좌우와 전후에도 존재한다. 이 테크닉은 꼬리뼈로 주저앉아 타박상을 당한 사람에게 특히 유용하다. 먼저 검지손가락으로 매우 부드럽게 꼬리뼈의 모양과 크기, 위치를 확인한다. 때때로 꼬리뼈가 안쪽으로 굽어져 있는 사람도 있지만, 보통은 좌측이나 우측, 어느 한쪽으로 굽어 있는 이들이 많다. 꼬리뼈가 굽혀 있는 방향의 인대가 좀 더 두툼하고 딱딱하게 느껴질 것이다. 꼬리뼈 옆의 딱딱하거나 두툼해진 조직에 그냥 손가락을 대고 마치 꼬리뼈와 천극인대(엉치가시인대) 사이에 쐐기를 넣는다는 느낌으로 조금씩 압력을 가한다. 그러면 꼬리뼈 주변 인대들이 점차 부드러워지는 느낌이 날 것이다. 이 현상이 일어나면 손끝으로 꼬리뼈 모션테스트를 해본다. 약 1~2온스 정도의 적은 압력으로 밀어본 다음 중심선으로 되돌아오는지 확인하라. 꼬리뼈 표면 부위 조직이 매우 두툼하고 딱딱한 느낌이 나면 후방 인대의 가동성을 개선시키면 된다. 이 경우, [사진 8-27]에 보이는 것처럼, 손끝으로 꼬리뼈가 움직이기 시작할 때까지 적은 압력을 활용해 좌우로 마찰 기법을 시행하면 된다. 꼬리뼈에서 할 수 있는 것은 이 정도면 충분하다. 후방 인대만 가동성을 높여도 전방 인대에 긍정적인 효과가 전해지기 때문이다.

| 테크닉 적용 과정 |

고객의 자세: 복와위

① 검지손가락을 이용해 꼬리뼈의 모양, 크기, 위치를 부드럽게 확인한다.

② 일단 딱딱한 쪽을 결정했으면, 몇 파운드의 힘을 가한다. 이때 꼬리뼈와 천극인대 사이에 쐐기를 넣는 것처럼 시행한다.

③ 압력을 유지하고 인대가 부드러워질 때까지 기다린다.

④ 조직이 부드러워지는 느낌이 나면, 손끝으로 꼬리뼈 모션테스트를 시행한다.

⑤ 약 1~2온스 정도의 압력을 꼬리뼈에 가하며 세션을 적용하고, 꼬리뼈 위치

가 중심선으로 되돌아올 수 있게 만든다.

⑥ 가능하다면 마찰 기법을 이용해 인대를 좌우로 이완시킨다.

▌천골과 L5-S1 Sacrum and L5-S1

여기서는 L5-S1 결합부의 기계적 고정 mechanical fixation을 이완시키는 데 매우 유용한 두 가지 테크닉을 소개한다. [사진 8-28]을 보면, 치료사가 오른손 소지구(새끼 **두덩근군**)를 요추 5번 극돌기 위에 올리고 있다. 요추 5번(L5) 극돌기가 어디인지 모르겠으면, 좌우 장골 최상단에서 일직선을 그었을 때 몸의 중앙에서 만나는 부위가 대략 요추 4번 극돌기에 해당되므로, 여기서 척추 한 마디만 아래로 내려오면 요추 5번 극돌기를 찾을 수 있다. 고객이 이 부위에 아무런 통증을 호소하지 않는다면, 요추 5번 위에서 직하방으로 약 20파운드까지 압력을 가할 수 있다. 이때 두 방향의 압력 벡터가 가해지게 되는데, 하나는 전방의 테이블로 향하고, 다른 하나는 약간 상방으로 향한다. 압력을 가할 때는 요추의 만곡을 따르는 느낌의 스쿠핑모션* 을 취한다. 여기서 주된 압력 벡터는 전방이다. 고객의 두 번째 날숨 또는 세 번째 날숨에 요추가 이완되는 느낌이 나는데, 일단 이렇게 이완감이 생기면 점진적으로 압력을 뺀다. 이 테크닉을 하기 전에, 고객에게 팔꿈치로 바닥을 밀게 해서 요추 전만을 형성하는 데 도움을 받을 수도 있다.

[사진 8-29]를 보면, 치료사가 손바닥으로 천골을 감싸고 있는 모습이 보인다. 골반 부위에 감정적 또는 신체적 학대를 당했던 경험이 있는 고객이라면, 이 테크닉을 적용할 때 특히 더 섬세한 주의가 필요하다. 따라서 치료사는 고객의 양다리

---

* scooping motion은 스푼으로 아이스크림을 뜨는 형태의 테크닉이다.

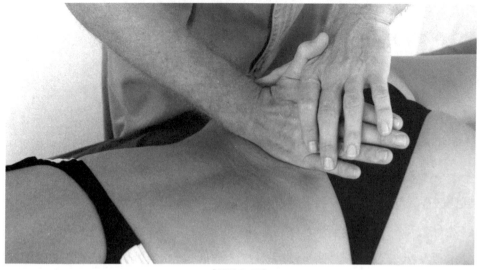

[사진 8-28]

사이에 한 손을 넣기 전에 매우 안전한 테크닉이니 안심하라고 하고, 세션에 대한 허락을 받아야 한다. 허락을 받는 과정에서 고객이 머뭇거리는 모습을 보인다면 이 테크닉으로 천골에 접근하지 않아야 한다. 일단 허락을 받았다면, 고객의 양다리 사이에 한 손을 넣어, 손바닥 바로 위에 놓인 천골을 통해 골반 전체 무게가 전해지게 한다. 이 과정을 고객이 불편해 한다면 측와위에서 테크닉을 시행한다거나, 또는 엎드린 자세에서 손을 천골 위에 올리고 테크닉을 적용해도 된다.

여기서 소개하는 천골 감압decompression 테크닉을 성공시키는 가장 단순한 방법은 바로 고객의 들숨과 날숨, 즉 호흡패턴respiratory pattern을 따라가는 것이다. 숨을 쉴 때 천골은 횡축transverse axis에서 마치 배처럼 요동하는 경향이 있다. 천골저가 손바닥으로 움직인 다음, 꼬리뼈가 위쪽 천장 방향으로 움직이는 것이 느껴지면, 치료사는 그냥 꼬리뼈가 미세하게 천장 방향으로 움직일 때 그것을 손으로 따라가면 된다. 비록 여기서는 천골에 초점을 맞추어 몇 파운드의 압력을 위로 가하지만, 천골뿐만 아니라 골반 전체를 들어올리는 느낌이다. 손을 뺄 때는 매우 점진적으로 고객의 발쪽으로 당기듯 빼낸다. 뺄 때도 느리게 시행하라. 이 테크닉의 감을 잡기까지 두세 번은 반복해야 될지도 모른다. 때로는 아무런 의도도 갖지 말고 그냥 천골 홀드*기법을 적용해보라. 손바닥 안에 천골을 내려놓고 가만히 있으면 호흡횡격막에 의해 유도되는 불수의적 움직임이 일어난다. 이 움직임이 무엇 때문에 일어나든, 단지 몇 분간 그 움직임이 일어나도록 내버려두어라. 그러면 마치 골반기저부pelvic floor 안쪽에서부터 이완이 일어나듯 손바닥으로 천골이 밀려내려오는 느낌이 들곤 한다. 이 테크닉은 천골의 움직임을 교정할 뿐만 아니라 부교감신경계에도 긍정적인 효과를 미친다. 테크닉을 할 때 테이블 위에 약 2~3인치 정도 높이의 밀도감 있는 쿠션을 깔고 하길 추천한다. 1분 이상 골반 전체 무게가 손과 손목에 가해지기 때문이다.

천골 평가에는 여러 단계가 존재한다. 따라서 여기서 설명하는 내용 전체를 이해하고 근막이완요법을 적용하는 것이 중요하다.

[사진 8-29]

---

* hold는 동작을 멈추고 기다리는 기법이다.

▌천결절인대 Sacrotuberous Ligament

허리 또는 슬괵부근(넙다리뒤근)에서 어떤 테크닉을 하든, 천결절인대(엉치결절인대)를 이완시키는 일은 좋은 결과를 얻을 수 있다. 왜냐면 천결절인대는 슬괵부근의 연장선에 있기 때문이다. 이 인대를 푸는 방법은 많다. 하지만 먼저 알아야 할 것은 천결절인대의 위치를 찾는 일이다.

천결절인대는 좌골결절에서 천골의 ILA로 이어지며, 좌골결절에서 엄지손가락 한 마디 위, 거기서 다시 엄지손가락 한 마디 정도 내측에 위치한다. 위치를 찾기 위해, 우선 엄지손가락을 좌골결절 위에 올려서 뼈 위치를 확인한다. 그런 다음 엄지손가락을 1인치 정도 위로 올린 후 다시 1인치 내측으로 이동시켜서 눌러보면 매우 두툼하고 질긴 인대 구조물이 느껴진다. 이곳이 테크닉을 적용할 부위이다. [사진 8-30]을 보고 엄지손가락이나 팔꿈치를 놓을 적절한 위치를 확인하라. 천결절인대 중심부에 압력을 가해 찾거나, 때로는 인대의 길이를 따라 좀 더 두툼하거나 딱딱한 위치를 찾을 수도 있다. 좌우 양측에서 테크닉을 적용해도 된다. 하지만 대부분 어느 한쪽 인대가 다른 쪽보다 더 딱딱한 느낌이 들 것이다. 엄지손가락으로, 또는 팔꿈치로도 압력을 가할 수 있으며, 고객에 따라 최대 10파운드까지 압력을 점진적으로 늘려나가며 인대를 누르면 된다. [사진 8-31]에는 골반과 천결절인대의 해부학적 위치 관계가 보인다. 치료사가 천결절인대에 압력을 가하는 중에 고객에게 요청하여 꼬리뼈를 말아서 위로 올리거나 발목을 굽혔다 펴는 동작으로 세션을 보조할 수 있다. 이렇게 하면 천결절인대의 이완 속도가 빨라지며, 막시스템 fascial system 전체에 좀 더 깊은 이완이 발생한다. 천결절인대의 트리거포인트는 보통 인대 중심부에 위치한다.

천결절인대 중간에 엄지손가락을 걸어서 바깥쪽으로 약간 들어올리는 방식도 사용할 수 있다. 하지만 이 테크닉이 꽤 불편하게 느껴지는 고객도 있을 수 있기 때문에, 보통은 엄지손가락이나 팔꿈치를 인대에 댄 상태에서 고객이 골반이나 다리를 움직여 이완시키는 방식을 추천한다. 천장관절이나 좌골신경 관련 통증 패턴을 지닌 고객의 천결절인대를 이완하는 것은 아무리 그 중요성을 강조해도 지나침이 없다.

천결절인대를 체크하면서, 아래로 내려가 슬괵부근도 이완시키는 것을 추천한다. 앞에서 천골 해부학을 설명할 때 이미 이야기했지만, 천골에는 오른쪽 어깨에서 왼쪽 좌골결절로 내려가는 축과 왼쪽 어깨에서 오른쪽 좌골결절로 내려가는 축, 이렇게 두 개의 사선축$^{oblique\ axes}$이 존재한다. 인간이 걸을 때 천골은 이 두 개의 사선축을 중심으로 회전한다. 보행을 하면 양쪽의 슬괵부근이 서로 번갈아가며 수축과 이완을 반복하기 때문에, 그 힘이 차례대로 천결절인대를 통해 천골 사선축에 전해진다. 이런 관점에서 보면 천결절인대와 슬괵부근은 하나의 단일한 구조물로 작동한다고 할 수 있다. 그렇기 때문에 천결절인대를 이완한 다음엔 슬괵부근을 이완시키길 권하는 것이다. 대퇴이두근(**넙다리두갈래근**)의 장두가 딱딱한 사람이 많은데, 천결절인대를 풀고 슬괵부근을 구성하는 대퇴이두근을 꼭 체크하여야 한다.

천결절인대를 풀고 슬괵부근으로 넘어가라. 슬괵부근과 천결절인대는 하나의 구조물로 작동한다.

| 테크닉 적용 과정 |

고객의 자세: 복와위

① 엄지손가락이나 팔꿈치를 고객의 좌골결절에 댄다. 좌골결절에서 위쪽으로 1인치, 내측으로 1인치를 엄지손가락을 움직이면 딱딱한 인대가 느껴질 것이다.

② 천결절인대의 중심부에 압력을 가하며, 이 인대를 따라 좀 더 딱딱하거나 조직이 두툼한 부위를 찾는다.

③ 움직임 요청 방법

  ▸ 발목을 굽히거나 펴주세요.

  ▸ 천천히 꼬리뼈를 들어올려 말아주세요.

[사진 8-30]

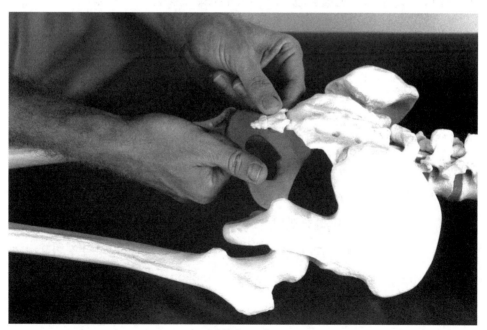

[사진 8-31]

▌척추기립근과 척추주위근막의 해부학적 위치 설명
Topographical Anatomy of the Erector Spinae and Paraspinal Fascia

[사진 8-32]에는 탈의한 모델의 등 전체가 보인다. 물론 예외 없이, 모든 고객들은 근막이완 세션을 받을 때 속옷이나 수영복을 입는다.

앉은 자세에서 세션을 할 때 고객의 허락을 구하고 엉덩이 아래에 손을 넣어 좌골결절(궁둥뼈결절)을 만져보라. 그러면 고객들 중 양쪽 좌골결절로 고르게 몸무게를 분산시켜 앉는 이들이 많지 않다는 사실을 알게 될 것이다. 이렇게 몸무게 분산이 불균일하게 느껴진다면 고객에게 말로 요청할 수 있다. 일단 왼쪽보다 오른쪽 좌골에 몸무게가 덜 가해진다면, 오른쪽 엉덩이 아래에 넣은 손가락으로 몸을 약간 기울여 보라고 한다. 반대도 마찬가지다. 몸무게가 덜 가해진 쪽으로 몸을 이동시켜 좌우 좌골결절에 가해지는 무게를 균등하게 한 다음, 몸 전체의 느낌이 어떠냐고 묻는다면 놀랍게도, 균형이 깨진 느낌이 든다고 말하는 고객이 많다.

매우 복합적인 근막층을 풀 때 기억하면 좋을 두 가지 정보가 있다. 첫째, 척추기립근처럼 복잡한 근육 위를 지나는 근막은 스트레스를 받았을 때 외측으로 밀려나는 경향이 있고, 이로 인해 기립근이 단축되기 때문에, 척추주위근막paraspinal fascia 을 외측에서 내측으로 의도를 가지고 움직여야 한다는 점을 기억하고 있어야 한다. 둘째, 위에서 아래로 이완시켜야 할 근막이 짧아진다는 사실도 알고 있어야 한다. 그러므로 고객을 세운 자세에서 척추 주변 조직의 분포를 관찰하는 것은 매우 가치있는 일이다. 우선 척추 앞면, 대략 인체의 관상면coronal plane과 중심시상면 mid-sagittal plane이 만나는 지점에 중심수직축central vertical axis을 상상력을 활용해 그어 보라. 이렇게 하면 막의 분포와 불균형을 사분면으로 나눠서 살필 수 있다. 이제 고객의 좌우 측면으로 가서 관상면이 나누는 인체 전후의 조직 분포를 살펴보라. 그러면 척추주변에 쌓인 스트레스의 정도뿐만 아니라 척추 만곡까지 제대로 관찰할 수 있다. 이런 식으로 고객 신체에 대한 이미지를 머릿속으로 그려본 후 세션을 진행하고, 세션이 끝난 후엔 이를 다시 비교해 볼 수 있다. 정리하자면, 우선 중심 수직축 주변에서 인체를 살펴보고, 다음으로 관상면을 기준으로 전후를 살펴보면 세션에 대한 방향을 설정하는데 유용한 정보를 얻을 수 있다.

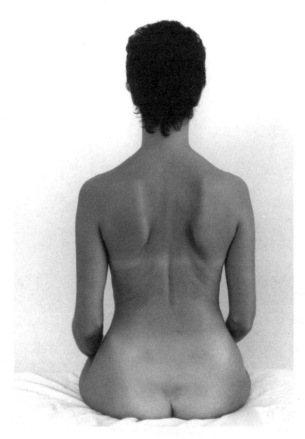

[사진 8-32]

▌앉은 자세에서 승모근 이완 Trapezius in Seated Position

여기서 소개하는, 좌식 시퀀스는 최고의 세션에 해당된다. 치료사는 세션 전에 우선 시간을 들여 고객의 자세를 제대로 세팅할 필요가 있다. 고객이 앉아 있으면 측면에서 살펴보라. 먼저 발목이 무릎 바로 아래 또는 약간 앞쪽에 위치하고 있는지 확인한다. [사진 8-33]에는 고객의 발이 무릎보다 약간 앞쪽에 위치해 있는 것이 보인다. 앞에서 봤을 때는 양발 넓이가 엉덩이를 넘어가지 않게 해야 한다. 또 대퇴

[사진 8-33]

골두가 무릎 중심과 수평이 되게 하거나, 이상적으로는 무릎보다 살짝 위에 위치하게 한다. 다음으로 고객이 몸을 구부정하게 하지 않고 똑바로 앉을 수 있게 해야 한다. 세션을 하는 동안 고객은 허리를 바로 세우고 있어야 하며, 이때 양 어깨는 몸 옆에 느슨하게 늘어뜨리고 있어야 한다. 치료사는 세션 중에 때때로 고객의 정수리를 가볍게 만지며 척추를 안에서부터 위로 들어올리라고 요청하라. 허리를 바르게 세우고 앉아서 세션을 받는 것이 고객에겐 꽤 스트레스가 될 수 있다. 세션을 받을 때는 매우 여러 번 자세가 무너지거나, 근막이완이 진행되고 있는 치료 라인의 통합성을 잃을 수 있기 때문이다. 고객이 발바닥, 좌골결절, 그리고 척추를 통해 완벽하게 스스로 지지하는 자세를 유지하며 세션을 받는 것. 이게 바로 이 테크닉의 핵심이다. 물론 그런 자세를 유지하는 것이 통증을 일으키거나, 세션을 진행하는 부위에 긴장이 많다거나, 고객이 정말로 피로감을 느낀다면, 허리를 세운 자세 자체가 무너지기 때문에, 이 또한 세션을 더 이상 진행할지 말지를 결정하는데 유용한 지표가 될 수 있다.

일단 고객이 앉은 자세에서 허리를 바르게 세우면, 치료사는 손을 흉추 위쪽 끝단에 대고 앞쪽으로 가볍게 밀어보라. 그러면서 고객에게 발로 저항하라고 요청하라. 만약 이때 고객이 양손으로 테이블을 잡고 몸을 뒤로 민다면, 다시 오직 발로만 저항하라고 하라. 이런 모션테스트를 통해 고객은 발로 저항을 준다는 것이 무엇인지 이해하게 될 것이고, 그때 세션을 시작하면 된다. 앉은 자세에서 테크닉을 등쪽에 적용할 때는 계속해서 고객의 몸 상태를 스캔하며 쉬어야 할 타이밍을 결정하라. 종종 치료사는 세션 중간에 한 손을 고객의 횡격막 앞에, 다른 손은 뒤에 놓고 그 사이로 호흡을 해보라고 요청하며 호흡을 체크하라. 상승모근에 세션을 할 때는, 중간에 세션을 멈추었을 때, 흉곽출구^{thoracic outlet} 앞뒤로 손을 놓고 그 사이로 호흡을 해보라고 요청하면 된다.

승모근(등세모근) 이완을 할 때, 치료사는 전완을 승모근 위끝단에 놓고 아래로 밀면서 미끄러져 내려오다, 승모근을 넘어 견갑골까지 움직인다. 이 세션을 양쪽에서 2~3회 반복하는데, 횟수가 진행될수록 점진적으로 압력을 증가시켜라. 치료사가 전완으로 고객의 승모근 위를 미끄러져 내려오면서 근막이완을 진행하면, 전완의 끝지점, 즉 팔꿈치로 승모근과 승모근 근막의 끝단에 도달하여 가볍게 거는 상태가 된다. 승모근 상부와 중부 섬유 위를 지나는 부위에 좀 더 많은 압력을 가한 후엔 능형근(마름모근)으로 넘어간다. [사진 8-34]에 보이는 것처럼, 승모근 이완을 하는 중에 고객에게 머리를 세션을 하고 있는 반대 방향으로 돌리라고 요청하라. 이렇게 세션을 진행하는 동안에도, 고객은 허리를 최대한 바로 세워서 치료사가 가하는 압력에 반대압counter-pressure을 유지하며 자세가 무너지지 않게 버티는 것이 중요하다. 고객에게 발로 바닥을 미는 힘으로 척추 앞쪽을 들어올리라고 요청하면서 승모근을 이완시킨다면, 반대압이 제대로 적용될 것이다.

승모근 테크닉은 목과 어깨에 만성적인 문제를 지닌 사람에게 매우 효과가 좋다. 또한 테이블에서 하는 근막이완 시퀀스를 마무리할 때도 좋은 테크닉이다. 승모근을 풀 때는 팔꿈치를 놓는 감각을 익히는 것이 정말 중요하다. 초보자들은 때때로 압력을 과하게 가하여 고객의 몸이 한쪽으로 기울게 하곤 한다. 치료사가 가하는 압력은 아래에 있는 벤치를 향해야 하며, 고객은 자신의 좌우 좌골로 균형을 유지해야만 한다. 고객의 몸에 균형이 깨졌을 때 세션을 하면 뭔가 보기도 이상하고, 느낌도 별로다. 때때로 치료사는 양손을 고객의 좌골결절 아래에 넣고 엉덩이 양쪽에 가해지는 몸무게 압력이 비슷한지 확인해야 한다. 테크닉을 마칠 때마다 고객에게 숨을 느리고 깊게 쉬라고 요청한다.

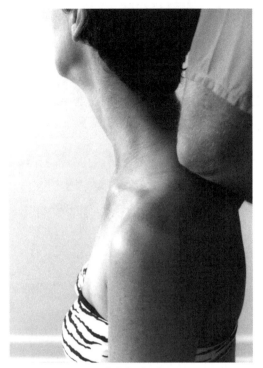

[사진 8-34]

| 테크닉 적용 과정 |

고객의 자세: 좌식. 발목은 무릎보다 조금 앞쪽에 위치하고, 양발 사이는 엉덩이보다 넓지 않게 유지한다. 이때 엉덩이가 무릎보다 살짝 높게 한다. 고객은 양발로 지면에 저항을 주어 척추를 늘리는 자세에서 양손은 옆쪽에 편하게 늘어뜨린다.

① 치료사는 전완을 승모근 상단 끝부분에 댄다.

② 몇 초간 천천히 조직 안으로 싱크*한다.

③ 싱크를 한 후 승모근 위에서 아래로 미끄러져 내려가며 견갑골 방향으로 향한다.

---

* Sink는 천천히 압박을 늘려가며 조직 안으로 잠겨드는 기법이다.

④ 2~3회 반복한다.

⑤ 압력이 적당한지, 방향은 아래쪽 벤치를 향하는지 확인한다.

⑥ 각각의 테크닉이 끝난 후엔 고객에게 심호흡을 하라고 요청한다.

⑦ 고객 스스로가 양발로 지면을 미는 힘으로 척추 앞부분을 위로 들어올릴 수 있게 해서 자세가 붕괴되지 않게 한다.

▌ 앉은 자세에서 중간등 근막 Mid-Dorsal Fascia in Seated Position

일단 승모근과 견갑대에 대한 세션을 마쳤으면, 치료사는 고객의 등 뒤에 선다. 그런 다음 고객에게 머리를 앞으로 떨어뜨리며 몸을 아주 천천히 말아보라고 요청한다. 고객이 몸을 앞으로 말 때 척추 분절의 움직임을 관찰하라. 몸을 마는 동작은 느리게 이루어져야 한다. 그동안 치료사는 위쪽과 아래쪽 척추 마디와 독립적으로 움직이지 않고 덩어리져 움직이는 분절을 찾는다. 고객은 더 이상 앞으로 숙여지지 않는 지점까지 상체를 앞으로 만다. 이 지점에서 다리 위에 베개가 있다면 훨씬 편안하게 느낄 것이다. 다시 고객에게 원래의 좌식 자세로 되돌아오라고 요청하라. 그런 다음 다시 앞으로 몸을 말게 하는데, 이번엔 마는 동작이 머리와 목이 아니라 골반에서 구동되게 지도한다. 마치 고객의 무릎 위에 커다란 비치볼이 있어서 그 위로 몸을 굴리는 느낌으로 동작을 하게 한다. 이렇게 여러 번 반복하면, 치료사는 고객의 척추에서 어느 마디가 연부조직과 엉켜있는지, 어느 마디가 독립적으로 잘 움직이는지 알 수 있다. 문제가 되는 분절을 찾았으면 중간등 위치에서 세션을 시작하면 된다.

[사진 8-35]에서처럼, 고객의 상체를 약 10~20도 정도 굽혀놓은 자세를 유지하게 하고, 치료사는 양주먹을 견갑골 위쪽에 접촉한 다음, 척추 안쪽으로 근막이완을 하며 조직을 움직인다. 이렇게 2~3차례 조직을 이완시킨 후 고객에세 똑바로 앉으라고 요청한 다음 세션을 시행한 부위로 호흡을 넣어보라고 한다. 다시 고객에게 상체를 마는 동작을 해달라고 요청한 후, 치료사는 양주먹이나 팔꿈치로 층판고랑lamina groove이나 늑골의 후각posterior angle 또는 견갑골 내측연을 따라 위에서 아래로 테크닉을 적용하며 내려온다. 테크닉을 적용하는 동안 고객은, 앞에서 이야기했던 것처럼 양발을 통해 치료사의 손에 저항을 가한다. 이때 치료사는 고객의 팔과 어깨가 느슨하게 이완되어 있는지 계속 확인한다. 고객에게 이마를 무겁게 늘어

뜨리라거나, 또는 머리를 무릎 방향으로 움직이라는 말로 동작을 유도할 수도 있다. 세션을 받는 중에 발에 피로감을 느끼는 고객이 많지만, 통증이 없다면 문제될 것은 없다. 물론, 통증이 나타나는 경우 이 테크닉을 적용해서는 안 된다. 특히 척추를 따라, 또는 허리나 골반에 통증이 발생하면 멈춰라. 상체를 앞으로 10~20도 정도 굽혀놓은 자세에서 시작하는 방식 대신, 허리를 똑바로 세우고 앉은 자세에서 조직에 접촉한 다음, 고객이 상체를 앞으로 굴리는 움직임에 맞춰 치료사는 해당 조직을 중심선쪽으로 이완시키거나, 아래의 천골쪽으로 이완시킬 수도 있다. 이는 마치 춤을 추는 것과 같다. 하지만 고객이 정지한 자세에서 테크닉을 적용하는 것에 익숙해지고 난 다음, 고객이 움직임에 참여하는 형태의 입체적인 바디워크를 시도하는 것이 좋다.

[사진 8-35]에 나온 자세에서 척추 주변 조직에 적용할 수 있는 테크닉은 다양하다. 척추의 특정 분절 주변의 층판고랑이나 극돌기 위쪽 섬유가 강하게 얽혀 있는 경우엔, 해당 분절의 섬유 방향과 반대 방향에서 테크닉을 적용해 이완시킬 수 있다. 고객이 허리를 세우고 원래의 좌식 자세로 되돌아 갈 때마다 항상 한 손은 세션을 적용한 부위에, 다른 한 손은 앞쪽의 늑골 주위에 댄 다음, 양손 사이로 호흡을 넣어달라고 요청하라. 고객에게 스스로 양손을 앞으로 뻗거나, 두 팔로 자신을 안는 동작을 해달라고 요청할 수도 있다. 이렇게 하면 광배근(넓은등근)과 능형근(마름근)을 열어주어 근막이완이 더 잘 되게 할 수 있다.

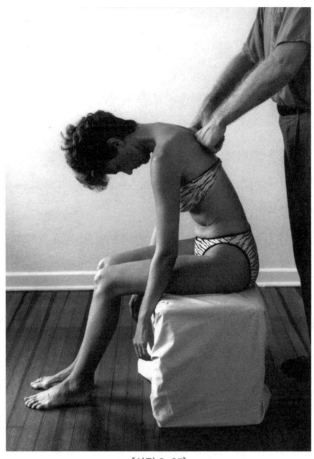

[사진 8-35]

| 테크닉 적용 과정 |

고객의 자세: 좌식. 발목은 무릎보다 조금 앞쪽에 위치하고, 양발 사이는 엉덩이보다 넓지 않게 유지한다. 이때 엉덩이가 무릎보다 살짝 높게 한다. 고객은 양발로 지면에 저항을 주어 척추를 늘리는 자세에서 양손은 옆쪽에 편하게 늘어뜨린다.

① 고객에게 머리를 앞쪽으로 떨어뜨리며 상체를 앞쪽으로 매우 느리게 굽혀 달라고 요청한다.

② 고객이 느리게 움직이는 가운데 척추 분절의 상태를 확인한다.

③ 앞쪽으로 몸을 마는 동안, 치료사는 양주먹을 견갑골 위에 대고 조직을 척추 방향으로 이완시킨다.

④ 2~3회 정도 근막이완을 진행한 다음 똑바로 앉아서 호흡을 하라고 요청하라.

⑤ 다시 고객에게 앞쪽으로 몸을 말라고 요청하면서, 층판고랑, 늑골의 후면, 그리고 견갑골 내측연 부위를 이완시킨다.

⑥ 움직임 요청 방법

  ‣ 앞쪽과 뒤쪽 늑골 사이로 호흡을 넣어보세요.

  ‣ 양손을 앞으로 뻗어보세요.

  ‣ 자신을 안아보세요.

⑦ 상체를 앞으로 마는 동작을 할 때, 고객이 불편해 한다면, 똑바로 허리를 세우고 정지한 자세에서 테크닉을 시행한다.

▌ 앉은 자세에서 요추근막 이완 Lumbar Fascia in a Seated Position

이 마지막 근막이완은 아마도 고객 입장에서 가장 편한 세션이 될 것이다. 왜 냐면 고객이 자신의 발로 저항을 주지 않아도 되기 때문이다. 앞에서 이미 언급한 대로, 고객은 무릎 위에 베개를 한 개나 두 개를 올리고 몸을 지지하면 좋다. 이 테 크닉을 적용할 때 치료사가 때때로 과한 압력을 가할 수 있기 때문에, 고객의 상태 를 확인하면서 불편함이 없게 세션을 진행해야 한다. 세션에 적절한 자세는 [사진 8-36]에 실려있다. 고객이 몸을 앞으로 굴리듯 굽힐 때 때때로 무릎이 바깥쪽으로 벌어질 수 있다. 그렇게 되지 않도록, 고객에게 자신의 손으로 무릎 주위나 아래를

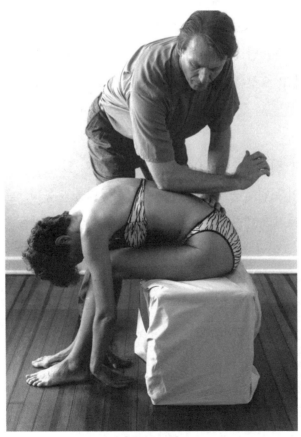

[사진 8-36]

감싸 안으라고 요청하라. 치료사는 팔꿈치를 층판고랑이나 늑골의 후각 부위에 대고 따라 내려오면서 근막이완을 한다. 앞에서 기술한 흉요추근막thoracolumbar fascia과 요방형근의 삼중막three layers에 대한 내용을 떠올려보라. 이 부위에는 같은 자세에서 동일한 형태의 세션을 반복적으로 적용할 수 있다. 여기서 척추기립근과 요방형근의 중간 중격middle septum에 대한 근막이완은 특별히 더 가치가 있는 세션으로 볼 수 있다. 특히 척추 추궁절제술laminectomy이나 요추에 척추유합술lumbar fusion을 받은 고객이라면 이 테크닉에 대단히 만족할 것이다.

[사진 8-36]을 보면, 고객의 얼굴이 잘 안 보이는데, 이 자세에서 허리를 세우면 종종 어지럼증이 발생한다. 따라서 근막이완을 2~3회 정도만 적용한 후 허리를 세우게 하라. 그런 다음 한 손은 고객의 복부에, 다른 손은 허리에 대고 양손 사이로 호흡을 넣어보라고 요청하라. 허리 부위 세션을 할 때는 팔꿈치가 최선의 도구이다. 이 방식으로 천골과 천장인대까지 테크닉을 적용한다.

세션을 하며 집중을 기울여야 할 부위가 하나 더 있다. 바로 부유늑골 위쪽의 하후거근이다. 이 부위에 근막이완을 할 때는 팔꿈치를 부유늑골 위쪽에 대고 하후거근 섬유를 가로질러 내려가면서 고객에게 팔꿈치 접촉 부위로 숨을 깊게 들이쉬라고 요청한다. 허리와 척추에 문제가 있는 고객은 보통 횡격막 기능에도 문제가 생기곤 한다. 따라서 해당 문제를 지닌 고객에게 세션을 가할 때는 호흡 문제를 해결하는데 더 심혈을 기울여야 한다. 허리 부위에서 세션을 할 때는 다음 세 부위가 핵심이다. 먼저, 요추 극돌기 옆의 층판고랑, 다음은, 척추기립근 위쪽의 요추근막층, 마지막으로 척추기립근과 요방형근 사이 요추근막 중간층을 다룬다. 척추기립근과 요방형근 사이의 중격에 세션을 할 때는, 몸의 균형이 깨지지 않도록 고객에게 살짝 뒤로 몸을 기대라고 요청한다. 중격을 지나 척추쪽으로 세션을 하고 아래쪽으로 천골까지 이완시켜야 한다는 사실을 기억하라.

| 테크닉 적용 과정 |

고객의 자세: 좌식. 발목은 무릎보다 조금 앞쪽에 위치하고, 양발 사이는 엉덩이보다 넓지 않게 유지한다. 이때 엉덩이가 무릎보다 살짝 높게 한다. 고객은 척추를 늘리는 자세에서 양손은 옆쪽에 편하게 늘어뜨린다. 베개를 고객의 무릎 위에 올려놓을 수 있다.

※ 주의 사항: 이 자세에서는 고객이 양발로 어떠한 저항도 가하지 않는다.

① 고객에게 구부린 자세에서 양손으로 무릎 주변을 감싸달라고 요청한다.

② 팔꿈치로 주의를 기울이며 다음 세 부위를 이완시킨다.

- ▶ 요추 극돌기 옆의 층판고랑
- ▶ 척추기립근 위쪽의 요추근막 후면층
- ▶ 척추기립근과 요방형근 사이 요추근막 중간층

③ 고객의 신체 균형이 흐트러지지 않도록 지나치게 강하게 세션을 적용하지 말라.

④ 내측의 척추 방향과 아래쪽의 천골 방향으로도 세션을 진행한다.

⑤ 세션 도중에 때때로 고객을 좌식 자세로 되돌린다. 그런 다음 치료사는 양손을 고객의 복부와 허리 사이에 대고 그 공간으로 호흡을 해달라고 요청하라.

■ 척추주위근막과 흉요추근막 Paraspinal Fascia and the Thoracolumbar Fascia

이 테크닉은 여러분이 하는 근막이완 중에서도 가장 중요한 것에 속한다. 척추주위근막, 특히 흉요추근막은 통합근막 integrative fascia 으로도 불리며, 척추와 중추신경계와의 근접성이 높은 부위이기 때문에, 도수치료의 각 세션 도중에 또는 끝부분에 이완시켜야 할 필요가 있는 부위이기도 하다.

[사진 8-27]에는 치료사가 테이블 머리 위치에서, 고객의 척추를 향해 각도를 준 채 손가락 전체로 넓게 접촉하고 있는 모습이 보인다. 세션을 할 때는 좀 더 옆쪽에서, 근막을 모으거나 뜨는 형태로 척추 방향으로 테크닉을 적용하기 시작하며, 이때 손가락이 극돌기를 넘어가지 않도록 주의한다. 테크닉은 척추 위아래 전체에서 조직을 뜨는 듯한 느낌으로 외측에서 내측으로 적용할 수 있다. 약 5~10분 정도 이 테크닉을 적용하면 척추기립근의 톤이 점차 떨어지는 모습을 볼 수 있게 될 것이다. 손가락뿐만 아니라, [사진 8-38]처럼, 팔꿈치나 주먹도 활용할 수 있다. 이 사진에서는 척추주위근막 조직화 원리 중 두 번째, 즉 위에서 아래로 조직을 이완하는 방법을 적용하고 있다. 이렇게 하면 몸통을 띄우고 척추를 신장시켜, 척추에 통증을 지닌 고객들에게 매우 긍정적인 효과를 줄 것이다. 사진에서 치료사는 주먹을 활용해 척추 극돌기 바로 양쪽 옆에서 일정한 압력으로 테크닉을 적용하고 있는데, 이때 한 번에 몇 인치 정도만 이완하는 것이 중요하다. 깊은 압력으로 척추주위근막 전체를 한꺼번에 이완시키면 호흡계나 자율신경계를 항진시킬 수 있기 때문이다.

[사진 8-39]에는 치료사는 손가락을 넓게 접촉하며 척추 외측에서 내측으로 조직을 모아가며 움직이고 있는 모습이 보인다. 사진에서 보이는 것처럼 조직을 넓게 이완시키는 이유는, 압력을 좀 더 깊고 지속적으로 가하기 위해서이다. 이렇게 많은 조직을 모으듯 테크닉을 적용하면서 척추의 극돌기를 넘어가지 않게 하면 전체

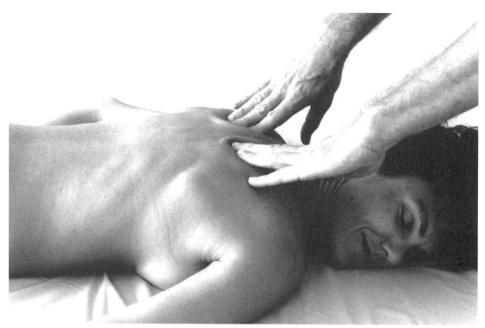

[사진 8-37]

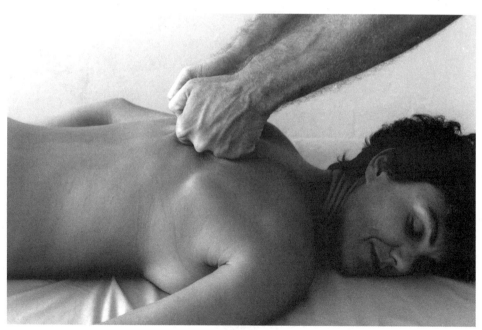

[사진 8-38]

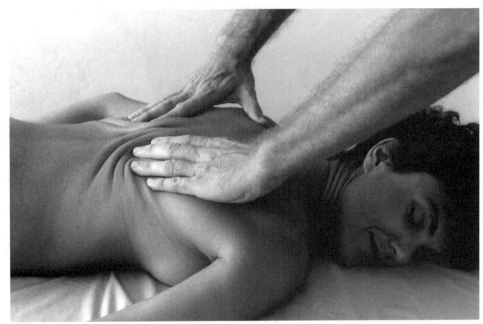

[사진 8-39]

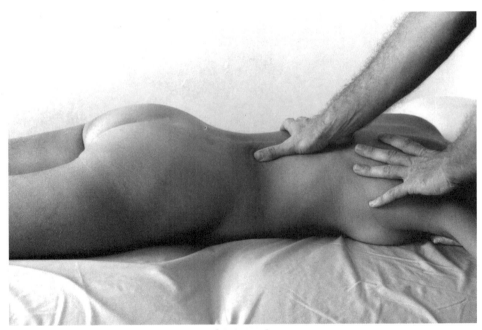

[사진 8-40]

이완 거리는 짧아진다. [사진 8-40]에서는 치료사가 엄지손가락을 요추근막의 중간층에 대고 있다. 요추 바로 위, 대략 흉추12번과 요추 1번 주위에서 기립근 조직이 얼마나 두툼한지 검사한 후, 가볍게 기립근 외측으로 넘어가 요방형근과 기립근 사이 중격 끝단까지 나아간다. 이제 그 아래로 내려가 기립근을 들어올린다고 상상하면서 테크닉을 적용하면, 이곳이 바로 중간층으로 들어가는 매우 좋은 방법이다. 이렇게 하면 손가락 끝으로는 중격을 누르게 되어 요추 최상단에서 쐐기를 형성하게 된다. 그런 다음 아주 천천히 중격을 타고 아래쪽 천골 방향으로 미끄러져 내려온 후 천골 윗면을 가볍게 넘어서 지나갈 수도 있다. 이 과정을 3~5회 요추 양측에서 반복적으로 적용할 수 있다. 물론 한 번에 한쪽에만 근막이완을 적용하면서, 고객에게 꼬리뼈를 아래쪽으로 테이블 방향으로, 반대로 천장 방향으로 가볍게 반복적으로 움직여달라고 요청할 수도 있다. 하지만 움직임의 폭이 너무 크게 되지 않도록 주의해야 한다. 약 1인치 정도로 적은 움직임 폭이면 괜찮다. 이렇게 고객의 움직임이 참여된 형태에서 근막이완을 하여 조직을 늘리게 되면 요추의 중간층 근막뿐만 아니라 전면층 근막에도 반사적인 영향이 간다. 요추의 전면층 근막은 인체의 관상면과 가깝고, 내복사근(배속빗근)과 외복사근(배바깥빗근)이 건막(널힘줄)과 융합되어 있기 때문에 접촉하기 어렵다. 따라서 세션 초반에 요근을 직접적으로 풀고 요추근막의 후면층과 중간층을 다룬다면, 요추근막의 3개 층 모두에 접근하는 형국이 된다. 근막이완을 할 때 만나는 거의 모든 고객들에게 여기서 소개한 통합적인 세션을, 특히 세션 끝부분에서, 첨가해보면 좋은 결과를 얻게 될 것이다.

| 테크닉 적용 과정 |

고객의 자세: 복와위

파트 1

① 치료사는 테이블 머리 위치에 서서 세션을 시작한다. 손가락 끝을 견갑골 내측연에 넓게 접촉한 자세에서 시작한다.

② 손가락에 각도를 주어 내측에 있는 척추 방향으로 압력을 가하며 나아간다.

③ 바깥쪽에서 시작하여 스푼으로 뜨듯이 근막이완을 하며 척추 방향으로 진행한다.

④ 척추 극돌기를 넘어가지 않도록 주의한다.

⑤ 이 테크닉을 척추 위쪽에서 아래쪽으로 모두 적용한다. 한 번에 몇 인치 이상은 움직이지 않는다.

⑥ 손가락, 팔꿈치, 또는 주먹도 활용할 수 있다.

파트 2

① 주먹이나 팔꿈치를 활용해 위에서 아래로 조직을 움직인다.

② 척추 좌우에서 가하는 압력은 균일해야 한다.

③ 한 번에 몇 인치 정도만 진행하라.

파트 3

① 흉추 12번과 요추 1번 위치에 엄지손가락이나 다른 손가락 끝을 접촉하며 시작한다. 외측으로 움직여 기립근과 요방형근의 중격 안으로 손을 떨어뜨린다.

② 기립근 밑으로 들어가듯 움직이며, 내측으로 기립근을 들어올린다.

③ 중격에서 아래쪽으로 미끄러지며 내려와 천골 위를 살짝 넘어간다.

④ 한 번에 한쪽 측면에서 시행하며, 각각의 측면에 약 3~5회 정도 반복한다.

⑤ 움직임 요청 방법

▶ 꼬리뼈를 테이블쪽으로 말아보세요.

▶ 꼬리뼈를 천장 쪽으로 들어보세요.

▶ 움직임 폭을 매우 적게, 매우 유동적으로 유지하세요.

고객에게 하는 세션 시간을 세 단계로 나눌 수 있다. 세션 초기에는 몸의 표층근막을 이완한다. 세션 중간에는 약 20분 정도 심층근막에 접근하여 이완시킨다. 마지막으로, 세션 끝무렵에는 약 10~15분 정도, 또는 이보다 적은 시간을 투자하더라도, 전체 근막을 조직화하는 시간으로 구성하여야 한다. 여기서 다뤘던 요추근막은 3개의 층으로 구성되어 있다. 그중 후면층은 천골에서 경추까지 이어져 머리쪽의 근막과 합쳐진다. 중간층은 요추의 횡돌기에서 장골능과 12번 늑골로 이어지는데, 이 조직은 척추기립근과 요방형근 사이층을 형성한다. 마지막으로, 요추근막 전면층은 요추 횡돌기에서 장골능과 12번 늑골로 이어지는데, 이 부위는 요방형근과 요근를 나누는 층으로 작용한다.

요추근막과 같은 통합근막에 세션을 할 때 중요한 원칙 중 하나는 바로, 어떤 이유로든, 그게 정형학적 문제든 또는 장부에서 비롯된 문제든, 일단 요추근막의 통합이 느슨해지면, 해당 근막은 외측으로 밀려나며 이로 인해 척추기립근이 단축된다는 사실이다. 매우 단순한 원칙이지만, 이는 이미 인체 전면을 지나는 복직근 위쪽 근막에서도 적용했던 논리이다. 복직근이 과도하게 긴장되면 몸통의 근막은 외측으로 밀려나기 때문에, 해당 근막을 조직화시키는 작업을 해줘서 몸 전체 구조를 좀 더 통합시키고 에너지 흐름을 좋게 해주어야 한다. 복직근에서와 마찬가지로, 요추근막과 척추주위근막에서도, 만약 해당 근막이 느슨해져 통합성을 상실했다면, 외측에서 내측으로 세션을 진행하면 된다.

Chapter 9

엉덩이와
다리 이완

Release of the Hip and Leg

█ 경골과 비골 사이의 신전근 지지대와 골간막
Extensor Retinaculum and the Interosseous Membrane between the Tibia and Fibula

하지에서 생기는 모든 문제는 발목 지지대에 반영되기 때문에, 여기서 소개하는 것은 하지에서 가장 중요한 테크닉이라 할 수 있다. 치료사는 너클knuckles과 손가락을 [사진 9-1]에 보이는 것처럼, 옆으로 누운 고객의 복숭아뼈 측면에 대고 직하방으로 압력을 가하면서 테크닉을 시작하라. 천천히 적절한 압력을 유지한 상태에서 복숭아뼈 위쪽 끝단부터 천천히 약 1인치 정도 밀고 내려온다. 발목을 굽혔다 펴는 동작을 반복하라고 고객에게 요청하면서, 테크닉을 여러 차례 반복해 적용한다. 고객이 발목을 움직이는 중에도 발목에 일정한 압력이 가해지게 하는 것이 중요하다. 이렇게 수시로 발목 움직임을 요청하면서, 발목 지지대 조직을 몇 분간 계속 이완시킨다. 발목 위로, 또는 아래로 몇 인치 정도 이동해서 테크닉을 적용하라. 같은 발의 내측 복숭아뼈 주위를 이완시킬 때는 손가락 패드the pads of fingertips를 곰발가

[사진 9-1]

락처럼 만들어서 깊게 쓸어주는 방식으로 접근하면 된다. 이렇게 내측과 외측 복숭아뼈 주변을 오가며 세션을 진행하라. 감각이 민감하게 전해진다면, 일 분에 한 번 정도 고객을 쉬게 하면서 숨을 고를 수 있는 여유를 주는 것이 중요하다. 발목 중심선에서 테크닉을 적용하여 중심선을 벗어나는 방향으로 진행한다. 한 쪽 발목에 약 20~15분 정도 세션을 진행하면 된다. 고객을 앙와위 자세로 만든 후 양쪽 발목을 한꺼번에 이완시킬 수도 있다. 때때로 고객의 발바닥에도 집중해서 관찰해보라.

[사진 9-2]에서 치료사는 팔꿈치를 사용해 장지신근(긴발가락폄근) 영역을 따라 위로 밀고 올라가고 있다. 장지신근은 경골(정강뼈)을 따라 부착된 전경골근(앞정강근)과 비골(종아리뼈)을 따라 부착된 비골근(종아리근) 사이에 위치해 있다. 발목 지지대 바로 위에서 팔꿈치나 손가락끝 또는 넉클을 사용해서 각도가 있게 접촉한 후, 깊은 압력으로 골간막을 천천히 풀면서 무릎 방향으로 올라간다. 한 번에 몇 인치 정도로

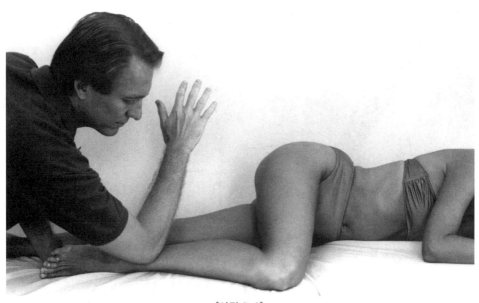

[사진 9-2]

천천히 움직이고, 수시로 고객에게 발목을 굽혔다 펴달라고 요청하라. 매우 딱딱한 부위가 발견되면 그곳을 팔꿈치로 앞뒤로 굴리듯이 이완시킨다. 세션 중에 고객의 호흡 메커니즘을 주의해서 살펴야 하고, 때때로 숨을 쉬라고 요청해서 호흡이 고정되지 않게 해야 한다. 또 고객에게 꼬리뼈를 앞뒤로 움직여서 세션을 보조할 수 있게 요청하면 골반과 다리에 있는 깊은근막을 자유롭게 하는데 도움이 된다. 이완을 촉진하려고 장지신근 영역 전체를 풀 필요는 없다. 복숭아뼈 바로 위쪽이 가장 문제가 많은 영역이다. 이 부위가 바로 인체의 깊은층과 얕은층의 근막이 만나기 때문에 제한도 많이 생길 수 있는 곳이다. 따라서 이 곳을 풀면 허리 문제뿐만 아니라 발목과 무릎에 문제가 있는 어떤 고객에게도 놀라운 결과를 이끌어낼 수 있다.

| 테크닉 적용 과정: 신전근 지지대 |

고객의 자세: 측와위. 위쪽 무릎은 45도 굽힌다. 또는 앙와위도 괜찮다.

① 넉클이나 손가락을 사용하라.

② 측와위에서 세션을 한다면, 복숭아뼈 측면에 압력을 테이블 방향으로 가한 다음 위쪽으로 뼈 외측단을 따라 천천히 미끄러져 올라간다.

③ 앙와위 자세에서 세션을 한다면, 발목 중심선에서 아래로 압력을 주면서 시작하여 측면을 따라 진행한다.

④ 여러 번 반복한다. 한쪽 발목에 약 10~15분 정도 시행한다.

⑤ 1분에 한 번씩 쉬면서 고객에게 숨을 고르라고 요청한다.

⑥ 수시로 발목을 굽혔다 펴라고 요청하라.

| 테크닉 적용 과정: 골간막 |

고객의 자세: 측와위. 위쪽 무릎은 45도 굽힌다.

① 치료사는 팔꿈치를 고객의 발목 지지대 바로 위쪽에 댄다.

② 느리지만, 깊은 압력을 가하며 딱딱한 부위에 도달할 때까지 골간막을 따라 나아간다.

③ 무릎을 향해 밀고 올라가면서, 고객에게 천천히 발목을 굽혔다 펴는 동작을 하라고 요청한다.

④ 필요한 부위에서는 마찰 기법을 적용한다.

⑤ 고객은 자신의 꼬리뼈를 앞뒤로 움직이며 움직임을 보조할 수 있다.

> 때때로 고객이 보조하는 움직임 폭이 지나치게 클 수 있다. 그러면 발목을 굽힐 때 다음 세 단계로 움직임을 좀 더 작게 세분하라.
>
> 1) 발가락을 든다. 2) 발목을 굽힌다. 3) 뒤꿈치로 바닥을 누른다.

▌아킬레스건 Achilles Tendon

[사진 9-3]에서 치료사는 넉클을 이용해 아킬레스건의 건막aponeurosis과 비복근(장딴지근)을 이완시키고 있다. 아킬레스건에 압력을 넣어 이완을 시키기 시작하며, 제한이 있는 부위를 지나 발쪽으로 테크닉을 적용한다. 이때 한 번에 1~2인치 정도만 진행하라. 치료사는 이완을 시키는 반대쪽 손으로 고객의 발을 잡고 발목을 굽혔다 펴는 동작을 통해 아킬레스건 이완을 돕고 있다. 아킬레스건 양쪽 부위도 자주 문제가 될 수 있는 부위이기 때문에, 건 양측면에서 발목쪽으로 이완하는 것도 좋다. 사진에서는 치료사가 자신의 허벅지로 고객의 다리를 받치고 있는 모습이 보인다. 허벅지 대신 베개나 다른 것으로 대체해도 된다.

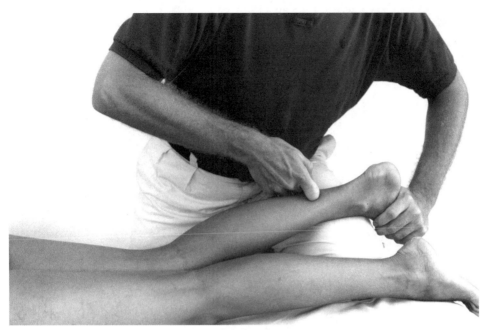

[사진 9-3]

다음으로, [사진 9-4]를 보면, 치료사는 팔꿈치를 아킬레스건에 대고 있다. 이 자세에서는 특히 섬유가 두툼하고 딱딱한 부위를 위아래로 팔꿈치를 움직이면서 풀 수 있다. 여기서 확인해야 할 것은 고객의 발이 펴져 테이블 끝단을 넘어가 있다는 사실이다. 고객에게 발목을 굽혀달라고 요청을 해도 발이 테이블과 부딪치지 않는지 확인하라. 이 사진을 보면 다리 밑에 아무 것도 받쳐지 있지 않다. 하지만 치료사가 팔꿈치로 아킬레스건에 압력을 넣을 때 보통 고객의 발 아래 무언가가 받쳐져 있는 것이 좋다. 발뒤쪽 근막은 위로 천골까지 이어져 있다. 그래서 고객에게 꼬리뼈를 천정쪽으로 들었다 다시 바닥쪽으로 내리면서 움직이라는 요청을 통해 부가적인 움직임을 만들어도 된다. [사진 9-3과 9-4] 모두에서, 고객은 복와위로 발목을 전체 가동범위 안에서 자유롭게 움직일 수 있는 자세를 취하고 있다. 치료사가 테크닉을 적용하는 길이는 몇 인치 정도이다. 위쪽으로는 비복근까지, 아래쪽으로는 종골calcaneous을 덮고 있는 근막까지 이완시키면 된다.

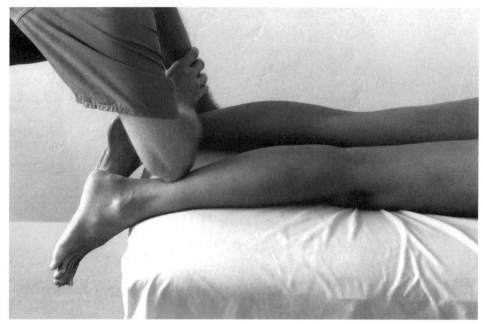

[사진 9-4]

| 테크닉 적용 과정 |

고객의 자세: 복와위. 발이 테이블 바깥으로 넘어가게 한다.

① 팔꿈치나 넉클을 이용해 아킬레스건에서 아래쪽으로 한 번에 1인치씩 움직인다.

② 반대손으로는 고객의 발을 잡고 굽혔다 펴며 이완을 촉진하던가, 고객에게 요청해서 스스로 발을 굽혔다 펼 수 있게 한다.

③ 팔꿈치로 15~20파운드 정도 압력을 가하며, 뒤꿈치 아킬레스건 부위에서 비복근으로 올라간다. 이때 발목은 완전히 자유롭게 움직이게 해야 한다.

④ 필요하다면 아킬레스건 내측과 외측에도 마찰 기법을 적용한다. 건의 어느 쪽에서도 접근해서 이완시킬 수 있어야 한다.

⑤ 세션을 하는 도중 의구심이 생기거나 문제가 생긴다면 항상 멈춰야 한다는 것을 명심해야 한다.

▌족척근과 비복근 Plantaris and Gastrocnemius Muscles

이 테크닉들을 시행하기 전에, 해부학 책을 통해 족척근(장딴지빗근)과 비복근(장딴지근) 그리고 그 길다란 건의 이미지를 살펴보는 것이 큰 도움이 될 것이다. 족척근은 대퇴골 외측상과에서 기시하여 무릎을 지나 가자미근soleus과 아킬레스건의 내측으로 내려간다. [사진 9-5]에서 치료사가 손가락으로 가리키는 부위는 족저근의 트리거포인트이다. 해당 부위는 족저근으로 들어가는 입구이기 때문에, 슬곡부근(넙다리뒤근)의 건 주위에서 찾아 들어간다. 우선 고객의 무릎을 45도 정도 굽힌다. 사진에서는 무릎이 약간 사선으로 기울어져 있어서, 치료사가 테크닉을 적용해아 할 부위를 정확히 알 수 있다. 슬곡부근 건 주위에서 손가락으로 아래의 테이블과 슬개골 방향으로 압력을 가하며 트리거포인트로 바로 접근하라. 이 부위는 뼈 근처이기 때문에 보통 딱딱하게 느껴진다. 따라서 테크닉을 적용할 때 고객이 아프지 않은지 확인한다. 대퇴골의 외측상과 주변을 손가락으로 작게 원을 그리며 통증점이 발견

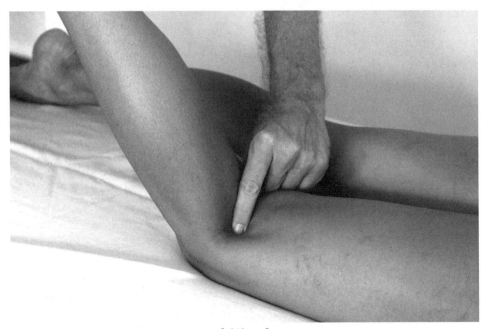

[사진 9-5]

될 때까지 움직인다. 이 테크닉을 적용할 때는 반대손으로 고객의 발을 족저굴곡시킨다. 약 1파운드 정도의 압력을 적용하여 트리거포인트가 이완되면 자연스럽게 발이 족저굴곡되는 느낌이 날 것이다. 이 지점에 이르면 좀 더 압력을 가하여 이완을 촉진할 수 있다. 이 과정이 겨우 30~60초 정도밖에 안 걸리지만, 무릎, 발목, 아킬레스건에 긴장이 쌓인 사람에겐 매우 효과가 좋은 테크닉이다.

다음으로 비복근 근막을 이완시킨다. [사진 9-6]에서, 치료사는 고객의 발목을 굽혔다 펴면서 엄지손가락으로 비복근 근막을 이완하고 있다. 압력은 깊게 가하면서 한 번에 몇 인치씩 발쪽으로 움직여라. 세션 도중에 자주 휴식을 취하며 고객에게 숨을 고르도록 요청한다. 이렇게 호흡을 조절하는 것은 근막이완 과정에서 매우 중요한 부분이다. 어떤 사람의 비복근은 엄지손가락으로 풀기엔 너무 근육이 많을 수 있다. 따라서 팔이 테이블 바깥쪽으로 나가게 한 후 발목을 충분히 자유롭게 움직이게 한 다음 팔꿈치를 사용해 테크닉을 적용할 수도 있다.

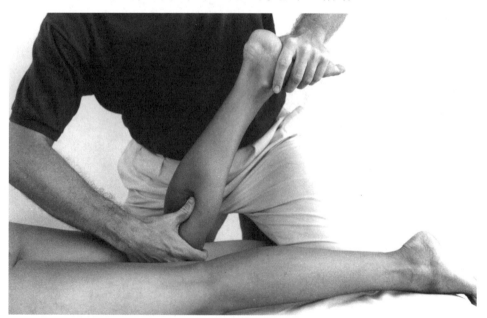

[사진 9-6]

의식적으로 호흡을 하면 연부조직이 신경계와 통합된다. 경험이 부족한 치료사들은 압력을 많이 가하여 조직을 강하게 이완시키는 경향이 있는데, 이렇게 강한 테크닉을 적용하면 고객의 문제를 해결하기도 힘들 뿐만 아니라 오히려 트라우마를 가중시키게 된다. 근막이완을 강하게 받고 난 고객들 중에서 균형 감각이 흔들리는 분들도 있는데, 이를 이완의 징표, 또는 좋은 톤을 회복한 결과로 여기는 것도 잘못된 생각이다. 테크닉을 강하게 적용할 필요는 없다. 테크닉 중간에 휴식을 취할 때 고객의 몸을 계속 스캔하면서 신경계와의 통합이 일어나는 징후를 살펴보라. 고객의 호흡, 얼굴 표정, 피부색 변화, 교근(저작근)과 측두근(관자근)에 의해 턱이 긴장되는 현상, 손바닥과 발에 땀이 나는 것 그리고 눈의 모양까지도 살펴봐야 할 징후에 속한다. 컴퓨터 팝업창에서 작은 시계나 모래시계가 움직이며 소프트웨어와 하드웨어가 서로 통합되는 것을 본 적이 있을 것이다. 세션을 받는 고객의 몸에서도 이러한 통합의 징후가 완료된 다음에 이후의 세션으로 넘어가는 것이 좋다. 고객은 숨을 깊게 들이마시거나 이외의 여러 징후를 드러낸다. 다라서 항상 눈을 크게 뜨고 고객을 관찰하여야 한다.

| 테크닉 적용 과정: 족척근 |

고객의 자세: 복와위

① 손가락을 무릎 측면에서 슬괵부근 내측에 댄다.

② 대퇴골의 외측상과가 만져질 때까지 직하방으로 압력을 가한다.

③ 약 1파운드 정도의 압력을 가한다.

④ 일단 접촉이 완료되면, 반대손으로 고객의 발을 족저굴곡시킨다.

| 테크닉 적용 과정: 비복근 |

고객의 자세: 복와위

① 엄지손가락을 비복근 안으로 넣어 딱딱한 조직을 찾는다.

② 접촉이 잘 이루어지면, 고객의 발을 잡고 굽혔다 펴면서 동작을 넣는다.

③ 자주 휴식을 취하며 고객에게 숨을 고르라고 요청한다.

④ 고객이 무릎을 편 상태에서 발목 움직임을 요청하면서, 팔꿈치로 세션을
   진행해도 된다.

▌내측 슬괵부근Medial Hamstrings

내측 슬괵부근을 단순하게 근막이완으로 스트레칭시키는 테크닉을 소개한다. 먼저 팔꿈치를 근복에 대고 천천히 위쪽의 좌골결절을 향해 나아간다. 무릎을 테이블 방향으로 누르기, 발을 천정 방향으로 들기, 발목을 굽혔다 펴기, 꼬리뼈를 들었다 당기는 동작을 고객에게 요청할 수 있다. 특히 발을 굽혔다 펴거나 꼬리뼈를 움직이는 동작은 이 테크닉과 잘 어울린다. 슬괵부근에서는 팔꿈치로 시작해서, 팔꿈치 관절을 펴면서 세션을 하면 좀 더 넓은 영역을 이완시키는데 도움이 된다. [사진 9-7]을 보면, 치료사의 팔이 완전히 굽혀져 있다. 일단 좌골결절 방향으로 밀고 올라가면서, 팔을 펴면 팔꿈치/전완의 좀 더 넓은 면을 사용할 수 있다. 이렇게 하면 고객에게 통증을 덜 주고도 근막에 넓게 영향을 줄 수 있다. 슬괵부근 전체를 이완시키는 것은 추천하지 않는다. 세션의 성과는 관절가동범위가 더 커졌는지, 움직임이 좀 더 쉬워졌는지, 고객이 근막이완 느낌을 받고 있는지로 체크할 수 있다. 생화

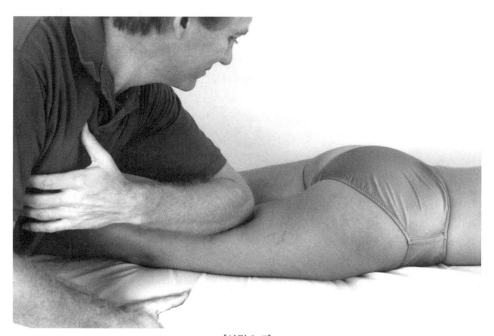

[사진 9-7]

학적, 전기적 변화가 발생할 수 있게 충분히 느린 속도로 근막이완을 하면, 조직의 탄성이 변화하고 부풀어오르는 느낌이 난다. 이런 현상을 감지하게 되면 세션을 더 지속하지 않아도 된다.

| 테크닉 적용 과정 |

고객의 자세: 복와위

① 팔꿈치를 슬괵부근의 근복에 대고 좌골결절을 향하여 천천히 올라간다.

② 넓게 압력을 가하면서 근막을 좀 더 넓게 이완시킨다.

③ 움직임 요청 방법

▸ 무릎으로 테이블을 눌러주세요.

▸ 발목을 굽혔다 펴는 동작을 해주세요.

▸ 꼬리뼈를 들어올렸다 당겨주세요.

대내전근과 좌골지의 부착부
Adductor Magnus and Its Attachments on the Ramus of the Ischium

[사진 9-8]에는 대내전근(큰모음근) 시작 부위가 보인다. 고객의 전면에서 후면으로 방향 벡터를 설정하면서, 대내전근 부착 위치를 확인하라. 그런 다음 전완의 넓은 면을 무릎 몇 인치 위 내전근 부위에 접촉한다.

긴장되거나 딱딱한 느낌이 잡힐 때까지 매우 느리게 내전근 안으로 압력을 증가시켜 나간다. 이제 천천히 전완을 고객 뒤쪽으로 움직이면서 허벅지 안쪽의 피부와 표층근막에 있는 느슨한 느낌을 잡아올린다. 전완을 대내전근 위에서 앞쪽으로 당기며 슬괵부근과 대내전근 사이의 중격을 찾아 들어간다. 여기서 멈추고 고객에게 꼬리뼈를 들었다 당기거나, 뒤꿈치를 아래 방향으로 밀어서 다리를 늘리거나, 또는 무릎을 굽히는 동작을 해달라고 요청하라. 일단 슬괵부근과 대내전근의 근간 중격을 찾고 고객에게 움직임을 요청했다면, 이제 매우 느리게 내측 슬괵부근 위에서 미끄러지며 위로 올라간다. 다리에서 자주 일어나는 문제 중 하나가 바로 슬괵부근을 덮는 근막이 내전근과 유착된다는 것이다. 조직이 이완되거나 부드러워질

[사진 9-8]

때까지 이 과정을 같은 부위에 2~3회 반복한다. 그런 다음 좌골지 방향으로 좀 더 올라가서 같은 과정을 또 반복한다.

[사진 9-8]에 보면 세션을 하고 있는 반대 다리가 45도 정도 굴곡되어 있다. 사진과 같은 자세를 만들려면 무릎 밑에 지지할 것을 넣지 않아야 한다. 하지만 실제 세션에서는 이 테크닉을 할 때든 또는 다른 어떤 측와위 테크닉을 하든, 항상 무언가로 무릎을 지지해주어야 한다.

다음은 좌골지(궁둥뼈가지)에서 테크닉을 적용하는 방법이다. 먼저 [사진 9-9]에서처럼 손바닥 전체를 고객의 대내전근 최상단에 대고 테크닉을 시작한다. 매우 느리게 조직을 녹이듯 근육으로 접근해, 천천히 손가락을 좌골결절에 접촉시킨다. 손가락이나 손가락 패드가 좌골결절에 닿으면, 결절 주변을 체크하여 슬괵부근이 부착부를 확인하라. 치료사가 할 일은 오직 좌골결절에 접촉하여 몇 온스 정도에서 1~2파운드 정도의 압력을 가한후 가볍게 좌우로 마찰만 하기 때문에 별로 어려운 기법은 아니다. 시간이 가면 접촉한 부위의 근막이 녹듯이 부드러워지는 것을 느낄 수 있을 것이다. 좌골결절 주변을 찾은 후엔 손가락을 떼고 고객에게 계속해도 괜찮은지 물어서 확인해야 한다. 그런 다음 손바닥을 다시 대고 좌골결절을 지나 좌골지 하부로 나아간다. 손가락끝이 좌골지 하단에 닿으면 좌골결절과 비슷한 뼈 느낌이 난다. 다시 한번 아주 조금씩 앞뒤로 마찰하는 동작을 하며 뼈를 누르며 한 번에 1인치 정도만 나아간다. 접촉 부위로 여러 번 숨을 넣어달라고 고객에게 요청하라. 좌골지의 다른 부위에서도 이 과정을 2~3회 반복한다. 테크닉 사이에 고객을 쉬게 해야 한다는 것도 명심하라.

| 테크닉 적용 과정: 대내전근 |
고객의 자세: 측와위. 위쪽 무릎을 45도 정도 굽힌다.

① 치료사는 고객의 머리쪽을 향하여 선다. 그런 다음 고객의 몸 앞쪽면에서 대내전근에 느리지만 깊은 압력을 가한다.

② 조직의 긴장도와 딱딱함을 확인하면서 느리지만 깊은 압력을 앞뒤로 가한다.

③ 움직임 요청 방법

> ‣ 꼬리뼈를 앞뒤로 움직여주세요.

> ‣ 뒤꿈치를 뻗어주세요.

> ‣ 무릎을 굽혀주세요.

| 테크닉 적용 과정: 좌골지 |

고객의 자세: 측와위. 위쪽 무릎을 45도 정도 굽힌다.

① 손바닥 전체를 대내전근에 붙이고 느리지만 깊은 압력을 가한다.

② 다리 중간을 밀고 올라가 좌골지를 접촉한다.

③ 부드러운 스쿠핑scooping 또는 스위핑sweeping 기법으로 근막이 이완될 때까지 기다린다.

④ 뒤로 움직여 슬괵부근이 부착되어 있는 좌골결절도 이완시킬 수 있다.

[사진 9–9]

▌이상근과 대퇴이두근Piriformis and Biceps Femoris Muscles

　　이상근**(궁둥구멍근)**은 천골 앞면과 대퇴골의 대전자를 잇는 근육이다. 치료사는 [사진 9-10]처럼 팔꿈치를 이 두 지점 사이에 두고, 남는 손으로는 고객의 무릎을 45도 정도 굴곡시킨다. 이상근에 압력을 깊게 가하기 전에, 우선 부드럽게 다리를 내측과 외측으로 움직이며 동작검사를 해보라. 이렇게 하면 팔꿈치를 댈 곳을 찾는데 도움이 된다. 팔꿈치 아래에서 이상근과 고관절 외회전근들이 수축하는 것을 느끼면, 천천히 압력을 가하며 동시에 반대쪽 손으로 고객의 다리를 좌우로 움직인다. 효과를 높이려면, 고객에게 무릎으로 바닥을 불필요하게 누르지 않은 채로 다리를 움직여달라고 요청하라. 그런 다음 꼬리뼈를 위쪽 천정 방향으로 들어올린 후 테이블 방향으로 당기는 동작을 시킨다. 다리를 회전시키며 동시에 꼬리뼈를 움직일 필요는 없다. 팔꿈치를 이상근 부착부인 대전자에 대로 주변 근막을 밀면서 이완시킬 수도 있다. 대전자엔 다리의 모든 회전근들이 부착되는 부위이기도 하다. 따라서

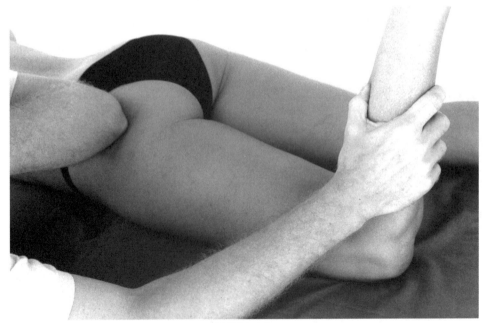

[사진 9-10]

이 부위에 테크닉을 적용할 때 고객의 다리를 손으로 잡고 회전시키는 동작을 첨가하면 정말 큰 도움이 된다. 대전자 주변에서 팔꿈치가 깊게 잠겨드는 부분을 느낄 수도 있을 것이다. 세션 중에 고객에게 무릎을 편 상태에서 다리를 회전시키라는 요청을 할 수도 있다.

고객이 만성 좌골신경통을 앓고 있다면 이 테크닉을 적용해서는 안 된다.

[사진 9-11]에서 치료사는 대퇴이두근(넙다리두갈래근)에 테크닉을 적용하고 있다. 이 근육은 대퇴골을 따라 길게 부착되어 있으며, 슬괵근과 장경인대(엉덩정강인대) 사이의 중격을 통해 쉽게 접근할 수 있다. 대전자 몇 인치 아래에서 압력을 대퇴골 방향으로 가하면서 대퇴이두근 테크닉을 시작한다. 앞에서 했던 테크닉과 마찬가지로 한 번에 몇 인치 정도만 이동한다. 좌골결절부에서는 고객에게 무릎을 굽혀보라고 요청해서 대퇴이두근 검사를 한 다음 충분히 내측으로 이동해서 압력이 가해

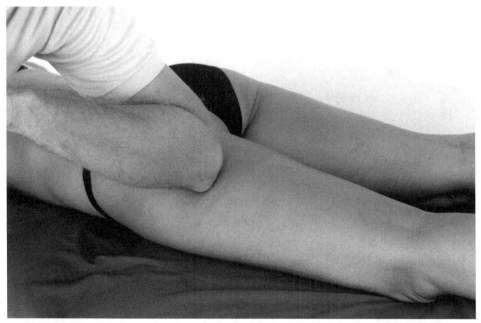

[사진 9-11]

지는지 확인한다. 이 테크닉을 할 때는 고객에게 발을 교대로 들어달라거나, 꼬리뼈를 들었다 마는 동작뿐만 아니라 이 외에도 다양한 움직임을 요청할 수 있다. 사진을 보면 치료사가 치료사 발쪽을 향해서 테크닉을 전개하고 있다. 고객의 얼굴을 보기 어려운 자세이기 때문에, 멈춰야 할 때, 움직이며 나아가야 할 때, 횡격막의 움직임과 얼굴 표정을 틈나는 대로 관찰해야 한다는 사실을 기억하라. 무릎에 가까워질수록 고객의 감각이 더 민감해질 수 있다. 그러니 속도와 압력을 줄이도록 하라. 이 테크닉은 무릎관절 치환술 같은 수술을 받았거나 무릎에 정형학적 부상을 입은 모든 고객과, 특히 대퇴이두근의 단두가 다친 고객에게도 적용할 수 있다.

| 테크닉 적용 과정: 이상근 |

고객의 자세: 복와위

① 이상근이 지나는 영역에서 딱딱한 조직 또는 트리거포인트를 찾아 팔꿈치를 부드럽게 댄다.

② 대퇴골을 내측과 외측으로 회전시키며 동작검사를 하며 접촉 위치를 체크한다.

③ 대퇴골을 회전시키며 압력을 점차적으로 증가시킨다.

④ 지나친 스트레칭을 피하려면 고객 스스로 자신의 고관절을 회전시킬 수 있도록 움직임 요청을 한다.

⑤ 골반을 전방 또는 후방으로 전위tilt시키는 움직임을 요청할 수도 있다.

| 테크닉 적용 과정 |

고객의 자세: 복와위

① 대전자 바로 몇 인치 아래에 팔꿈치를 대고 장경인대와 대퇴이두근 사이 내측 중격으로 움직인다.

② 대퇴이두근이 지나는 길을 찾아 나아가다 무릎에 가까워지면 속도를 줄인다.

③ 대퇴이두근의 단두를 접촉하려면 내측으로 약 45도 정도 팔꿈치를 기울인다.

④ 움직임 요청 방법

　▸ 발을 천장 쪽으로 들어주세요.

　▸ 무릎으로 테이블을 눌러주세요.

　▸ 발목을 굽혔다 펴주세요.

　▸ 꼬리뼈를 들어올렸다 말아주세요.

　▸ 꼬리뼈를 천장 쪽으로 들어주세요.

▌ 장골능과 대전자 위쪽의 자세근막

Postural Fascia over the Crest of the Ilium and the Greater Trochanter

여기서는 하지와 허리에 있는 표층 자세근막^{postural fascia}을 이완시킬 수 있는 매우 단순한 테크닉을 소개한다. [사진 9-12]를 보면, 치료사는 고객의 등쪽에서 팔꿈치를 장골능 위에 대고 있다. 팔꿈치는 정확하게 고객 몸의 관상면에 접촉되어 있는 것이 보일 것이다. 일단 장골능에 접촉하기 전에 고객의 허리에 팔꿈치를 대고, 그 다음에 팔꿈치로 장골능을 따라 올라간다. 이는 마치 치료사의 팔꿈치뼈와 고객의 장골이 만나는 형국이다. 점차적으로 압력을 몇 파운드 정도까지 증가시킨 후 조직이 부드러워지는 느낌이 들거나 또는 엉덩이 위로 근막이 퍼져나가는 느낌이 날 때까지 기다린다. 팔꿈치를 대고 있는 주면 몇 인치 안으로 8개의 중요한 구조물이 지나가기 때문에 접촉하고 있는 영역은 매우 중요한 부위라고 할 수 있다. 요방형근, 장막, 대둔근, 대퇴근막장근, 흉요추근막의 3개 층 전부(전면, 측면, 후면) 그리고 복사근, 복횡근, 복직근의 근막이 이에 해당된다. 장골능에 압력을 점차 증가시

[사진 9-12]

컸는데도 이완감이 느껴지지 않으면 팔꿈치를 장골능을 따라 움직여 천골 방향으로 아주 천천히 밀고 나간다. 이때 고객에게 요청하여 꼬리뼈를 들었다 말았다 하는 움직임을 첨가하면 효과가 더욱 커진다.

고객에게 무릎을 몇 인치 정도 굽힌 다음 펴라고 요청하는 것도 괜찮다. 뼈에 붙은 막을 이완하는 것은 일반적인 근막이완과 많이 다를 수 있다. 따라서 근육에 테크닉을 적용할 때보다 더욱 집중해서 느리게 진행할 필요가 있다. 여기서는 뼈 부위에 몇 초에서 몇 분까지 압력을 유지하며 정적 스트레칭을 가하며 이완되기를 기다리면 된다. 고객에게 심호흡을 하게 하거나 테크닉 적용 부위로 호흡을 넣게 하면 이완이 더 잘 일어난다.

[사진 9-13]에는 치료사가 고객의 고관절 외전근을 이완시키는 모습이 보인다. 고관절 외전근은 걷거나 뛸 때 그리고 보통 운동을 할 때 충격을 흡수하는 역할을

[사진 9-13]

한다. 따라서 이 부위가 손상되면 딱딱해져서 요통의 주된 원인이 되기도 한다. 대전자에는 외전근 전부가 부착되기 때문에, 이 부위를 이완시킬 때 중요한 지표가 되는 부위이다. 먼저 팔꿈치를 대전자 부위에 접촉하고 시작한 다음, 천천히 대전자 주위로 작은 원을 그리며 테크닉을 적용하라. 그러면 둔부 근육의 부착부와 이들이 긴장된 정도를 느낄 수 있다. 고관절 회전근도 이 부위에 부착되어 있다. 세션을 하면서 고객에게 무릎을 약간 굽히라거나, 뒤꿈치를 가볍게 펴라거나, 또는 꼬리뼈를 앞뒤로 움직이라고 요청할 수 있다. 대전자 주변에서 정말 경결된 부위를 찾으면 그곳에 좀 더 많은 시간을 투자한다. 그리고 해당 부위에 팔꿈치를 꼽고 압력을 가하면서 고객에게 무릎을 굽힌 자세에서 그대로 고관절을 내회전, 외회전 해 달라고 요청하라. 이완이 일어나면 대전자에서 아래로 내려와 장경인대 중심선으로 한 번에 몇 인치씩 밀고 내려온다. 틈나는 대로 쉬면서 고객에게 숨을 고르게 하고 다시 테크닉을 적용해야 한다는 사실을 잊지 말라. 팔꿈치가 무릎에 가까워질수록 압력을 조금씩 줄여나간다.

이 테크닉은 요통뿐만 아니라 무릎 문제를 지닌 고객, 특히 무릎 치환술을 받은 이에게 효과적이다.

| 테크닉 적용 과정: 장골능 위의 자세근막 |
고객의 자세: 측와위. 무릎을 45도 굽힌다.

① 고객의 관상면에서 바로 팔꿈치를 장골능에 가져간다.

② 허리에서부터 팔꿈치를 접촉시키며 장골능에 접촉하면 된다.

③ 일단 장골능에 접촉되면, 하방으로 힘의 방향을 설정한다.

④ 조직이 부드러워지는 느낌이 날 때까지 일정한 압력을 유지한다.

⑤ 조직이 부드러워지는 느낌이 나지 않으면 장골능을 따라 뒤쪽으로 움직여 천골로 나아간다.

⑥ 움직임 요청 방법

- ▸ 꼬리뼈를 들었다 말아주세요.
- ▸ 숨을 깊게 쉬세요.
- ▸ 다리를 펴주세요.
- ▸ 팔을 머리 위로 들어주세요.
- ▸ 무릎을 가슴쪽으로 당겨주세요.
- ▸ 다리를 테이블에서 떼주세요.

| 테크닉 적용 과정: 대전자/장경인대 |

고객의 자세: 측와위. 무릎을 45도 굽힌다.

① 팔꿈치를 대전자에 부드럽게 올린다.

② 대전자 주위를 아주 작게 원을 그리며 이완시킨다.

③ 딱딱한 조직을 따라 풀면서 장경인대로 나아간다.

④ 딱딱한 조직을 찾으며 무릎 방향으로 장경인대를 따라 천천히 움직인다.

⑤ 움직임 요청 방법

- ▸ 무릎을 굽혀주세요.
- ▸ 고관절을 펴면서 뒤꿈치를 통해 누르는 동작을 해주세요.
- ▸ 꼬리뼈를 앞뒤로 움직여주세요.
- ▸ 양무릎을 서로 비벼주세요.
- ▸ 고관절을 내측/외측으로 회전시켜주세요.

장경인대에 테크닉을 적용하다보면 내측광근 방향으로 움직이게 될 것이다. 이 부위에도 트리거포인트가 많이 존재한다.

▌중둔근과 대퇴근막장근Gluteus Medius and the Tensor Fasciae Latae

중둔근(중간볼기근)은 하지 전체로 이어지는 근막구획fascial compartment을 지니고 있다. [사진 9-14]를 보면 치료사가 고객 뒤에서 팔꿈치로 매우 느리게 중둔근 부위로 싱크sink 기법을 적용하고 있다. 고객의 관상면에서 손가락을 장골능 부위에 접촉하면 중둔근에 접근할 수 있다. 일단 고객의 관상면에 가상의 선을 긋고 장골능과 대전자 중간 지점까지 손가락을 이동시킨다. 그런 다음 그 지점에 팔꿈치를 대고 딱딱하고 제한된 부위가 느껴질 때까지 엉덩이 내측으로 아주 느리게 압력을 가한다. 중둔근 부위에서 딱딱한 조직이 발견되거나, 고객이 해당 부위를 민감하게 느낀다면 압력을 유지하며 테크닉을 적용한다. 세션을 진행하는 중에 다리를 천천히 펴거나, 뒤꿈치를 스트레칭 하거나, 다리를 관상면에서 뒤쪽으로 움직이라고 고객에게 요청하라. 이렇게 하면 앞쪽으로 요추 만곡이 커진다. 이 과정을 여러 번 반복한 다음 고관절뿐만 아니라 하부 요추의 전체 가동범위 안에서 움직임이 일어나도록 무릎을 굽혀 가슴쪽으로 천천히 당기라고 요청하라. 이렇게 하면 엉덩이 부위로 다른 방향의 힘이 가해진다. 엉덩이와 다리가 몸 앞쪽으로 말리기 때문이다. 일단 내측으로 압력을 가하며 딱딱한 부위를 찾았으면 발바닥 방향으로 밀면서 두 번째 압력 벡터를 더한다. 여기서 또다른 벡터를 더하려면 고객의 머리 방향으로 몸을 돌리면 된다. 이렇게 하면 앞서 관상면에 선을 그어서 접근했던 부위에서 압력을 가하는 힘의 벡터는 위쪽을, 그리고 대둔근 아래에서 사선으로 장골능을 향한다. 움직임 참여를 통해 최적의 부위를 찾을 수 있도록 도움을 주었기 때문에 고객 또한 만족할 것이다.

대퇴근막장근(넙다리근막긴장근)은 전상장골극ASIS과 대전자를 잇는다. 이 부위에는 마찰 기법을 가하거나 가만히 멈춰서 압력을 지속적으로 가하는 기법을 썼을 때 좋은 느낌이 난다.

이런 방식의 테크닉은 매우 강력하기 때문에 만성 요통을 지닌 고객에게 적용해서는 안 된다.

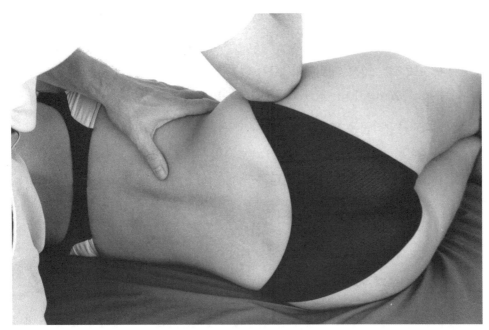

[사진 9-14]

| 테크닉 적용 과정: 중둔근 |

고객의 자세: 측와위. 무릎을 45도 굽힌다.

① 고객의 뒤쪽에 서서 관상면을 따라 팔꿈치로 부드럽게 중둔근에 접근한다.

② 딱딱한 조직이 발견될 때까지 내측으로 압력을 가하라.

③ 몸의 방향을 틀어 고객의 머리를 향한다면, 방향 벡터가 장골능 위쪽과 내측을 향하게 된다. 이때 팔꿈치로 대둔근 아래로 접근하는 것처럼 압력을 가하면 일반적으로 매우 기분이 좋거나 또는 민감한 부위가 느껴질 수 있다.

④ 이완을 촉진하려면, 고객의 다리 방향으로 압력을 가하여 벡터를 더한다.

⑤ 움직임 요청 방법

▸ 고관절을 신전한다.

▸ 뒤꿈치를 통해 압력을 가한다.

▸ 다리를 뒤로 움직여 테이블을 벗어나게 한다.

▸ 무릎을 굽혀 가슴을 향하게 한다.

| 테크닉 적용 과정: 대퇴근막장근 |

고객의 자세: 측와위. 무릎을 45도 굽힌다.

① 대퇴근막장근은 전상장골극과 대전자에 부착되어 있다.

② 일단 이 두 지점을 연결했으면 대퇴근막장근으로 제대로 접근할 수 있다.

③ 지속적인 압력을 깊게 가하며 조직을 이완시킨다. 필요하다면 마찰 기법을 적용한다.

▎대퇴사두근Quadriceps

이 부위는 접촉 면적이 매우 넓다. [사진 9-15]를 보면 치료사가 팔꿈치를 대퇴사두근 위에서 약 5~6인치 정도 넓게 접촉하고 있다. 대퇴사두근(넙다리네갈래근)에 몇 파운드 정도의 압력을 가하면서 고객에게 무릎을 1~2인치 정도 굽혀달라고 요청하라. 무릎의 움직임 또한 매우 느려야 한다. 대퇴사두근 최상단에서 아래로 내려오면서 테크닉을 적용하는데, 서혜인대inguinal ligament에서 몇 인치 아래가 시작점이다. 아래로 몇 인치 정도 밀고 내려온 다음엔 멈춰서 휴식을 취했다가 다시 조금 더 나아간다. 서혜인대(샅고랑인대) 부근의 대퇴사두근 조직이 매우 딱딱한 이들이 있지만, 무릎 근처가 딱딱한 이들도 있다. 어디가 긴장되어 있든 해당 부위에 좀 더 많은 시간을 투자하며 아래로 밀고 내려온다. 딱딱한 부위에 팔꿈치를 붙이고 한 번에 1~2인치 정도 앞뒤로 마찰 기법을 적용하라.

장요근을 이완시키기 전에 대퇴사두근을 이완시킬 수 있다. 요근은 무릎의 움직임을 구동시키지만, 그 움직임은 그다지 크지 않다. 그렇기 때문에 대퇴사두근이 과도하게 관여하면 요근의 톤을 떨어뜨리는 결과를 가져온다.

[사진 9-15]

| 테크닉 적용 과정: 대퇴사두근 |

고객의 자세: 앙와위

① 팔꿈치를 넓게 활용해 몇 파운드의 압력을 대퇴사두근에 가한다.

② 천천히 대퇴사두근 최상단에서 무릎 방향으로 움직인다.

③ 고객에게 무릎을 굽혀달라고 요청한다.

▐ 대퇴사두근과 내전근 사이 중격Septum between the Quadriceps and Adductors

[사진 9-16]에서 치료사는 대퇴사두근과 내전근(모음근) 사이 중격septum에 손을 대고 있다. 압력을 중격의 뒤쪽으로 가하며 무릎 방향으로 밀고 내려가며 테크닉을 적용한다. 이때 고객에게 요청할 수 있는 최상의 움직임은 무릎을 앞뒤로 굽히는 것이다. 요통이 있는 고객의 대퇴 내전근들을 이완시킨다면 효과를 볼 수 있다. 중격에 가하는 압력은 깊고 지속적이어야 한다. 이 효과는 골반기저부와 척추 전면에 있는 근막까지 반영될 수 있다. 근막이완을 하는 중에 꼬리뼈를 천정으로 올렸다 테이블 방향으로 반복적으로 움직여달라고 요청하라. 무릎을 굽히는 동작과 발목을 굽혀다 펴는 동작을 연계시킬 수도 있다. 고객이 이런 움직임에 익숙해지면 한번에 한 동작 이상을 할 수도 있게 될 것이다.

내전근 다음에 요근, 그 다음에 요방형근 순서로 치료 시퀀스를 정할 수 있다.

[사진 9-16]

| 테크닉 적용 과정: 대퇴사두근과 내전근 사이 중격 |

고객의 자세: 앙와위

① 손이나 팔꿈치로 압력을 깊고 지속적으로 중격 뒤쪽으로 가하며 무릎 방향으로 내려간다.

② 고객에게 무릎을 앞뒤로 굽히거나 골반을 아주 느리게 회전시켜달라고 요청하라.

③ 테크닉을 적용하는 부위 근처에 대퇴동맥femoral artery이 있다는 사실을 유의하라.

내전근 안쪽을 따라 무릎 방향으로 이어지는 부위에 헌터씨관Hunter's canal이 있다는 사실을 유의하라. 헌터씨관(또는 내전근관)은 신경혈관 다발을 둘러싸고 있는 막이며 매우 민감한 부위이다.

Chapter 10

어깨와
팔 이완

Release for the Shoulder and Arm

▌쇄골, 오구돌기, 흉골Clavicle, Coracoid Proces, and Sternum

고객은 누운 자세를 취한다. [사진 10-1]을 보면 치료사가 쇄골(빗장뼈) 양끝단을 만지고 있는 것이 보인다. 엄지손가락이나 두상골(콩알뼈)을 쇄골 양끝단에 대고 하방과 내측으로 압력을 가한다. 쇄골이 부드러워지며 이완감이 느껴질 때까지 고객의 호흡에 맞춰 천천히 압력을 가하는 동작을 반복한다.

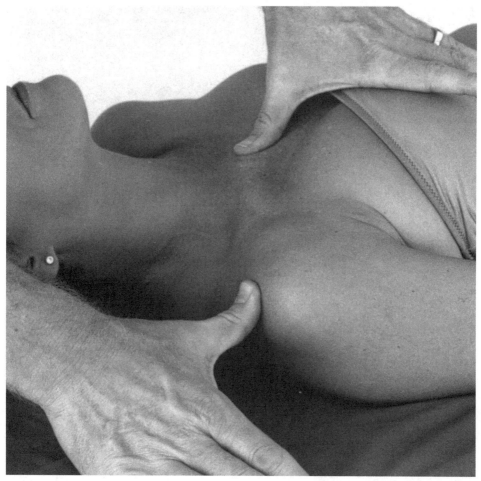

[사진 10-1]

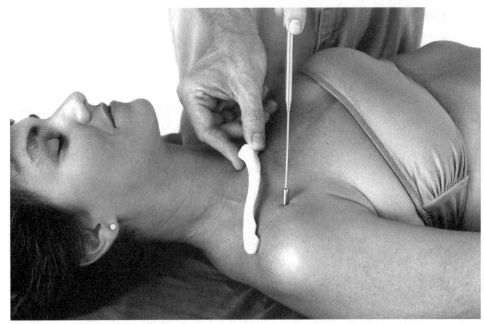

[사진 10-2]

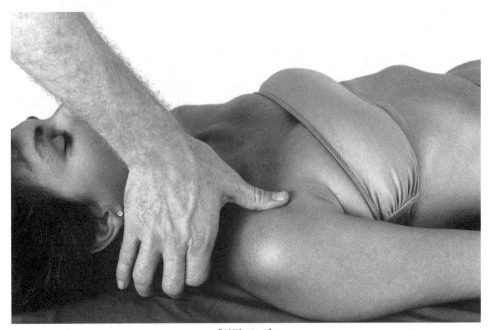

[사진 10-3]

다음으로, 오구돌기(부리돌기)에 접촉한다. [사진 10-2]를 참조하라. 두상골면이나 엄지손가락으로 아래로 압박을 가하면 가동범위가 증가하는 것이 느껴진다. 만일 이완이 일어나지 않으면 반대손으로 쇄골의 외측 끝단을 당기거나, 반복적으로 오구돌기와 쇄골을 압박하여 이완이 일어나게 한다. [사진 10-3]을 참조하라.

흉골(복장뼈)에서는, 먼저 수근부를 검상돌기 위로 가져간다. 하지만 직접 접촉을 하지는 않는다. 반대손 수근부는 루이스각angle of Louis 위에 댄다. 루이스각은 흉골체(복장뼈몸통)와 흉골병(복장뼈자루) 연결부이다. 이제 천천히 양손으로 함께 뒤쪽으로 압박을 가한다. 뼈에 좀 더 탄성이 생기고 가동성이 증가하면 이완이 일어났다고 볼 수 있다.

| 테크닉 적용 과정: 쇄골, 오구돌기, 흉골 |

고객의 자세: 앙와위

① 쇄골 양끝단을 접촉하여 하방, 내측으로 압력을 가한다.

② 이완이 일어날 때가지 호흡에 맞춰 테크닉을 적용한다.

③ 오구돌기에 접촉하여 뒤쪽으로 압력을 가하며 가동범위가 증가할 때까지 기다린다.

④ 한손 수근부는 검상돌기 위에, 다른손 수근부는 루이스각 위에 놓고 가동 범위가 증가할 때까지 후방으로 압력을 가한다.

▌쇄골하근 Subclavian Muscle

쇄골하근(빗장밑근) 근막이완은 많은 이들이 선호한다. [사진 10-4]에서 치료사는 쇄골과의 관계를 보여주며 쇄골하근을 가리키고 있다. [사진 10-5]에서처럼 고객은 측와위로 자세를 취하고 치료사는 한손 엄지손가락을 고객의 쇄골과 1번 늑골 사이에 쐐기처럼 넣고 있으며, 반대손으로는 삼각근 주변을 잡고 있다. 이 테크닉의 핵심은 어깨를 위로 올리면서 동시에 쇄골도 위로 올리는 것이다. 그러면 엄지손가락으로 쇄골하근에 좀 더 깊게 접근할 수 있다. 흉골 근처 쇄골과 1번 늑골 사이에 엄지손가락을 대고 직하방으로 압력을 가하며 테크닉을 시작하라. 그런 다음 반대손으로 고객의 어깨를 위쪽으로 올리면서 쇄골의 골막을 스트레칭 하듯 엄지손가락을 쇄골 아래에 건다. 이제 쇄골 아래에서 한 번에 1/2인치 정도씩 움직이며 몇 인치 정도만 밀고 나가다보면 딱딱한 밴드 같은 것이 만져지는데, 그게 바로 쇄골하근이다. 여기서는 약 5~10파운드 정도의 압력만 가해도 주변 인대가 부드러워지는 느낌이 날 것이다. 하지만 여기서 멈추지 말고 계속해서 쇄골 아래 부위를 풀면서 매우 느리게 외측의 오구돌기까지 나아간다.

이렇게 근막이완을 진행하며 오구돌기로 나아가면 쇄흉근막clavipectoral fascia까지도 잘 늘릴 수 있고, 쇄골과 오구돌기를 연결해주는 원추인대conoid ligament와 능형인대trapezoid ligament까지 접근할 수 있다. [사진 10-6]에서처럼 엄지손가락이나 다른 손가락들을 오구돌기와 쇄골 사이에 쐐기처럼 넣고 인대가 이완되는 느낌이 날 때까지 압력을 가하며 가만히 기다린다. 반대손으로는 어깨를 위로 올려 살짝 돌려주며, 마치 자동차의 기어를 조절하여 바른 운전을 하듯, 근막이완을 보조한다. 이렇듯 이 테크닉에서는 오른손과 왼손의 협응이 중요하다.

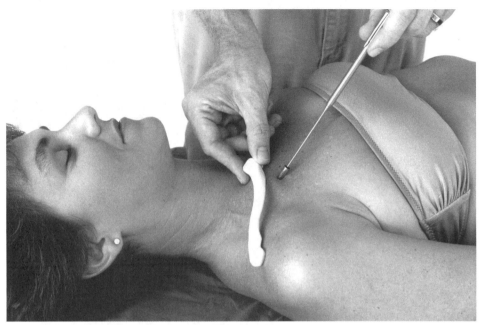

[사진 10-4]

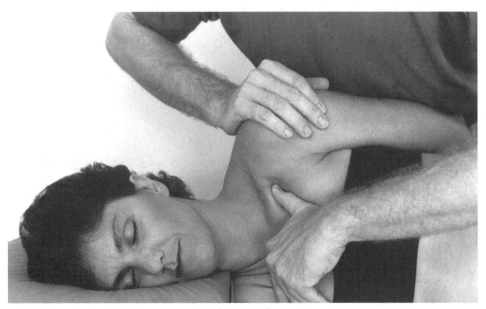

[사진 10-5]

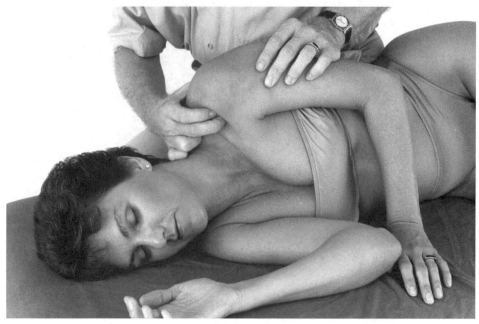

[사진 10-6]

어깨를 움직여 쇄골의 위치를 변화시키기 전과 후를 잘 관찰하라. 몸통, 늑골, 쇄골 주변에서 세션을 할 때는 늘 테크닉 끝무렵에 근막이완을 적용하는 부위로 느리고 깊은 호흡이 들어올 수 있도록 고객을 지도하라. 그러면 좀 더 이완이 잘 일어날 뿐만 아니라, 고객이 자신의 내부에서 일어나는 변화를 좀 더 잘 인지할 수 있게된다. 늑골 1번은 폐와 흉막이 연결되어 있는 부위이기 때문에 특히 중요하다. 쇄골하동맥subclavian artery이 바로 이 늑골 1번과 쇄골 사이로 지나간다. 따라서 쇄골하근이 단축되면 쇄골하동맥의 흐름이 방해를 받을 수 있다. 추골동맥vertebral artery은 쇄골하동맥에서 좌우로 분지를 뻗어 경추 횡돌기를 통해 머리로 감아 올라간다. 그리고 이 추골동맥은 머리에서 뇌기저동맥basilar, 소뇌동맥cerebella, 뇌막동맥meningeal, 이렇게 세 개의 분지로 나뉜다. 만약 뇌혈관의 혈액공급이 부족한 고객이 있다면 쇄골하근을 풀어주는 것이 큰 도움이 될 것이다.

| 테크닉 적용 과정 |

고객의 자세: 측와위. 무릎을 45도 굽힌다.

① 엄지손가락으로 흉골 근처에서 쇄골 아래쪽과 1번 늑골 사이에 쐐기를 형성한다.

② 다른 손으로는 어깨를 고객의 귀 방향으로 올린다.

③ 흉골에서 오구돌기 방향으로 움직이면서 딱딱한 밴드를 찾는다.

④ 세션 도중에 반대손으로 어깨를 올리고 돌리는 동작을 잊지 말라.

⑤ 고객에게 테크닉을 적용하는 부위로 천천히 그리고 깊게 호흡을 해달라고 요청한다.

▌ 팔의 얕은근막 Superficial Fascia of the Arm

팔의 근막은 경추근막과 이어져 있는데 이를 자주 간과하는 경향이 있다. [사진 10-7]을 보면, 고객은 엎드린 자세에서 머리를 어느 한쪽으로 돌리고 있다. 고객의 머리 방향을 반대로 돌려서 현재 세션을 적용하고 있는 팔의 근막이 짧아지는지 아니면 그 반대인지 확인할 수 있다. 먼저 손가락끝을 상완의 삼각근 후면 부착부에 대고 팔의 표층근막을 최대한 많이 잡는다. 그런 다음 한 번에 몇 인치씩 아래로 내려간다. 이때 고객에게 머리를 들어서 천천히 반대로 돌렸다 다시 되돌리라고 요청할 수 있다. 또한 팔꿈치를 굽혀 몸쪽으로 손을 천천히 당기거나 손목을 굽혔다 펴는 동작을 해달라고 할 수도 있다.

이 테크닉을 쓰면 상완 전체에 접근할 수 있으며, 팔꿈치 주변에서는 주두돌기 olecrenon process의 골막을 이완시키는데도 유용하다. 팔꿈치 아래로 내려오면 전완의 골간막 interosseous membrane에도 깊게 접근할 수 있다. 전완을 깊게 이완하면

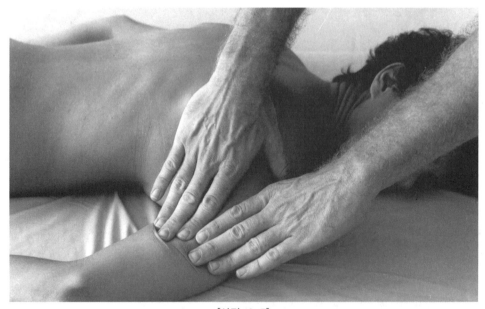

[사진 10-7]

서 고객에게 전완을 천천히 돌리거나 또는 회내/회외(엎침/덮침) 시키라고 요청할 수 있다. 하지만 손가락이 원래 위치를 벗어나지 않을 정도로 매우 느리게 움직이게 한다. [사진 10-8]에서는 이 모습이 보이진 않는다. 하지만 발목에서 했던 것처럼 손목 지지대 위쪽까지 계속 같은 요령으로 근막이완을 진행하라. 손목 지지대 근처에서는 손목을 능동적으로 굽히는 동작을 첨가하라. 이 테크닉은 특히 자동차 사고로 편타성손상whiplash injury을 입은 고객에게 특히 도움이 된다. 비록 자동차 사고 후유증은 다양한 형태로 전개되지만 여기서 제시한 테크닉을 통해 팔을 풀면 매우 좋은 치료 결과를 기대할 수 있다. 왜냐면 팔은 위쪽으로 측두하악관절TMJ, 앞쪽의 사각근scalenes, 몸통 위쪽과 아래쪽 근육, 이렇게 4개의 기본적인 방향을 거쳐 견갑대와 만나기 때문이다. 몸통, 목, 머리 세션을 이 테크닉으로 마무리해도 좋다. 팔에 테크닉을 적용할 때 고객의 머리 방향을 천천히 좌우로 돌릴 수 있게 하라. 그렇게 하면 경추근막을 이완시키는데 도움이 된다.

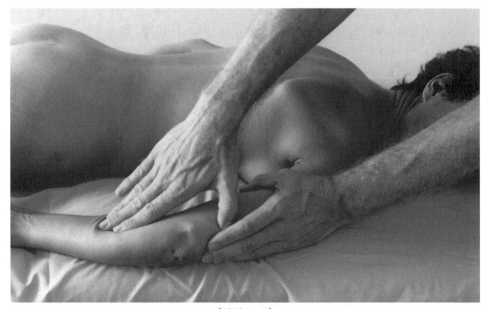

[사진 10-8]

이 테크닉은 팔에 국소적인 문제를 지닌 고객에게 도움이 된다. 또한 목 세션을 마무리 할 때도 사용할 수 있다.

| 테크닉 적용 과정: 팔의 얕은근막 |

고객의 자세: 복와위

① 삼각근 후면 부착부에 손가락끝을 대고 팔의 얕은근막을 따라 한 번에 몇 인치씩 아래로 내려간다.

② 벡터는 팔의 안쪽과 아래쪽이다.

③ 고객은 머리를 들어, 천천히 한쪽으로 돌린 다음 반대로 되돌리거나, 손목을 굽혔다 펴는 동작으로 보조할 수 있다.

④ 팔꿈치 주변 주두돌기에서 골막을 이완한 다음엔 아래로 내려가 전완의 골간막을 깊게 이완한다.

⑤ 고객에게 팔을 가볍게 회내/회외 시켜달라고 요청한다.

⑥ 필요하다면 전완에서는 팔꿈치를 이용해 근막이완을 진행할 수 있다.

▌쇄흉근막과 삼각근 근막 Clavipectoral and Deltoid Fasciae

어떤 면에서 보면, 여기서 소개하는 테크닉은 팔의 얕은근막에 했던 것과 동일하다. 어쨌든 팔의 굴곡근들엔 문제가 많이 발생한다. 먼저 [사진 10-9]에 보이는 것처럼 손가락끝이나 팔꿈치를 상완골두, 오구돌기 근처에 댄다. 고객이 손바닥을 테이블에 붙이고 팔꿈치를 주기적으로 몸쪽으로 가까이 가져왔다 바깥쪽으로 밀면 삼각근이 스트레칭된다. 팔꿈치 밑에 동전이 있는데 그것을 몸쪽으로 당겼다 미는 상상을 하며 동작을 해달라고 요청하라. 이렇게 하면 팔꿈치를 테이블에서 떼지 않고 상완골을 회전시키며 몸쪽으로 움직일 수 있다. 이런 종류의 고객 움직임이 첨가된다면 팔의 심층근막을 비롯해 몸 전체 근막에도 큰 영향을 미칠 수 있다. 앞에서 했던 테크닉과 마찬가지로, 여기서도 한 번에 몇 인치 정도만 움직이고, 때때로 테크닉을 적용하는 부위로 호흡을 넣어달라고 고객에게 요청한다.

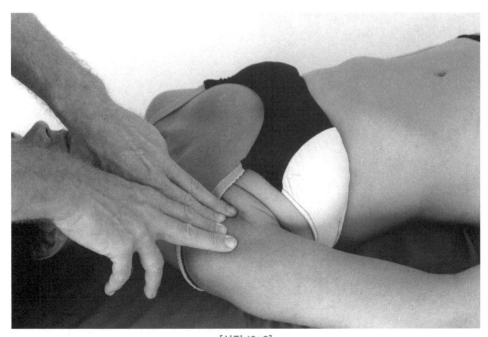

[사진 10-9]

삼각근 전면과 중부 근막이 자주 얽히기 때문에 이 부위에서 충분한 시간을 들여 이완을 한다. 어깨 상단에서 팔꿈치 방향으로 움직이며, 삼각근을 푸는 데 몇 분을 투자할 수 있다. 만일 견갑대 상부에 문제가 발생해 쇄골 외측 끝부분과 오구돌기 위쪽에 조직이 뭉쳐있다면 이 부위도 풀 수 있다. 테크닉을 할 때 고객의 팔꿈치와 손바닥은 최대한 테이블에 붙어있어야 한다. 이 자세를 유지하려면 고객이 어느 정도 팔에 긴장을 유지하고 있어야 한다. 치료사가 가하는 압력이 상완골두에 가해지면 고객의 팔이 들릴 수 있다. 그러면 반대손으로 고객의 손목을 아래로 눌러 고정시키면 된다. 고객에게 팔꿈치를 가볍게 몸쪽으로 당겼다 바깥쪽으로 밀도록 요청하라. 이때 한 번에 1~2인치 이상 움직일 필요는 없다. 고객의 움직임이 느릴수록 심층근막과 골간막에 영향을 미칠 수 있다. 테크닉을 진행하면서 내측으로 상완이두근(위팔두갈래근), 외측으로 상완골의 끝단까지 테크닉을 적용할 수도 있다. [사진 10-10]처럼 관절와상완관절glenohumeral joint에 부착되는 흉근에 팔꿈치를 고정시

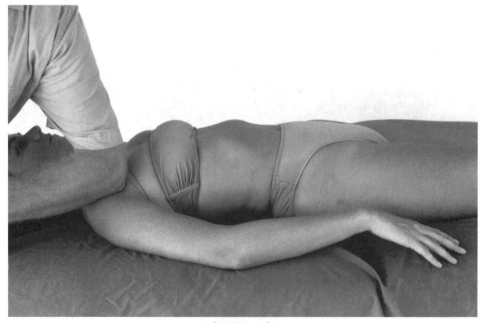

[사진 10-10]

키고 고객에게 팔을 외회전시킨 후 발쪽으로 스트레칭 해달라고 요청하는 방법을 쓸 수도 있다. 이 방법을 쓸 때는 고정시킨 부위에서 조직이 이완될 때까지 기다렸다, 고객의 팔을 중립자세로 되돌린 후 다시 동작을 해달라고 요청한다.

| 테크닉 적용 과정: 쇄흉근막과 삼각근 근막 |

고객의 자세: 앙와위

① 손가락끝을 삼각근에 대고 테크닉을 시작한다. 얕은근막에서 한 번에 몇 인치씩 아래로 내려간다.

② 고객은 팔꿈치 아래에 동전이 있다고 상상하면서, 팔꿈치를 몸쪽으로 당겼다 바깥쪽으로 미는 동작을 시도한다.

③ 손가락끝이나 팔꿈치를 이용한다.

④ 삼각근 부위에 시간을 좀 더 투자한다.

⑤ 흉근의 건에 팔꿈치를 고정시킨다.

⑥ 고객에게 팔을 외측으로 회전시키고 발쪽으로 스트레칭 해달라고 요청한다.

⑦ 이완될 때까지 기다렸다 중립자세로 되돌아온다.

▌대원근과 소원근^{Teres Major and Minor}

팔꿈치를 겨드랑이 바로 밑, 견봉 하단에 댄다. 해당 지점에 멈추어 싱크 기법으로 적절한 깊이까지 들어간다. 관상면에서 중심선을 따라 테크닉을 적용할 방향 벡터를 형성한다. 아픈 부위나 딱딱한 곳이 나타나면, 고객에게 천천히 팔을 내회전, 외회전 시켜달라고 요청한다. [사진 10-11]을 보면, 치료사가 핀으로 고정하듯 팔꿈치로 해당 부위에 대고 이완시키고 있다. 이 부위엔 이 기법이 매우 효과적이다. 액와의 경계를 따라 천천히 미끄러지다 견갑대 하각 정도 높이에 이르면 압력을 줄이고 손을 땐다. 이 과정을 3~4회 또는 고객이 참을 수 있는 한도 안에서 반복한다. 어깨 문제를 지닌 어떤 고객에게도 적용 가능한 테크닉이다.

| 테크닉 적용 과정: 대원근과 소원근 |

고객의 자세: 복와위. 팔꿈치가 90도 각도를 유지하며 손이 테이블 바깥에서 대롱대롱 매달리며 지면을 향하게 한다.

① 치료사는 고객의 발쪽을 향하여 서고 팔꿈치를 관상면에서 견갑골극^{spine of the scapula} 바로 아래 액와에 댄다.

② 딱딱한 조직을 찾는다.

③ 움직임 요청 방법

▸ 어깨를 내회전, 외회전 시켜주세요.

[사진 10-11]

▎견갑하근과 소흉근Subscapularis Muscle and Pectoralis Minor

　　고객은 엎드린 자세에서 팔꿈치를 90도로 굽히고 있고, 치료사는 고객의 관상면에서 바로 액와로 접근하여 견갑하근(어깨밑근)을 이완시킨다. [사진 10-12]에서 보이는 것처럼 손가락 패드나 손가락끝으로 늑골을 접촉하고, 늑골을 따라 압박을 가하며 동시에 흉추 4번이 있는 뒤쪽 방향으로 각도를 주어 나아간다. 손가락이 더 이상 나아가지 않으면 견갑하근과 만났다고 볼 수 있다. 이 지점에서 고객에게 팔을 머리 위쪽으로 매우 느리게 올리라고 요청하면서, 견갑하근에 홀드hold 기법을 적용한다. 고객이 팔을 아래로 내리면 숨을 고르게 하라. 치료사가 직접 고객의 팔을 잡아 천정 방향으로 들면서 수평면에서 가슴으로 내전시키는 동작을 해줄 수도 있다. 이렇게 하면 손가락이 견갑골 안으로 더욱 잠겨들게 할 수 있다.

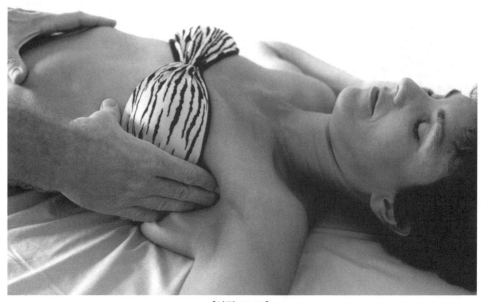

[사진 10-12]

소흉근(작은가슴근)을 이완시키려면, [사진 10-13]에서 보이듯, 액와 부위 관상면에서 손가락으로 늑골 앞쪽을 타고 흉골 방향으로 밀고 들어가기만 하면 된다. 손가락이 더 이상 나아가지 않으면 소흉근에 닿았다고 볼 수 있다. 여기서 앞에서 했던 것과 같은 과정을 반복한다. 우선 고객에게 팔을 머리 위로 천천히 들어 올리며 접촉 부위로 호흡을 넣어달라고 요청하라. 이 부위에 테크닉을 적용할 때 고객이 종종 타는 듯한 통증 감각을 느끼곤 하는데, 이는 근막이 스트레칭 되고 있다는 징후이다. 이 액와부 테크닉을 2~3회 이상 반복하지 않아도 된다. 이 부위는 매우 민감하기 때문에 느리지만 단호하게 테크닉을 적용해야 한다는 사실을 잊지 말라.

상완신경총(위팔신경얼기)이 소흉근에 의해 포착entrapped되면 팔 아래쪽으로 무감각, 저림, 근육약화 현상이 일어날 수 있다. 따라서 경추와 흉추에 병리적 소견이 발견되면 의료 전문가에게 확인해야 한다. 이 테크닉은 트라우마, 자세 문제, 반복 운동 손상 문제를 지닌 어떤 사람에게도 매우 효과가 좋다.

[사진 10-13]

흔히 테크닉 시작 부위가 너무 낮아서 전거근이 이완되곤 하는데, 손을 관상면 중간에서 바로 액와로 넣어야 그런 일이 안 일어난다. 손가락 패드를 늑골을 따라 위쪽으로 유지하라. 그리고 더 진행하기 전에 항상 늑골의 동작검사를 하라. 몇 파운드의 힘으로 늑골을 매우 천천히 밀고 위로 올라가다 딱딱한 느낌 또는 저항감이 생기면 그 부위가 고정되어 있다는 신호이다. 해당 부위에 견고한 압력을 유지한 다음 고객에게 접촉 부위로 호흡을 넣어달라고 요청하라. 호흡을 2~3회 하게 하며 늑골의 움직임을 감지하라. 그런 다음 손끝을 이용해 진행하던 방향으로 계속 나아간다. 고객이 통증을 호소한다면 접촉 부위로 호흡을 넣게 하는 방식으로 이완하며 몇 차례 더 반복해 나간다. 고객의 손이 머리 이상으로 넘어가는지 매번 확인하고, 다시 처음 자세로 되돌린 후에는 압력을 풀고 호흡을 고르게 한다.

이 테크닉은 쇄흉근막과 심층 경추 근막을 열어주기 때문에 목이나 어깨에 문제가 있는 고객에게 매우 효과적이다.

| 테크닉 적용 과정: 견갑하근 |

고객의 자세: 앙와위. 팔굽은 45도 굽힌다.

① 관상면에서 액와로 접근하여 부드럽게 늑골에 접촉한다.

② 늑골을 움직여서 동작검사를 한다.

③ 손가락을 아래로 꺾어서 대략 흉추4번 방향으로 나아가서 견갑하근의 경계를 감지한다.

④ 고객에게 머리 위쪽으로 손을 뻗어달라고 요청한다.

⑤ 고객이 테이블 면을 따라 팔을 외전시키는 동작을 해주면 견갑골도 외전된다.

⑥ 그렇게 하면 견갑골 앞쪽 면에 좀 더 쉽게 접촉할 수 있다.

⑦ 호흡을 조절하게 해서 이완이 일어나길 기다린다.

⑧ 마찰 기법도 필요하면 적용할 수 있다.

⑨ 근막이완을 마칠 때에도 호흡 조절을 요청하라.

| 테크닉 적용 과정: 소흉근 |

고객의 자세: 앙와위. 팔굽은 45도 굽힌다.

① 관상면에서 액와로 접근하여 부드럽게 늑골에 접촉한다.

② 늑골을 움직여서 동작검사를 한다.

③ 손가락을 위로 꺾어 흉골 방향으로 움직인다.

④ 손가락이 더 이상 나아가지 않으면 소흉근에 접촉한 것이다.

⑤ 고객에게 팔을 천천히 머리 위쪽으로 움직이라고 요청한다.

⑥ 때때로 접촉 부위로 호흡을 넣어달라고 요청하라.

⑦ 2~3회 정도 반복할 수 있다.

⑧ 매우 민감한 부위이므로 조심하라.

▌상완이두근과 전완 신전근 구획
Biceps and Extensor Compartment of the Forearm

[사진 10-14]를 보면 치료사가 주먹을 부드럽게 쥐고 상완이두근(위팔두갈래근)에 넓게 접촉하여 이완시키고 있다. 손의 어느 부위로 근막이완을 하느냐에 따라 접촉 면적을 크게 할수도 적게 할수도 있다. 손가락이나 너클은 고정된 근막주머니fascial bag를 섬세하게 이완시키는데 도움이 된다. 하지만 주먹이나 팔꿈치로 살짝 바꾸면 좀 더 넓은 면적을 이완시킬 수 있다. 이게 바로 근막을 구조화시키는 방법이다. 앞에서와 마찬가지로, 고객이 자신의 손과 팔을 가능한 테이블에 붙여야 테크닉이 효율적으로 적용된다. 팔꿈치를 움직이는 방식은 이전과 동일하다. 하지만 팔꿈치 근처에서 압력을 넣기 때문에 고객이 팔꿈치를 안쪽과 바깥쪽으로 움직이기가 훨씬 어렵다.

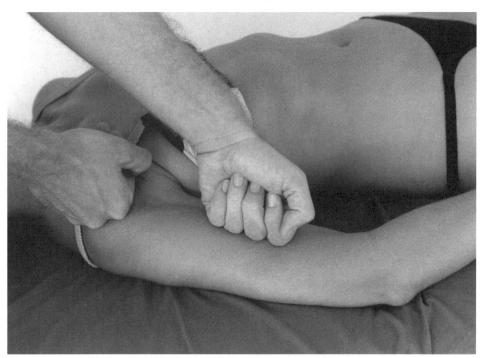

[사진 10-14]

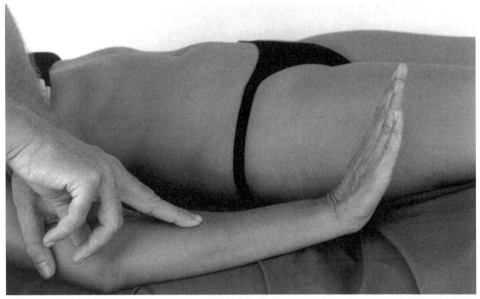

[사진 10-15]

　일단 팔꿈치 아래에 테크닉을 적용한다면, 팔꿈치를 손목 신전근 구획 상단에 올리고 천천히 한 번에 몇 인치씩 손목을 향해 아래로 내려간다. [사진 10-15]를 보면 치료사가 손가락으로 팔꿈치를 접촉해야 할 부위를 가리키고 있다. 손목 신전근 구획을 팔꿈치로 이완시키면서 고객에게 손목을 위로 꺾으라고 요청해도 이를 이행하기는 쉽지 않다. 이 경우 고객에게 손가락 끝을 천정을 향해 뻗어보라고 하면 도움이 된다. 가만히 멈춰서 홀드hold 기법을 쓰지 말고, 테크닉을 적용하면서 때때로 고객에게 손을 이완하라는 말을 잊지 말고 해야 한다. 팔꿈치가 손목에 가까워질수록 접촉 부위를 손가락이나 넉클로 바꿀지 말지 고민해야 한다. 특히 손목 지지대나 수근관(손목터널) 부위에서는 손가락과 넉클로 진행하는 것이 좋다. 물론 고객의 손목이 두툼하다면 팔꿈치를 활용해 좀 더 과하게 압력을 넣는다고 해서 이를 두려워 해야 할 필요는 없다. 이 테크닉은 자동차 사고나 반복 동작 손상으로 인해 손목, 팔꿈치에 문제가 생긴 사람, 특히 컴퓨터나 이와 비슷하게 손을 많이 쓰는 일을 하다 다친 사람에게 큰 도움이 된다.

| 테크닉 적용 과정: 상완이두근과 전완 신전근 구획 |

고객의 자세: 앙와위

① 주먹으로 삼각근에서 팔꿈치로 이완시킨다. 필요하다면 치료사는 손의 넓은 면을 사용하다 좁은 면을 사용하는 방식으로 전환해도 된다.

② 일단 팔꿈치 아래를 이완하게 되면 팔꿈치를 신전근 구획 상단에 놓고 시작한다.

③ 고객에게 손목을 굽혔다 펴달라고 요청하며 한 번에 몇 인치씩 아래로 이완하며 내려간다.

손목 신전근 지지대와 전완 굴곡근 구획
Extensor Retinaculum of the Wrist and the Flexor Compartment of the Forearm

이 테크닉은 손목과 전완에 반복 운동 손상이 있는 고객에게 특히 효과적이다. [사진 10-16]에서 치료사는 넉클의 평평한 면을 수근관 위에 바로 대고 압박을 가하고 있다. 또다른 옵션은 양손 손가락 6개를 사용하는 것이다. 고객은 손바닥을 테이블에 대고 있다. 팔꿈치도 회내되어 테이블에 닿아 있다. [사진 10-16]을 보면 치료사는 손목 신전근 약간 위쪽에서 손목과 손으로 근막이완을 진행하고 있다. 전완 중간 또는 요골(노뼈)과 척골(자뼈) 사이에서 시작한다. 발목 중심선에서 테크닉을 적용했던 것과 비슷하게, 뼈 위 조직에 접촉한 다음 중심선에서 외측으로 펼치듯 두 번째 방향 벡터를 더하며 나아간다. 손목 아래로 압력을 가하고 중심선에서 옆으로 펼치듯 진행하면서 고객에게 팔꿈치를 몸쪽으로 천천히 당겼다 바깥으로 밀어 달라고 요청하라. 이렇게 하면 골간막뿐만 아니라 수근간을 푸는 데 큰 도움이 된다. 이 부위는 신체의 표층 또는 외측에서 표층근막과 심층근막이 만나는 또 다른 부위

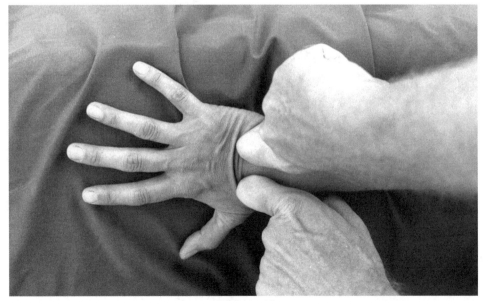

[사진 10-16]

이다. 만성적으로 견갑대 문제를 지닌 사람들 중에 팔꿈치 아래에서 근막이완 테크닉을 받는 사람이 드물다. 하지만 이 모든 근막이 상호 연결되어 있으며, 일생에 손과 손목을 바닥에 짚으며 넘어졌던 경험을 수차례 해보지 못한 사람도 거의 없다는 사실을 잊지 말기 바란다.

요골과 척골 사이 골간막은 팔, 어깨, 목, 측두하악관절, 그리고 몸통 전체로 접근하기에 매우 좋은 부위이다.

[사진 10-17]을 보면 치료사가 전완 굴곡근 구획과 골간막에서 세션을 시작하고 있다. 이 테크닉은 매우 효과적이면서도 단순하다. 우선 손목의 수근관에서 시작해 팔꿈치 방향으로 밀고 올라간다. 압력은 깊고 견고해야 하며 한 번에 몇 인치씩 진행한다. 고객은 치료사가 압력을 가할 때 손가락을 펴고 있어야 한다. 하지만 전완을 때때로 회내, 회외하며 굴릴 수도 있다. 팔꿈치에 가까워지면 전완을 약간 굴곡해달라 요청할 수 있는데, 이렇게 하면 오구완근(**부리위팔근**)과 상완이두근 근막에도 영향을 줄 수 있다. 여기서 소개한 두 테크닉은 상지, 특히 측두하악관절과 경추에

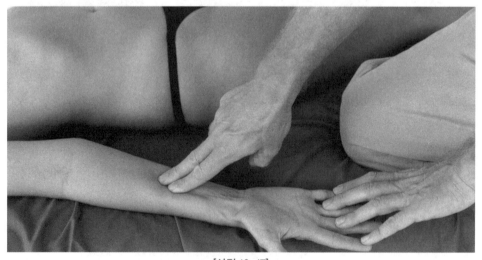

[사진 10-17]

편타성손상을 당한 고객에게 자주 사용해도 좋다. 자동차를 운전하다 편타성손상을 입은 경우, 운전자가 핸들을 매우 강하게 잡고 있었을 확률이 높기 때문에 손과 손목에 직접적으로 강한 타격이 가해질 수 있다. 다시 말하면, 여기서 테크닉을 적용하는 부위는 고속으로 주행하는 차를 운전하다 사고를 당한 경우에 효과가 좋은, 하지만 종종 간과하는 곳이다.

| 테크닉 적용 과정: 손목 신전근 지지대와 전완 굴곡근 구획 |

고객의 자세: 앙와위

① 손목 신전근 지지대를 이완시키기 위해서는, 고객의 전완을 회내시켜 테이블에 붙인 자세에서 시작한다.

② 지지대 위쪽 중간선에서 시작하라.

③ 넉클의 평평한 면이나 손가락을 활용해 손목과 손 방향으로 내려가는데, 압력을 외측으로 펼치듯이 가한다.

④ 고객에게 팔꿈치를 몸쪽으로 천천히 살짝 당겼다 바깥쪽으로 가볍게 밀어달라고 요청한다.

⑤ 굴곡근 구획에 테크닉을 적용할 때는 고객에게 손바닥을 펴고 전완을 회외시키라고 요청하라.

⑥ 수근간에서 시작한다.

⑦ 손가락이나 팔꿈치를 사용해 압력을 가하면서 팔꿈치 방향으로 밀고 올라간다.

⑧ 압력은 깊고 지속적으로 가하며 한 번에 몇 인치씩 이동한다.

⑨ 요골과 척골 사이를 풀 때는 고객에게 전완을 느리게 회외, 회내시키라고 요청한다.

⑩ 팔꿈치 부위에 가까워지면, 고객에게 전완을 굴곡시켜달라고 요청할 수도 있다.

Chapter 11

목, 머리, 얼굴 이완

Release of Neck, Head, and Face

▌흉쇄유돌근과 경추 표층근막 Sternocleidomastoid and Superficial Cervical Fascia

이 테크닉은 목의 표층근막을 구조화 organizing 하는데 매우 효과적이다. 목 안으로 압력이 가해지지 않도록 주의하라. 주먹의 매우 부드러운 면으로 넓게 접촉하면 된다. 먼저 흉쇄유돌근(목빗근) 최상단에서 시작하여, 경추 횡돌기 주변을 이완시키며 아래로 미끄러져 내려간다. 주먹으로 밀고 내려갈 때 고객에게 고개를 반대 방향으로 천천히 돌려달라고 요청한다. 경추근막을 잘 풀려면 비틀리는 움직임을 더하면 된다. 목의 좌우에서 같은 기법을 3~4회 반복하면 된다. 테크닉에 익숙해질수록 더 많은 압력을 활용할 수 있게 될 것이다. 목, 특히 경동맥이 지나가는 부위는 매우 민감하기 때문에, 이곳에서 테크닉을 적용할 때는 몸의 다른 부위보다 확실히 더 적은 압력을 가해야 한다.

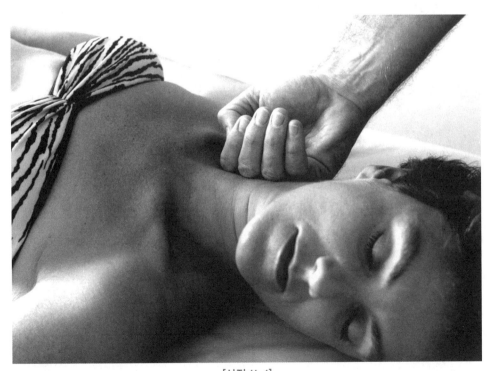

[사진 11-1]

| 테크닉 적용 과정: 흉쇄유돌근과 경추 표층근막 |

고객의 자세: 앙와위

① 주먹을 가볍게 쥐고 네 개의 손가락이 겹쳐진 넓은 면을 흉쇄유돌근 위에 댄다.

② 단지 접촉을 유지하며 진행하되 과도한 압력이 목 안쪽으로 가해지지 않게 한다.

③ 고객이 목을 반대 방향으로 돌리면 목 뒤쪽의 경추 극돌기 주변으로 움직인다.

④ 이 과정을 3~4회 반복한다.

⑤ 조심해서 테크닉을 적용하되, 시작하면 바로 사선으로 각도를 주어 움직인다.

교감신경계가 항진된 고객은 방어기제가 발동하여 긴장하곤 한다. 이를 피하려면 잘 보는 방법을 트레이닝해야 한다. 고객의 호흡 변화, 피부색 변화, 몸을 흔들거나 떠는 이 모든 증상은 교감신경계가 항진되었다는 신호이다. 이 테크닉을 적용하는 부위에는 세 개의 교감신경절이 모여있다. 따라서 느리게 테크닉을 적용하고 틈나는 대로 고객과 소통해야 한다.

▌이복근Digastric

이복근(**두힘살근**)은 근복이 두 개 있어서 그렇게 알려졌다. 이복근의 첫 번째 근복은 흉쇄유돌근이 닿는 유양돌기(**꼭지돌기**) 깊은 부위에 부착되고, 두 번째 근복은 하악골(**아래턱뼈**)의 하각에 붙는다. 해부학책을 보고 이 중요하지만 자주 외면당하는 근육의 중요성을 확인하라.

고객은 앙와위로 눕고 치료사는 테이블 머리쪽에 앉는다. 한손은 요람처럼 머리를 한쪽에서 받치고, 반대손 엄지손가락*으로 [사진 11-2]처럼 유양돌기mastoid process를 만진다. 그런 다음 단단한 조직을 찾으면서 적절한 압력을 가한다. 흉쇄유돌근은 유양돌기 앞쪽에 있고 그 아래에 이복근이 부착되어 있다. 아래쪽으로 몇 인치 미끄러져 내려가면 이 부착부가 부드러워지기 시작한다. 적어도 이 부위에서

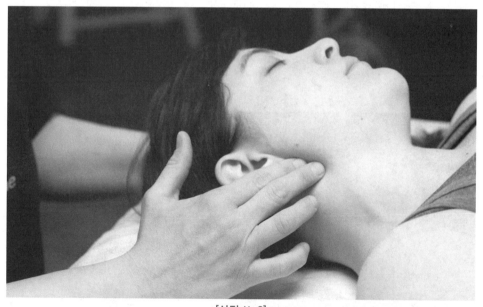

[사진 11-2]

---

* 사진에서는 검지와 중지로 접촉하고 있다.

10회 정도 글라이드^{glide} 기법을 적용한다. 테크닉 적용은 유양돌기나 그 주위에서 하며, 앞에서 뒤로 압력을 가한다. 손이 움직이는 경로에 경동맥이 있기 때문에 글라이드 길이는 짧게 유지해야 한다. 테크닉을 진행하다가 손 아래에서 맥동이 느껴지면 방향 벡터를 바꾸거나, 압력을 줄이거나, 손을 뗀다. 유양돌기 뒤쪽의 근복에 접촉하면 동시에 경상돌기(**붓돌기**) 부위에도 닿게 된다. 이 부위에 있는 경상돌기 $_{styloid\ process}$는 골절되기 쉽기 때문에 귀 뒤쪽으로 압력을 가할 때 주의해야 한다.

치료사는 테이블 머리쪽에 앉아서 이복근의 앞쪽 근복에도 접근할 수 있다. 먼저 손가락 패드를 턱 바로 아래에 위치한 이복근 앞쪽 섬유에 대고 하악골을 따라 위쪽의 설골 방향으로 [사진 11-3]에 보이는 것처럼 글라이드 기법으로 밀고 나간다. 하악골 아래에 있는 악하선(**턱밑샘**)을 조심하며, 압력을 적절히 조절하면서 좌우의 근복을 동시에 풀어나간다. 이완을 해나가가 트리거포인트를 발견할 수도 있다. 이완을 촉진하려면 고객에게 턱을 전방이동^{protract}, 후방이동^{retract} 해달라고 요청하라. 그렇게 하면 측두하악관절 문제나 전방머리자세를 지닌 고객을 치료하는데 효과적이다.

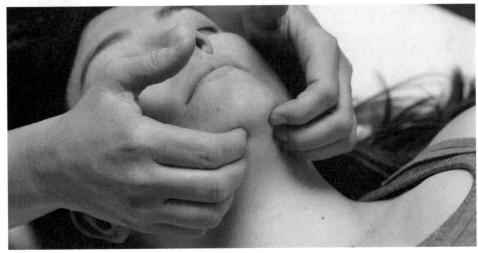

[사진 11-3]

| 테크닉 적용 과정: 이복근 |

고개의 자세: 앙와위

① 유양돌기에 엄지손가락을 접촉한다.

② 10~12회 정도 짧지만 깊은 글라이드 기법을 적용해 이복근과 흉쇄유돌근의 부착부를 부드럽게 만든다.

③ 경동맥carotid artery을 주의하라.

④ 손가락을 턱 아래 이복근와digastric fossa에 댄다.

⑤ 머리로 향하는 벡터를 잡고, 하악골을 따라 위로 올라가다 설골에서 끝낸다. 3~5회 정도 반복하거나 고객이 참을 수 있는 정도에 따라 횟수를 조절한다.

⑥ 악하선submandibular gland을 조심한다.

⑦ 움직이는 길을 따라 트리거포인트를 발견하고 치료한다.

⑧ 움직임 요청 방법

▸ 턱을 앞으로 밀었다(전방이동), 뒤로 당겼다(후방이동) 해주세요.

▌누운 자세에서 사각근 이완Scalenes in Supine

사각근(**목갈비근**)은 전, 중, 후부 섬유로 이루어져 있고, 후두골과 쇄골 사이, 목 표면에 매우 가까운 곳에 위치한다. 치료사는 손가락을 흉쇄유돌근 바로 뒤쪽에 접촉하며 테크닉을 시작한다. 테크닉을 적용하면서 고객에게 머리를 테이블에서 살짝 들도록 요청하면 흉쇄유돌근이 수축되고, 그러면 사각근을 좀 더 쉽게 찾을 수 있다. [사진 11-4]를 보면 치료사는 손가락을 흉쇄유돌근 근복에 대고 세션을 시작하고 있다. 테크닉을 적용하는 방향으로 머리를 살짝 굽혀달라고 요청하면서 조직이 간접적으로 이완되는 모습을 확인하라. 그런 다음 사각근으로 점차 압력을 더 깊게 가하면서 고객의 머리를 반대 방향으로 천천히 돌리게 하라. 고객이 머리를 돌리면서 동시에 턱을 들었다 내리면, 치료사는 손가락으로 쇄골 아래쪽에 도달할 때까지 간헐적인 글라이드 기법을 적용하며 흉쇄유돌근을 따라 내려간다. 테크닉은 느리게 적용하되 고객은 머리를 돌리고 턱을 움직이는 동작으로 보조하는 방식을 반복한다. 이 과정을 목의 좌우에서 3~4회 반복한다.

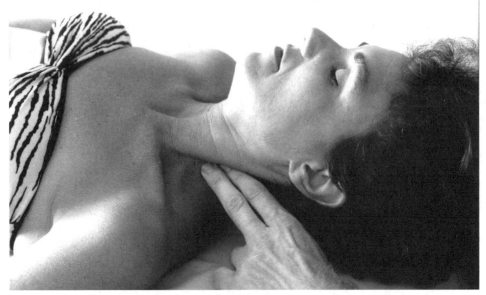

[사진 11-4]

경추에 질병이나 기능장애가 있는 고객이라면 목의 이 부위가 매우 민감하다. 사각근은 늑골 1번과 2번 들어올리는 것을 보조하는 근육이다. 따라서 테크닉을 마치면 항상 흉곽 상부로 깊은 호흡을 할 수 있도록 해야 한다. 이렇게 하면 테크닉을 적용하면 사각근을 더 크게 자극하여 주변에 많은 공간을 확보할 수 있게 해준다.

| 테크닉 적용 과정: 사각근 |

고객의 자세: 앙와위

① 손가락을 흉쇄유돌근 위쪽에 댄다.

② 고객에게 머리를 들게 해서 흉쇄유돌근을 수축시키면 접촉 부위를 더 명확히 파악할 수 있다.

③ 일단 사각근에 접촉했다면 고객에게 목을 세션 부위로 살짝 굽히게 해서 간접적으로 이완을 촉진하라.

④ 좀 더 깊은 압력을 가하면서 고객에게 머리를 반대 방향으로 돌려달라고 요청한다.

⑤ 고개를 돌리면서 턱을 들었다 당기는 동작을 추가해도 된다.

⑥ 쇄골에 도달할 때까지 손가락으로 사각근을 따라 아래로 글라이드 기법을 적용하며 나아간다.

⑦ 쇄골 아래에 있는 늑골의 사각근 부착부를 향해 방향 벡터를 가하며 부드럽게 진행한다.

⑧ 전사각근과 중사각근 사이를 지나가는 상완신경총을 자극하지 않도록 주의하라.

> 상완신경총은 전사각근과 중사각근 사이로 지나간다. 따라서 목 앞쪽을 이완시킬 때는 이 부위를 자극하지 않도록 매우 주의한다.

▌ 측와위에서 사각근, 승모근, 견갑거근 이완
Scalenes, Trapezius, and Levator Scapula in Side Lying

누운 자세에서 사각근을 풀고 나서 하면 좋은 테크닉이다. 먼저 고객은 측면으로 눕는다. 치료사는 원하는 스트레칭 정도에 따라 고객의 머리 밑에 베개를 넣어도 되고 안 넣어도 된다. 이제 자유로운 손으로 고객의 어깨를 [사진 11-5]에 보이는 것처럼 안정시키고 승모근(등세모근) 외측연에서부터 후두골까지 위쪽으로 테크닉을 적용한다. 승모근 외측연에서 후두골까지 이완시키는 과정에서 판상근, 심지어 사각근도 건드릴 수 있다. 이는 몸통뿐만 아니라 견갑대와 목까지 스트레칭시키고 가동성을 높일 수 있는 훌륭한 테크닉이다. 고객은 테크닉 끝지점에서 기분 좋은 느낌을 얻을 것이다. 자유로운 손으로 어깨와 팔을 당기면서 역동적인 긴장을 테크닉 부위에 가하고 반대손으로는 목 방향으로 조직일 이완시켜 나간다. 이 테크닉을 한 부위에 3~4회씩 양쪽 어깨에 적용할 수 있다.

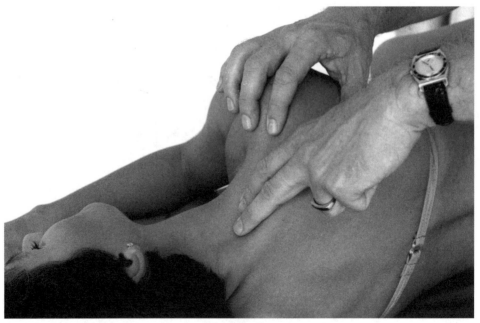

[사진 11-5]

[사진 11-5]에서 치료사는 손가락을 목의 중심선, 약간 앞쪽에 대고 있다. 이 부위는 사각근 상단 또는 흉쇄유돌근에 접근할 수 있는 곳이다. 따라서 이 테크닉을 적용하면 목의 심층근막과 표층근막을 동시에 풀게 된다. 승모근을 접촉하며 테크닉을 적용한 다음엔 견갑거근(어깨올림근)까지 풀 수 있다. 하지만 사각근에 좀 더 많은 시간을 투자하고 싶다면 그렇게 하면 된다. 사각근에서 승모근으로 갔다 다시 사각근에서 흉쇄유돌근으로 오가며 테크닉을 전개할 수 있다. 고객은 머리를 약간 돌리거나, 턱을 밀고 당기기, 또는 머리를 약간 테이블에서 떼는 동작으로 보조하면 된다. 또한 고객은 손목을 대퇴골 위쪽에 댄 후 발쪽으로 뻗으면서 어깨와 팔을 늘리며 보조할 수도 있다. 어떻게든 고객이 세션에 참여할 수 있다면 치료 효과를 높이는데 도움이 된다.

| 테크닉 적용 과정: 사각근, 승모근, 견갑거근 |

고객의 자세: 측와위. 무릎을 45도 굽힌다.

① 자유로운 손으로 고객의 어깨를 안정시키고 아래쪽으로 살짝 당긴다.

② 손가락끝이나 넉클로 승모근의 외연을 따라 후두골로 테크닉을 적용한다.

③ 3~4회 반복한다.

④ 사각근에서 승모근을 거쳐 흉쇄유돌근과 견갑거근을 오가며 전체 영역을 이완시킨다.

⑤ 움직임 요청 방법

   ▸ 머리를 살짝 돌려주세요.

   ▸ 턱을 당겼다 밀어주세요.

   ▸ 머리를 테이블에서 움직여주세요.

   ▸ 머리를 약간 들어주세요.

   ▸ 어깨를 발쪽으로 뻗어주세요.

▌경추 편타성손상 치료 Treatment for Cervical Whiplash

이 테크닉은 만성 경추 편타성손상을 지닌 고객을 치료할 때 사용할 수 있다. 하지만 급성 경추 편타성손상일 때는 테크닉을 적용해서는 안 된다. 경추의 최하부는 T3 레벨에 위치하는데, 이 테크닉은 C7에서 T5 사이를 치료할 때 사용할 수 있다. 고객은 머리를 한쪽으로 돌리고 엎드린다. 처음엔 목의 회전에 큰 차이가 없을 수 있다. 먼저 팔꿈치를 머리를 돌린 반대쪽 C7 극돌기 바로 옆의 층판고랑에 대고 시작한다. 조금씩 늑골과 횡돌기로 압력을 가하며 고객에게 접촉 부위로 호흡을 넣게 하면서, 지나치게 깊은 압력이 가해지지 않게 주의한다. 그런 다음 압력을 유지한 채로 천천히 아래로 몇 인치 미끄러져 내려간다. 이때 고객에게 머리를 들어 천천히 반대 방향으로 돌리게 한다. 여기서 핵심은 [사진 11-6과 11-7]에 보이는 것처럼 고객이 머리를 돌릴 때에도 압력을 유지하며 접촉부에 호흡이 들어올 수 있게 하는 것이다. 이 과정을 양쪽 층판고랑에 3회 정도 반복한다. 테크닉을 적용할 때는 처음

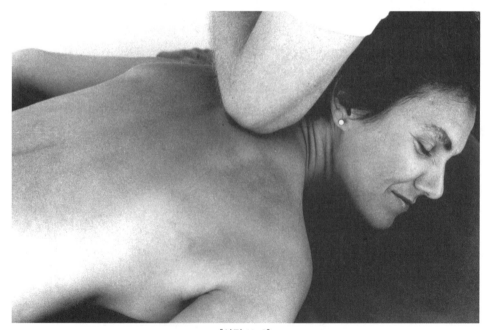

[사진 11-6]

엔 가벼운 압력으로 시작해 고객이 참을 수 있는 한도 내에서 가장 깊은 압력으로 마무리한다. 만일 고객이 접촉 부위로 호흡을 넣을 수 없다면 압력이 지나치다는 의미이니 조절하여야 한다. 머리의 회전은 느리게 일어나야 하며, 돌리는 과정에서 장애가 없어야 한다. 여기서 좋은 결과를 얻었다면 좀 더 외측으로 접촉면을 이동시켜 늑골의 후각과 견갑골의 내측연까지 움직여도 된다. 이때 팔꿈치의 넓은 면이나 전완을 활용해 늑골 1번에서 5번 사이의 조직을 이완시킨다. 이때에도 고객은 머리를 돌리면서 호흡을 접촉 부위에 넣도록 해야 한다.

이 테크닉은 8장에서 했었던 요추근막과 척추 주변의 근막을 이완시킬 때에도 도움이 된다. 이 테크닉을 통해 머리와 목을 연결한 이후엔 척추기립근을 타고 위에서 아래로 한번에 밀고 내려가면서 막시스템으로 이어진 허리까지 이완시키는 것도 고객에게 도움이 된다. 척추기립근을 타고 아래로 내려갈 때는 한 번에 몇 인

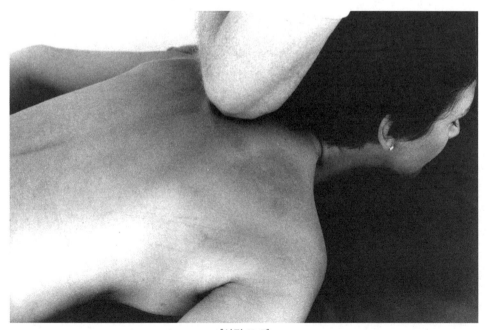

[사진 11-7]

치씩 이동한다. 진행하는 과정에서 때때로 쉬면서 고객에게 호흡을 고르게 하라. 길게 척추기립근을 따라 이완시킬 때는 고객의 머리를 돌리게 하지 않아도 된다.

목에 긴장이 지나치게 많은 이에게 테크닉을 적용할 때는, 머리를 할 수 있는 만큼만 돌리게 한 후 부드럽게 싱크 기법을 적용하면서 이완되길 기다려야 한다. 그런 다음 이완이 일어나면 가동범위 안에서 움직여달라고 요청한다.

| 테크닉 적용 과정: 경추 편타성손상 치료 |

고객의 자세: 복와위. 머리는 한쪽으로 돌린다.

① 팔꿈치를 C7 층판고랑에 접촉하고 시작한다.

② 압력을 늑골에 가하면서 고객에게 접촉 부위로 호흡을 넣어달라고 요청한다.

③ 압력을 유지하며 글라이드 기법으로 천천히 아래로 내려간다. 동시에 고객에게 천천히 머리를 들어 반대쪽으로 돌려달라고 요청한다.

④ 한쪽에 최대 3회 정도 반복한다.

⑤ 외측으로 늑골의 후각과 견갑골 내측연까지도 이동할 수 있다.

⑥ 척추기립근을 따라 한번에 위에서 아래로 길게 이완시키며 머리와 목을 연결시켜라.

⑦ 기립근을 풀 때, 필요하다면 멈췄다가 진행한다.

▌경추 Cervical Spine

이 테크닉은 만성 경추통, 특히 경추 후만증이나 경추 만곡 역전 문제를 지닌 고객에게 좋다. 테크닉을 진행하기 전에 치료사는 측면 엑스레이 사진을 통해 고객의 경추를 만곡과 후만 정도를 확인하면 근막이완을 적용할 때 도움이 된다. [사진 11-8]에서 [사진 11-11]까지 살펴보면, 고객은 다양한 의료 또는 마사지 관련 용품 판매점에서 쉽게 구할 수 있는 엎드린 자세용 베개에 엎드려 있다. 바디워커들 중에 이러한 종류의 근막이완을 위해 섬세하게 고안된 안면 베개가 달린 마사지테이블을 가지고 있는 이들이 많다. 마사지테이블에 이미 자세용 베개가 구비되어 있다면 새로 살 필요는 없다. 하지만 이 베개를 이용해 머리와 어깨를 잘 지지해주고, 테크닉을 적용할 때 앞쪽으로 좀 더 깊은 압력을 가해 경추를 풀 때 고객에게 편안함을 제공할 수 있다면 활용하길 권한다. 테크닉을 시작하기 전에 얼굴을 요람처럼 받쳐줄 수 있는 베개에 고객을 엎드리게 하고 천천히 압력을 가하면서 머리와 어깨 주변에서 불편한 부위가 어디인지 체크한다. 수건을 말아서 받치거나, 얼굴 보호용 천 등으로 받쳤을 때 고객이 편안함을 느낀다면 얼마든지 활용해도 된다. 하지만 이런 도구를 이용했는데도 압력을 조금만 가해도 고객이 불편함을 느낀다면, 테크닉을 적용하기 전에 엎드린 자세용 전용 베개를 구입해서 쓰길 권한다. 고객의 이마와 전두골은 베개 윗부분에 잘 위치해 있어야 하고 얼굴은 요람처럼 안착되어 있는지 확인한다. 그리고 목 부분에 압력을 가했을 때 목구멍이 테이블에 닿아 숨을 쉬기 어렵지는 않은지 체크하라. 가슴이 큰 여성 고객의 흉추 부위에서 압력을 가하는 경우엔 베개를 흉곽 아래에 놓아서 불편함을 최소화시켜야 한다.

[사진 11-8]에 보이는 것처럼 고객이 편안하게 엎드렸다면, 수근부 또는 새끼손가락 아래쪽의 소지구 외측으로 부드럽게 경추 중간에 접촉한 후 T4로 밀고 내려간다. 극돌기 바로 위쪽에 압력을 가하면서 매우 느리게 시작하며 조금씩 압력을 높

여나간다. 그런 다음 양손 엄지손가락으로 C2 횡돌기에서부터 T4 횡돌기까지 다시 밀고 내려간다. 이때 압력은 약간 앞쪽을 향한다. 테크닉을 적용하는 각각의 척추 마디에 대한 해부학적 그림을 떠올리며 엄지손가락으로 밀고 내려가면서 어느 쪽 횡돌기가 더 높은지 평가하기 시작하라. 극돌기나 횡돌기를 부드럽게 누르면서 고객에게 통증점이 어디인지도 확인한다. 이 통증점에서 멈추어 통증이 감소되는 느낌이 날 때까지 기다린다. 이 과정을 T4까지 각각의 척추에서 1~2회 반복하라.

다음으로, [사진 11-9]에 보이는 것처럼 팔꿈치나 엄지손가락을 C7에서 T10까지 횡돌기와 늑골의 후각posterior angle을 이완시킨다. [사진 11-10]에서처럼 손가락으로 글라이드 기법을 적용해서 근막을 좀 더 넓게 이완시키고 목을 지지하는 구조물을 풀어준다. 또 엄지손가락이나 넉클을 C7 극돌기에 대고 위쪽으로 후두골까지 항인대(목덜미인대)를 천천히 늘려주어라. 극돌기를 따라 움직이는 것은 매우 얇은 쐐기 위를 지나가는 느낌이 들기 때문에 지나친 압력이 가해지거나 옆으로 미끄러지지 않도록 주의해야 한다. 항인대는 고도로 특화된 구조물인데, 옆에서 보면 극돌기 앞면에 부착되어 마치 돛처럼 배를 안정화시킨다.이 항인대로 목의 전면과 중부의 모든 경추근막이 부착된다. C7에서 후두골까지, 반대로 후두골에서 C7까지 이 과정을 여러 번 반복하라.

그 다음에는 승모근, 후두하부 삼각부 근육들, 그리고 대후두근들이 부착되는 후두골 주변에서 트리거포인트를 찾는다. 후두하부에서 아래쪽으로 C7까지 층판고랑을 따라 측면으로 테크닉을 적용하며 후두하부 근육의 트리거포인트와 섬유화 정도를 체크하라. 섬유화fibrosity가 있는 부위는 해당 섬유 방향과 교차되는 방향으로 근막이완을 적용하면 된다. [사진 11-11]을 보면 섬유화된 부위를 푸는 모습이 보인다. 이제 다시 처음에 했던 것처럼 경추 전체에 대한 동작검사를 시행하며 과정을 마무리한다. 동작검사를 할 때는 척추 마디 하나하나에 좀 더 전방 압력을 많이

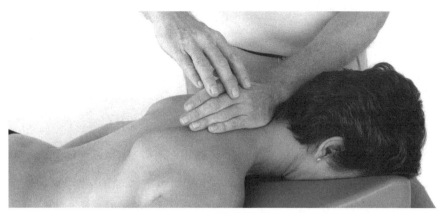

[사진 11-8]

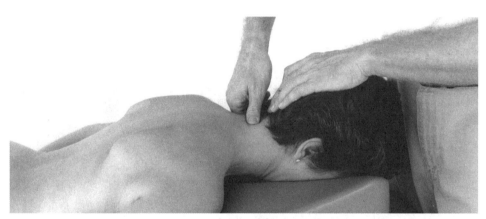

[사진 11-9]

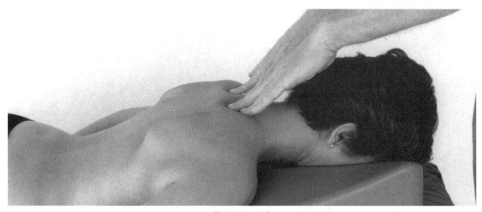

[사진 11-10]

가하거나, 경추 전체 또는 흉추 상부 3개 마디를 넓게 압박하며 가동성을 확인한다. 처음엔 매우 느리게 해당 척추의 동작검사를 하고 2~3회 반복하면서 좀 더 깊고 지속적인 압력을 가한다. 목은 실제로 상부 흉추 세 마디까지 그 기반을 형성하기 때문에 C5 레벨에서 경추 만곡이 최대화 된다는 점을 기억해야만 한다. 실제로 경추 편타성손상을 당한 환자들의 엑스레이를 보면 가장 트라우마를 많이 받는 곳이 경추 5번이다. 그래서 이곳에 적절한 압력을 가하여 원래의 바른 경추 만곡을 형성할 수 있도록 해야 한다. 앞에서 언급한 시퀀스를 완료한 다음엔 냉팩cold pack을 목 뒤쪽에 약 20분 정도 올려놓아라.

엎드린 자세에서 얼굴을 받쳐주는 베개를 빼고 목 아래에 수건을 말아 그 위에 냉팩을 위치한 다음 고객을 하늘을 보고 눕게 하며 자연스럽게 냉찜질 효과가 적용된다. 목에 만성적인 문제를 지닌 고객에겐 특별한 일이 없는 한 온팩hot pack을

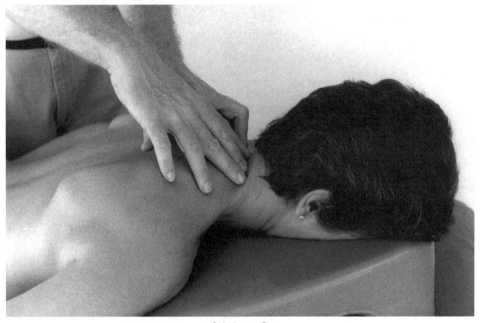

[사진 11-11]

사용하는 것을 권하지 않는다. 근막이완을 몇 분 정도 적용한 다음엔 조직에 충분한 열이 발생하기 때문이다. 목 뒤쪽에 15~20분 정도 근막이완을 해주면 열이 꽤 많이 발생한다. 그렇기 때문에 냉팩을 적용하면 경추 통증을 감소시키고 치유를 촉진하는데 많은 도움이 된다. 엎드린 자세용 베개에 얼굴을 대고 있던 자세에서 이마를 1/2인치 정도 간헐적으로 들면서 테크닉을 적용하면 경추 만곡을 다시 형성하는데 도움이 된다.

> 치료 과정에 고객이 적극적으로 참여할수록 결과가 더 좋아진다.

| 테크닉 적용 과정: 경추 |

고객의 자세: 복와위. 필요하면 얼굴 지지용 베개를 활용한다.

① 수근부, 손가락, 엄지손가락을 써서 경추 중부에서 흉추 4번까지 부드럽게 압력을 가하며 내려간다.

② 극돌기 상단에 바로 압력을 가한다.

③ 한손을 C2에서 T4까지 횡돌기를 누르며 통증점을 확인하거나 척추 마디의 회전을 평가한다.

④ 팔꿈치나 엄지손가락으로 C7에서 T10 까지 횡돌기를 따라 글라이드 기법을 적용하며 내려간다.

⑤ C7 극돌기에서 후두골까지 극돌기를 따라 압력을 가하며 항인대를 스트레칭시킨다.

⑥ 항인대에 내측으로 압력을 가할 수도 있다.

⑦ 방향을 바꿔, 후두골에서 C7까지 항인대를 스트레칭시킨다.

⑧ 트리거포인트를 모두 검사한 후 제거하라.

⑨ 층판고랑에서 트리거포인트를 검사하며 외측으로 근막이완을 시행하라.

▌후두하근 이완^{Suboccipitals}

후두하근(뒤통수밑근)은 목 뒤쪽 깊은 곳에 위치한다. 이 근육은 매우 깊은 곳에 위치해서 치료사들이 자주 간과하기도 한다. 소후두직근(작은뒤머리곧은근), 대후두직근(큰뒤머리곧은근), 상두사근(위머리빗근), 하두사근(아래머리빗근)을 합쳐 후두하근이라 한다. 해부학책을 보고 이 근육에 익숙해지기 바란다. 특히 소후두직근은 C1에서 시작하여 후두골의 하항선(아래목덜미선) 안쪽에 부착되며, 대후두직근은 C2의 극돌기와 하항선의 바깥쪽에 부착된다. 그리고 상두사근은 C1의 횡돌기와 후두골의 상항선과 하항선 사이에, 마지막으로 하두사근은 C1횡돌기와 C2의 극돌기를 연결한다. 이들은 머리를 작게 끄덕이거나 동측으로 돌리는 작용을 하며, 이 중 상두사근은 머리의 측굴에도 관여한다.

고객은 누운 자세에서 치료사는 테이블 머리맡에 선다. 그런 다음 [사진 11-12]에 보이는 것처럼 넉클을 유양돌기 아래에 대고 깊게 싱크 기법을 적용한 후, 매우 느리게 중심선 또는 외후두융기^{EOP, External Occipital Protuberance} 방향으로 밀고 내려간다. 벡터를 앞쪽, 위쪽으로 향하여 깊은 압력을 가하면 후두하근에 영향을 주지만, 지나치게 표층을 이완시키면 후두골을 따라 부착되어 있는 승모근과 같은 후두골 주변 근육에만 영향을 줄 수 있다. 좀 더 깊은 층을 이완시키려면 싱크 압력을 점차 늘려나가라. 그리고 해당 부위에서 통증점이 생기거나 불편함이 느껴진다면 말해달라고 고객에게 요청하라. 후두하근의 부착부는 보통 매우 민감하지만 테크닉을 적용했을 때 효과가 좋은 부위이다. 일단 후두골을 따라 근막이완을 진행한 후엔 좀 더 아래쪽으로 내려와서 반복하며 C2 부위의 근육도 이완시킨다. 테크닉을 적용하는 과정에서 나타나는 트리거포인트는 치료하도록 한다.

> 후두하근은 모두 목 깊은 곳에 위치하기 때문에 앞쪽, 위쪽으로 좀 더 특별한 형태의 방향 벡터를 설정하여야 한다.

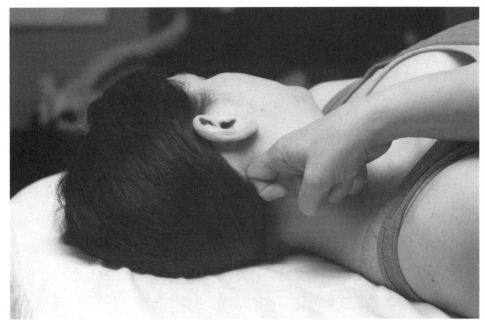

[사진 11-12]

| 테크닉 적용 과정: 후두하근 |

고객의 자세: 앙와위

① 넉클을 유양돌기 아래에 댄다.

② 깊게 싱크 기법을 써서 들어가고 느리게 중심선을 향해 밀고 나아간다.

③ 유양돌기 아래 손가락 한 마디 정도 아래에 위치한 C2 레벨에서 이 과정을 다시 반복한다.

④ 후두골과의 접촉은 유지한 채로 후두골 아래로 깊게 들어가라.

▌측두근막^{Temporalis Fascia}

이전에 했던 테크닉과 마찬가지로, 고객은 머리 밑에 베개를 대고 측와위로 눕는다. 이는 측두하악관절^{TMJ}과 목을 풀 수 있는 훌륭한 자세이다. 치료사는 머리의 관상면에서 바로 귀 위쪽에 손가락을 댄다. 그런 다음 중심선에서부터 펼치듯이 조직을 이완시키며 위쪽 측두골 방향으로 나아간다. 이때 머리카락이 당겨지지 않게 근막과의 연결성을 유지하라. 한번에 1/4인치에서 1/2인치 정도만 움직이며, 고객에게 테크닉 사이에서 휴식을 취할 수 있게 한다. 측두근막 테크닉은 몇 분 동안 반복할 수 있고, 이 과정에서 고객은 열감을 느낄 수 있으며 때때로 트리거포인트가 이완되는 느낌도 받을 수 있다. 측두근을 이완시킬 때 고객에게 이빨을 문 다음 천천히 여는 동작을 때때로 해달라고 요청하라. 이렇게 하면 TMJ를 열어서 주변 근막을 제대로 스트레칭시키는 효과가 있다. 이렇게 머리 외측의 근막을 이완시

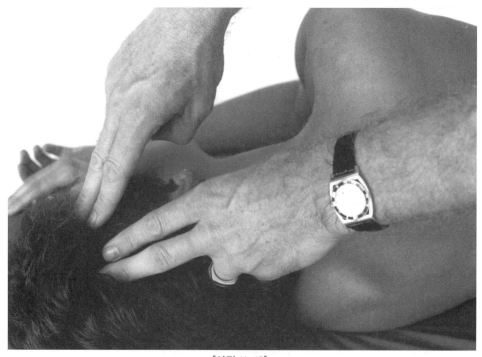

[사진 11-13]

키면 반사적으로 입 안쪽의 익상근(날개근)과 아래쪽의 교근(깨물근)까지 영향을 줄 수 있다. 후두전두근(앞이마뒤통수근)이나 두피, 그리고 TMJ를 움직이거나 세션을 마무리하기 전에 이 테크닉을 적용하면 통합 효과를 가져올 수 있다.

| 테크닉 적용 과정: 측두근막 |

고객의 자세: 측와위. 무릎은 45도 정도 굽힌다.

① 손가락을 관상면에서 귀 바로 위쪽에 바로 접촉한다.

② 벡터는 조직 안쪽과 머리 위쪽이다.

③ 이완이 일어나길 기다렸다 위로 움직인다.

④ 한 번에 1/4~1/2 인치만 움직인다.

⑤ 고객에게 테크닉 사이에서 쉴 수 있도록 충분한 여유를 준다.

⑥ 움직임 요청 방법

▸ 이빨을 물어주세요.

▸ 입을 열어주세요.

▌**구강 테크닉**Intraoral Techniques

여기서 소개하는 구강 테크닉은 입 안쪽과 바깥쪽 근육 모두에 매우 효과적이다. 따라서 TMJ 기능장애, 스트레스, 치과 수술을 받은 고객에게 이 테크닉을 해주면 큰 효과를 볼 수 있다. 구강 내부에 테크닉을 적용하는 것은 조금 강한 느낌이 들지만 위험하지는 않다. 다만 테크닉 적용 과정에서 고객과 소통을 잘 해야 하며 자율신경이 항진되지 않도록 주의해야 한다. 테크닉을 적용할 때는 늘 장갑을 착용하고 있어야 하며, 라텍스 알레르기latex allergies가 있는 고객에게 세션을 할 때는 이를 예방할 수 있는 장갑을 활용해야 한다.

| **경구개 촉진**[사진 11-14, 11-15] |

촉진 위치: 윗니와 입천장 사이 오목한 부위

고객 자세: 앙와위 또는 좌식. 입은 넓게 벌린다.

치료사 자세: 앉거나 선다.

움직임 요청: 고객에게 목 뒤쪽을 늘려달라고 요청한다.

치료 방법: 검지손가락으로 입천장을 단단하게 압박하면서 상악골을 외측으로 밀어본다. 연구개로 다가가지는 않는다. 치료사는 고객의 머리를 다른 손으로 견고하게 지지한다. 교감신경이 항진되지 않도록 주의한다.

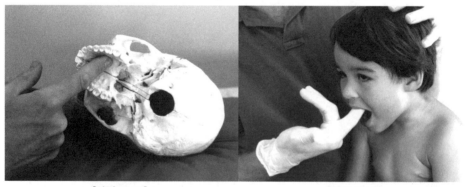

[사진 11-14]　　　　　　　　　　[사진 11-15]

| 교근 이완[사진 11-16, 11-17] |

<u>촉진 위치</u>: 하악골의 근돌기, 하악골 가지의 외측면

<u>고객 자세</u>: 앙와위 또는 좌식. 입은 넓게 벌린다.

<u>치료사 자세</u>: 앉거나 선다.

<u>움직임 요청</u>: 고객에게 입을 크게 벌린 후 부드럽게 닫아달라고 요청한다.

<u>치료 방법</u>:

⑴ 검지손가락을 이빨과 뺨 사이에 넣어 교근을 만진다.

⑵ 검지손가락을 교근의 위쪽, 뒤쪽 부위에 쐐기처럼 넣고 움직임을 요청한다. 조직이 부드러워지길 기다린다.

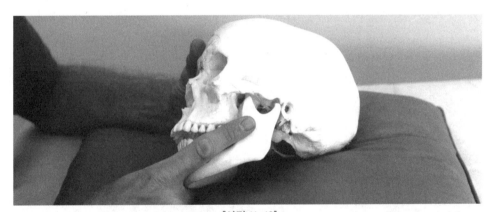

[사진 11-16]

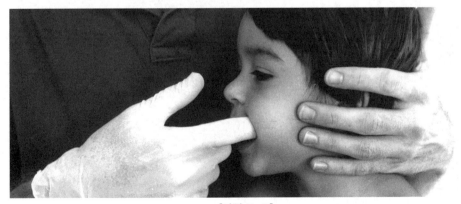

[사진 11-17]

| 내측 익상근 이완[사진 11-18, 11-19] **|**

<u>촉진 위치</u>: 하악골 가지의 내측면

<u>고객 자세</u>: 앙와위 또는 좌식. 입은 넓게 벌린다.

<u>치료사 자세</u>: 앉거나 선다.

<u>움직임 요청</u>:

(1) 고객에게 이빨로 가볍게 깨문 다음 입을 천천히 넓게 벌리도록 요청한다.

(2) 호흡을 계속 조절한다.

<u>치료 방법</u>:

(1) 검지손가락을 안쪽 검라인(이빨과 잇몸 사이 경계선, gumline) 윗부분을 따라서 상부 어금니 바로 뒤에 댄다. 내측 익상근 위쪽 부착부에 꾸준히 압력을 가한다.

(2) 검지손가락을 안쪽 검라인 아래쪽을 따라서 하부 어금니 바로 뒤에, 하악 골각을 향해 압력을 가한다.

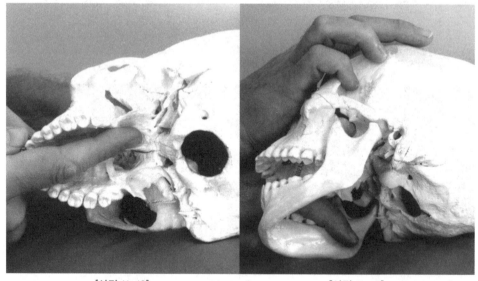

[사진 11-18]　　　　　　　　　[사진 11-19]

▋ 환추-후두골 공간Atlas-Occiput Space

AOS 탐험은 자율신경계 전체를 안정시켜주기 때문에 매우 기분이 좋은 테크닉이다. 이게 바로 이 테크닉이 임상에서 자주 사용되는 이유이다. 치료사는 중지(고객에 따라서는 다른 손가락을 써도 된다)를 경추 2번과 후두골 사이 AOS에 접촉한다. 이 자세에서는 치료사의 손가락이 고객의 상부 경추 교감신경절 부근에 닿게 된다. 또한 이 부위에서는 후두하삼각부suboccipital triangle에 있는 근막과 근섬유가 두개골을 통해 뇌를 감싸고 있는 경막dura mater에 부착된다. AOS의 근막은 [사진 11-20]에 보이는 것처럼 대후두공foramen magnum 바로 위에 위치한다. 따라서 AOS 촉진 기술은 엄청나게 중요하다고 할 수 있다.

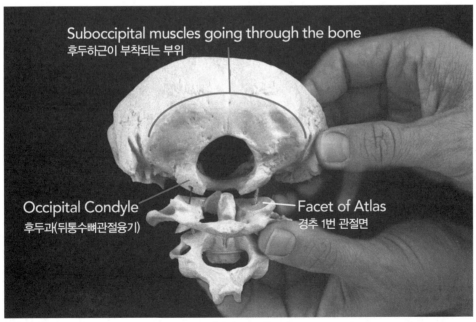

[사진 11-20]

테크닉 1

① 고객은 누운 자세에서 무릎을 굽혀 붙인 채로 아무런 긴장 없이 세션을 받는다. 어떤 이유로든 고객의 AOS에 적용하는 테크닉에 아무런 반응도 없다면 다리를 편 상태에서 무릎 아래에 베개를 받친다.

② 우선 치료사는 [사진 11-21]에 보이는 것처럼 손을 모아서 적절한 위치를 잡는다. 양손을 고객의 목 상단에 넣어 네 번째와 다섯 번째 손가락의 패드로 후두골과 후두하삼각부 사이 공간에 접촉한다. 그리고 나머지 손가락의 패드는 목 뒤쪽에 댄다. 치료사는 좀 더 섬세한 기법을 적용하기 전에 이렇게 목 전체를 체크해야 한다.

③ AOS 부위를 접촉할 때는 해당 부위에 림프종이 있는지 확인하는 것이 중요하다. 림프종이 있는 조직은 두툼하고 스폰지같은 느낌이 나며 마치 액체가 가득 차있는 느낌이 든다. 이는 편타성손상이나 다른 종류의 목 또는 머리 손상으로 인해 부종이 생겼기 때문이다. 서더랜드 박사^{Dr. Sutherland}는 두개골에 테크닉을 적용할 때 항상 목과 흉곽출구 부위에서 림프관이 열려

[사진 11-21]

있는지 확인하곤 했다. 치료사들 또한 AOS 부위에 테크닉을 적용하기 전에 이러한 부종을 발견하면 림프배액이 일어나도록 도움을 주어야 한다.

테크닉 2

① 치료사는 고객의 머리를 가볍게 들어 양손 위에 편안하게 올려놓는다. 약지와 소지를 약간 겹쳐서 중지를 서로 만나게 한다(치료사의 손 크기에 따라서는 검지가 만날 수도 있다). [사진 11-22], [11-23], [11-24]를 보고 손모양을 확인하라.

② 이렇게 손모양을 하면 고객의 두개골 전체가 치료사의 양손바닥 중앙에 안착된다. 그러면 중지로 후두골과 C2 사이 공간을 찾을 수 있다. 이 부위는 AOS의 중간이다. C1은 극돌기가 없기 때문에 C2와 후두골 사이에 간격이 존재한다. 중지의 패드는 후두골에 닿는다.

③ 양손바닥 전체로 두개골을 감싸듯 부드럽게 안착시킨다.

④ 그런 다음 두개골의 위치를 다시 조율한다.

⑤ 이제 중지 끝을 [사진 11-25]처럼 조금 밀어올려 턱이 살짝 들리게 하라. 목이

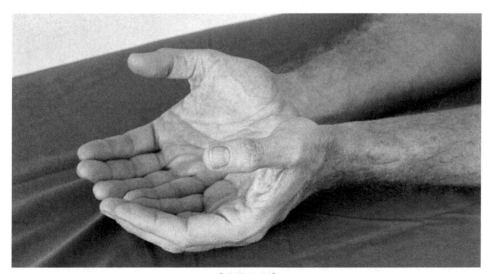

[사진 11-22]

너무 뻣뻣하다면 턱과 머리가 잘 안 움직인다. 하지만 이는 문제가 아니다. 치료사는 과하게 힘을 가해 머리를 신전시키려고 하지 말라. 다음 번 두개골 세션을 하기 전에 목의 연부조직을 푸는 테크닉을 하면 된다.

⑥ 다음으로, 중지 끝을 AOS에 쐐기처럼 견고하게 넣는다. 이제 다시 1분 동안 또는 과정이 진행되는 각 단계에서 국소적으로, 전체적으로 고객의 몸에서 일어나는 반응을 리스닝 한다. 후두하삼각부에 있는 근육은 한 번에 한쪽씩 점차적으로 이완되는 경향이 있고, 체액몸fluid body과 자율신경계 또한 다른 조직층의 이완에 반응하기까지 시간이 필요하기 때문이다. 치료사는 연부조직이 양쪽에서 이완될 때 일어나는 고객의 머리 움직임에 맞춰 테크닉을 조율하여야 한다. 다시 말해, 조직이 이완됨에 따라 치료사는 마주치는 장벽 끝점과 맞추어서, 하지만 지나친 압력을 가하지는 말고, 손가락끝을 AOS 안으로 움직여 들어가야 한다.

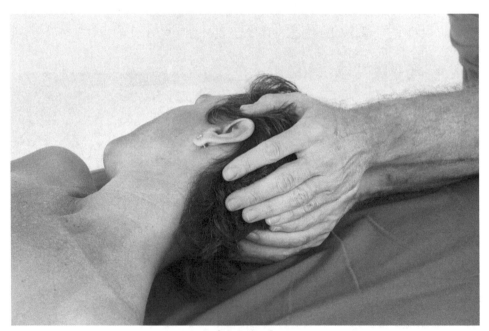

[사진 11-23]

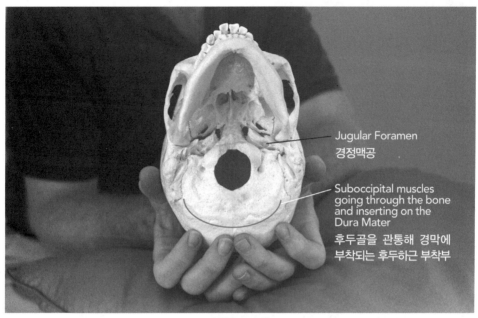

Jugular Foramen
경정맥공

Suboccipital muscles
going through the bone
and inserting on the
Dura Mater

후두골을 관통해 경막에
부착되는 후두하근 부착부

[사진 11-24]

[사진 11-25]

테크닉 3

① 손에 고객의 두개골을 안착시키고 중지 끝으로 AOS를 접촉하는 동안, 치료사는 후두하삼각부로 자신의 체액몸을 통해, 고객의 일차호흡primary respiration 템포에 맞춰, 8자figure eight 움직임을 전달시키기도 한다. 다시 말해, 치료사가 자신의 전체 체액몸을 뱀이 미묘하게 몸부림치거나 8자 모양으로 춤을 추는듯 매우 섬세하게 움직이면, 이 움직임이 치료사 손을 통해 고객의 AOS로 전달된다는 뜻이다. 고객은 주기적으로 자신의 움직임을 멈추어 국소적으로 리스닝을 하거나 수평면상에서 전체적으로 리스닝을 한다. 유동체의 기본적인 움직임은 나선형이며, 8자로 움직이면 이 나선형 동작의 치료 효율이 증폭된다.

② 8자 움직임과 견인tractioning 기법은 단지 손가락끝이 아닌, 치료사의 체액몸과 손 전체로 이루어진다.

테크닉 4

치료사는 양쪽 팔꿈치를 동시에 바깥으로 움직여 중지를 부드럽게 외측으로 이동시킨다. 이렇게 하면 경정맥공jugular foramen에 영향을 미쳐 미주신경vagus nerve과 경정맥jugular vein에 가해지는 압박을 줄여준다.

테크닉 5

① AOS 탐험은 지향반사orienting reflex 그리고 머리의 정위반사righting reflex와 연계된다. 또한 모든 종류의 AOS 탐험은 외부 자극에 따른 시각과 청각 주의 집중력을 다듬어준다. 지향반사와 정위반사는 상부 경추에서 담당하는 고유수용감각 수용기와 뇌신경 5번을 포함하는 뇌신경핵cranial nerve nuclei과 관련을 맺고 있는데, 머리에서 담당하는 정위반사는 수평선 상에서 시선을 안착시키는 능력과 관련이 있으며, 또한 머리를 돌려서 주변 환경에서 전

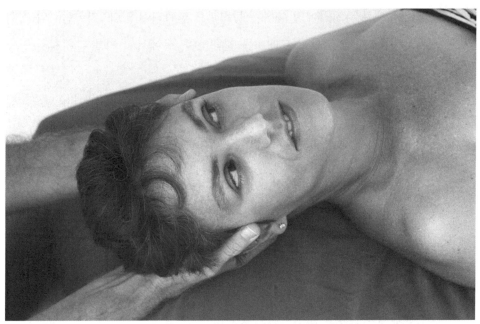

[사진 11-26]

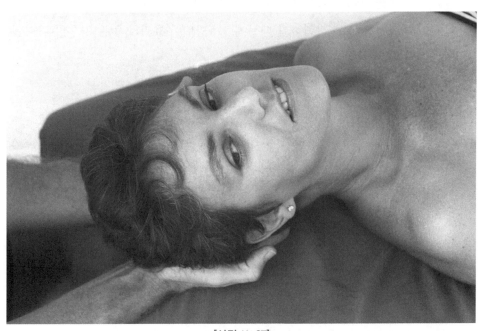

[사진 11-27]

해지는 새로운 자극에 반응하는 능력과도 연관되어 있다. 지향반사와 정위
반사는 둘 다 외상성 스트레스를 감내하며, 몸에서 머리를 분리시켜 인지
하는 능력과 연계되어 있다.

② 치료사는 고객에게 머리를 왼쪽을 느리게 돌려달라고 요청한다. 약 몇 인
치 내로 짧은 거리를 움직이게 한다.

③ 머리를 왼쪽으로 돌리는 동작을 반복한다.

④ [사진 11-26]에 보이는 것처럼, 이제 고객에게 왼쪽을 보면서 머리를 왼쪽으
로 돌려다라고 요청한다.

⑤ 오른쪽에서 같은 과정을 반복한다.

⑥ 고객의 머리를 중앙에 위치시킨다.

⑦ [사진 11-27]에 보이는 것처럼, 치료사가 손 위의 머리를 왼쪽으로 돌리면서,
고객에게 오른쪽을 봐달라고 요청한다.

⑧ 이 과정을 반대쪽으로 그대로 반복한다.

⑨ 이 테크닉은 매우 강력하기 때문에, 이 방법이 효과가 없는 경우가 아니면,
여러 번 세션을 하지 않아야 한다.

테크닉 6

① 두개골을 미세하게 당기며 경막을 탐험하는 테크닉이다. 특히 편타성손상
을 지닌 고객 경막의 긴장패턴tension pattern을 확인할 수 있는 테크닉이기도
하다. 견인하는 힘은 매우 섬세해야 하며 몇 초 정도 당긴 후에 이완시킨다.
[사진 11-28]을 보면 후두골에서 손가락을 접촉하는 모습을 확인할 수 있다.

② 몇 회 정도 반복하거나, 치료사가 고객의 경막이 천골에 부착된 느낌을 감
지할 때까지 테크닉을 적용한다. 이때 가해지는 견인력tractional force은 거의
당기려는 의도 정도만 적용된다. 마치 나노그램nanogram 정도의 견인력으
로 볼 수 있다.

③ 지주막하강subarachnoid space이 뇌척수액CSF으로 가득 차 있고, 치아인대
denticulate와 이어진 경막의 모습을 해부학책을 통해 확인하면 이 테크닉을
적용할 때 도움이 된다. 또한 혈관을 통해 혈액이 경막으로 공급되어 분홍
색과 붉은색으로 변한 것처럼 상상하는 것도 좋다. 좀 더 세부적인 설명은
다음과 같다.

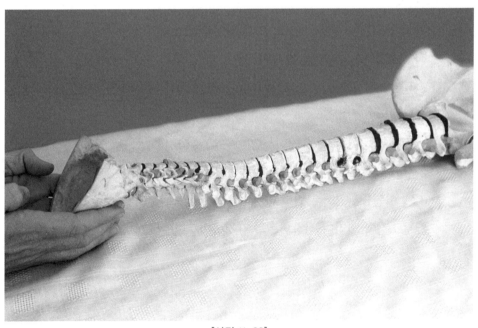

[사진 11-28]

▌AOS 테크닉 리뷰Review of AOS Variations

테크닉 1

치료사는 손가락 패드로 목 상부 전체를 감지한다.

테크닉 2

① 고객은 누운 자세에서, 치료사는 고객의 머리맡에 앉는다.

② 중지를 AOS에 댄 상태에서 손 전체에 후두골을 안착시킨다.

③ 손가락 패드는 후두골에 손끝은 연부조직을 통해 C1 추체를 향한다.

④ 치료사는 중지를 가볍게 굽혀 후두하부 연부조직을 통해 C1을 접촉한다.

⑤ 고객의 머리를 물이 담긴 공처럼 생각하며 일차호흡primary respiration을 감지
한다.

테크닉 3

① 고객의 머리를 살짝 신전시킨 상태에서 8자를 그리며 미세하게 손을 움직
여 고객의 머리 전체를 움직인다.

② 8자를 그리며 동작검사를 한다. 머리를 오른쪽으로 돌릴 때, 1/4인치 이상
돌리지는 않는다.

③ 미세하게 머리가 잘 움직이는 방향으로 측굴시킨다.

④ 2분마다 시퀀스를 반복하며, 시퀀스 사이엔 기다린다.

⑤ 전체 시퀀스는 3회를 넘지 않는다.

⑥ 연부조직이 열리며 신장되는지 감지하며 기다린다.

테크닉 4

① 치료사는 팔꿈치를 서로 부드럽게 모은다.

② 이렇게 하면 손가락이 외측으로 밀려나가 경정맥공을 열거나 부드럽게 해
   준다.

테크닉 5

① 고객은 눈을 오른쪽으로 움직인다. 치료사는 고객의 머리를 오른쪽으로 몇
   인치 움직인 다음 중앙으로 가져온다. 왼쪽에서도 반복한다. 일차호흡리듬
   에 맞춰 천천히 시행하라.

② 다음으로 고객의 머리를 한쪽으로 돌리면서 눈을 반대쪽으로 향하게 한다.

③ 반대쪽에서도 반복한다.

④ 최대 3회 반복한다. 또는 AOS 부위와 경추에서 천골까지 열리거나 신장되
   는 느낌이 감지될 때까지 반복한다.

테크닉 6

① 경막과 지주막하강이 안쪽에는 뇌척수액으로 가득 차 있고, 바깥쪽에는 대
   후두공에서 시작되는 치아인대를 통해 척추에 부착되어 있다고 상상한다.

② 나노그램nanogram 정도의 견인력을 약 15~30초 정도 후두골에 가한다.

③ 천천히 C1에서 S2까지 척추 마디를 세면서 내려간다.

④ 내려가면서 경막에 긴장이나 제한이 감지되면 이완시킨다는 의도를 가지
   고 15~30초 정도 기다린다. 경막이 지나는 부위를 따라 주의집중을 보냈
   다가 되돌리는 연습을 한다.

⑤ 제한된 부위가 발견되면 그 주위에서 머무르며 경막이 이완될 때까지 기다
   린 후 움직인다.

⑥ 천골에 부착된 경막 튜브가 감지될 때까지 반복한다. 어떤 고객은 이 느낌

이 발까지 계속 진행된다. 마치 고객의 몸이 미역처럼 변한 느낌이 들기도 한다.

⑦ 최종적으로 경막과 지주막하강이 심혈관계에서 공급된 혈액으로 가득 차 아름다운 분홍빛으로 변한다고 상상하라.

⑧ 고객의 신체 내부에 시각화visualization 기법을 쓸 때는 늘 조심해야 할 부분이 있다. 치료사는 이러한 시각화 기법을 활용했을 때 고객의 몸에서 조직이 수축되거나 체액몸이 긴장되는 반응을 감지할 수 있어야만 한다. 만일 시각화 기법을 썼을 때 1~2분 안에 경막이 이완되거나 신장되는 느낌을 받지 못하면, 이를 멈춰야 한다.

후두하삼각부가 부드러워지기 전에 손가락에 가해지는 압력을 이완시키는 실수를 하는 치료사들이 종종 있다. 후두하감각부가 충분히 이완되면, C1이 후두과(뒤통수뼈관절융기)에 다시 안착되기 시작하며, 후두골과 측두골 사이에 있는 전체 봉합선whole suture line을 따라 적절한 관계를 맺게 된다. 프랑스 정골의학스쿨French Osteopathic Schools에서는 AOS 테크닉을 할 때 고객의 무릎을 굽히도록 교육한다. 하지만 무릎을 굽히고 하든 펴고 하든, 고객의 상태에 맞게 하면 된다고 생각한다. 보통 치료사의 손가락이 AOS에 닿으면 고객은 빠르게 잠에 빠지곤 하기 때문에, 무릎을 굽힌 자세에서 세션을 한다면 긴장이 생기지 않도록 잘 지지해 주어야만 한다. 자율신경이 과도하게 항진된 고객의 AOS 탐험을 한다면 체액몸fluid body과 조류몸tidal body을 훨씬 감지하기 쉬울 수도 있다. 하지만 이는 치료사 개인의 테크닉 역량과 판단에 좌우된다.

생체역학Biodynamic 치료사는 전체를 보고 시작한다. 그리고 필요하다면 세션 중간에 기능적인 탐험functional exploration을 좀 더 가미하곤 한다. 그럼에도 불구하고, 각각의 세션은 생체역학적으로 시작하고 마무리해야 한다. 다시 말해, AOS 탐험을 고객에게 적용하는 최적의 타이밍은 세션 도중에 결정된다.

요약Summary

AOS 테크닉에서는 모두 상부 경추 자율신경절과의 접촉이 일어난다. 그런데 지향반사와 관련된 신경에 트라우마가 발생하면 주변 환경을 감지하기 어려워지는데, 이로 인해 머리를 쉽게 돌리지 못하거나, 또는 밀실 공포증이나 감정적 문제가 생긴 것처럼 수평면에 주의집중을 하기 어려워진다. 그렇게 되면 치료사가 수평면에서 반환되는 고객의 일차호흡을 감지하기가 쉽지 않다. 이런 고객은 환경과 정확하게 관계를 맺는 능력이 저하되는데, 이게 바로 외상성 스트레스^{traumatic stress}의 지표이다.

마지막으로, 자연분만^{vaginal delivery}이 일어나는 동안 후두골은 일차적으로 스트레스를 받는 뼈라는 사실을 기억하라. 이로 인해 태어나면서부터 인간의 후두골엔 세 종류의 전형적인 골내패턴^{intraosseous pattern}이 존재한다. 이를 각각 쉘빙^{shelving}, 텔레스코핑^{telescoping}, 토션^{torsion} 패턴이라 부른다. AOS뿐만 아니라 17장에서 다루는 횡정맥동^{transverse sinus}을 탐험하는 동안 치료사는 이러한 탄생역학^{birth dynamics}과 맞닥뜨리게 된다. 그리고 치료사가 고객의 일차호흡과 동기화^{synchronize}하는 순간 탄생의 순간부터 각인된 골내스트레스^{intraosseous stress}와 골간스트레스^{interosseous stress}를 정상화시킬 수 있게 된다.

Chapter 12

장부 이완

Release of Viscera

▌간과 호흡횡격막 가동술 Mobilizing the Liver and Respiratory Diaphragm

여기서 소개하는 시퀀스는 횡격막을 푸는 매우 통합적인 접근법이다. 물론 울혈간을 지닌 고객에게도 도움이 되지만, 횡격막에 대한 접근이 더 중요하기 때문에 울혈간을 치료하기 위해 이 시퀀스를 사용할 필요는 없다. [사진 12-1]을 보면 치료사가 한 손을 다른 손 위에 올린 자세로 고객의 간 위쪽에 접촉하고 있다. 고객은 몸의 왼쪽을 테이블에 대고 누워 있으며, 무릎을 모아서 끌어올린 자세에서 머리 밑에는 베개를 놓았다. 첫 번째 단계는 손에 무게를 가하지 말고 중립 위치에 놓는 것이다. 다음 단계는 고객의 호흡패턴respiratory pattern에 따라, 들숨과 날숨에 횡격막이 움직일 때 손이 오르내리는 것을 그냥 따라간다. 일단 호흡패턴을 확인했으면 고객이 숨을 내쉴 때 몇 파운드의 압력을 조금씩 더하며, 최대 20파운드 압력까지 밀고가는 테크닉을 적용한다. 압력은 곧바로 늑골, 간, 흉막(가슴막), 폐에서 내측을 향해 척추로 향하며, 날숨의 끝점에서 1~2초 이상 머물러서 스트레스 상황을 만들지는 않는다. 고객이 숨을 들이쉬는 것에 맞춰 점차 손의 힘을 빼면서 들숨의 끝점까지 따라가고, 이때 치료사의 손은 깃털처럼 가볍게 접촉되어 있어야 한다. 그 다

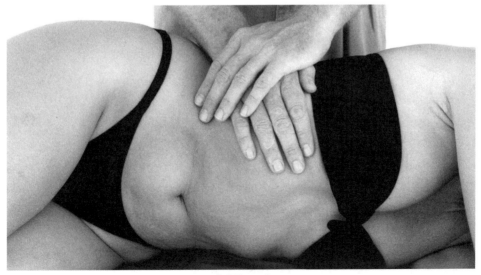

[사진 12-1]

음 단계로는 다시 고객이 내쉬는 숨을 따라 가는데, 이때는 압력을 내측과 아래쪽의 골반 양쪽으로 가한다. 이렇게 하면 횡격막과 흉막을 움직여 깊게 스트레칭시키는 효과가 생긴다. 날숨의 끝점에 다시 도달한 다음 들숨이 일어나려는 느낌이 나면, 손을 떼지 말고, 접촉은 유지하되 그냥 압력을 점진적으로 가볍게만 하며, 숨이 들어오는 것을 제한하지 않도록 주의한다.

그 다음 단계는 [사진 12-2]처럼 한 손 옆에 다른 손을 나란히 위치시키며 시작한다. 치료사는 고객에게 심호흡을 하게 한 다음, 날숨에 천천히 늑골에서 척추 방향으로 압력을 가하기 시작한다. 이번엔 상상력을 활용하여, 고객의 흉곽이 마치 원통이라고 여기고 이를 잡아서 앞쪽의 검상돌기 방향으로 굴린다고 생각한다. 물론 고객을 밀어서 엎드린 자세로 만드는 것은 아니다. 오히려 뒤쪽의 엄지손가락으로 늑골의 후각과 그 주변을 걸고 앞쪽의 손가락으로은 흉골 주변을 향하여, 마치 원통을 제자리에서 굴리면서 척추 방향으로 압력을 가하는 형국이다. 이 테크닉을 받으면 매우 기분 좋은 느낌이 난다. 특히 테크닉이 끝나고 일어서서 확인해보면

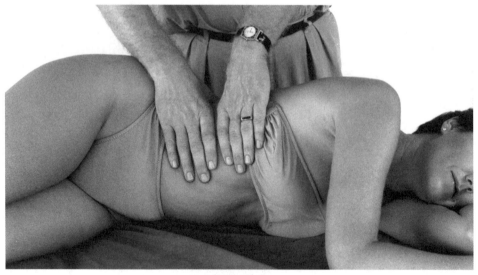

[사진 12-2]

그렇다. 이 전체 시퀀스를 3회 반복하라. 물론 횡격막이나 간에 있는 제한의 정도에 따라 횟수를 조절한다.

많은 이들, 특히 다양한 약을 복용하는 노인들의 간은 과도하게 일을 하고 있다. 그렇기 때문에 이렇게 간 부위에 압박을 주었다 빼는 테크닉은 간을 움직이게 하고 담관으로 담즙을 배출하는 좋은 방법이다. 치료사가 이 테크닉에 확신이 없다고 해도 매우 광범위한 효과를 주면서도 무해한 기법이며, 익히기도 어렵지 않다. 여기서 고객은 치료사의 인도에 따라 호흡을 하는데, 중요한 것은 날숨의 끝에서 몇 초 이상 정지하지 않게 해야 한다는 점이다. 고객의 호흡에 집중하려면 언제 들숨과 날숨의 끝에 도달하는지 정확하게 파악해야 한다. 많은 이들이 고객의 호흡 리듬에 맞춰 적절히 인도하지 못하거나 테크닉 도중에 호흡을 놓치곤 한다. 세션이 모두 끝나면 손을 떼고 몇 분간 편하게 호흡하게 한다.

| 테크닉 적용 과정: 간과 호흡횡격막 가동술 |

고객의 자세: 측와위. 왼쪽으로 누워서 양무릎은 45도 굽힌다.

① 한 손을 다른 손 위에 올린 다음 고객의 간 위쪽에 댄다.

② 양손에 무게를 가하지 않고 중립 위치로 가져간다.

③ 고객의 호흡패턴을 따른다.

④ 날숨에 내측으로 몇 파운드의 힘을 더해간다.

⑤ 1~2초 이상 호흡이 멈추지 않게 한다. 그렇게 해야 스트레스가 쌓이지 않는다.

⑥ 숨을 들이쉴 때 압력을 푼다.

⑦ 깃털같은 압력을 활용해 들숨을 강조하며 따라간다.

⑧ 날숨을 따라가면서 내측, 하방으로 압력을 가한다.

▌호흡횡격막과 간 Respiratory Diaphragm and the Liver

호흡횡격막과 간을 동시에 푸는 매우 통합적인 테크닉을 소개한다. 고객은 골반을 무릎보다 조금 더 높게 하고, 발은 무릎 앞쪽에서 엉덩이 넓이 정도로 벌린 채로 앉는다. 그리고 허리는 똑바로 펴고 양팔은 옆에 늘어뜨린다. [사진 12-3]을 보면, 치료사가 오른손을 고객의 늑골궁coatal arch 아래에 놓고 몸 중심선을 향해 압박을 가하며, 왼손은 등 뒤쪽 척추에 매우 부드럽게 대고 오른손 압력 방향과 일직선을 이룬다. 이 테크닉은 두 가지 방식으로 진행된다. 첫 번째는 고객에게 머리를 무릎이나 다리쪽으로 아주 약간 숙이게 하고, 치료사는 오른손 손가락으로 늑골궁 아래에 건다. 그러면 손이 횡격막에 닿는다. 그런 다음 고객의 허리를 펴게 하면서 늑골궁 아래의 손을 몇 파운드의 압력으로 들어올리면 횡격막을 스트레칭시킬 수 있다. 손을 검상돌기 방향으로 움직이면서 이 과정을 여러 번 반복한다. 그런 다음엔 손을 늑골궁 외측으로 몇 인치씩 이동시켜 거의 몸통 측면의 관상면과 만나는 지점까

[사진 12-3]

지 이동한다. 이 과정도 양쪽에서 2~3회 반복한다. 고객의 몸통을 비틀거나 돌리면서 위치를 변화시킬 수도 있다. 다시 말해 늑골궁을 올리면서 몸을 비틀거나 돌리며 또는 측굴시키는 동작도 가미시킬 수 있다는 뜻이다.

[사진 12-4]를 보면 치료사가 간 부위에서 테크닉을 적용하고 있다. 테크닉 시작점은 앞과 동일하다. 고객은 허리를 펴서 앉고, 치료사는 오른손 손가락을 검상돌기에서 간쪽으로 몇 인치 외측에 댄다. 고객이 상체를 숙이기 시작해 약 12~15인치 정도 이동하면 멈춘다. 이번엔 손가락으로 늑골궁 아래를 거는 대신 복벽 뒤쪽으로 가능한 깊게 압박한다. 손가락을 넣는 부위는 늑골궁 바로 아래가 아닌 몇 인치 아래쪽이다. 고객이 상체를 숙일 때 손가락을 피부와 표층근막의 느슨함을 모아 빠르게 복부 뒤쪽으로 밀면 최대한 뒤쪽으로 손이 이동한다. 이제 손가락이 복벽 뒤쪽으로 몇 인치 이동한 상태에서 고객의 상체를 우측으로 측굴시키면서 손가락 패

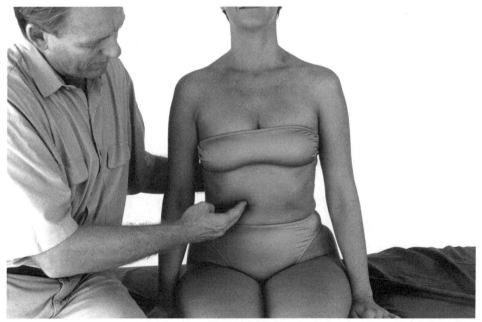

[사진 12-4]

드 전체로 넓게 간을 접촉하여 들어올린다. 보통 간의 조직은 매우 밀도감 있으면서 약간 딱딱한 느낌이 든다. 이 테크닉은 간과 횡격막을 이어주는 좌우 삼각인대 trangular ligament를 풀어준다. 호흡이 짧거나 외상을 당한 고객, 또는 횡격막 주변에 생긴 제한으로 인해 반사적으로 간에도 안 좋은 영향을 받은 고객이 종종 있다. 이런 고객들 중에 원래의 정형학적 문제 외에도 영양과 소화 문제를 호소하는 이들이 존재한다. 손을 옆으로 몇 인치 이동하면서 이 과정을 2~3회 반복하라. 고객의 허리를 바르게 세운 후엔 손을 뺀 다음 마치 연인을 만지는 것처럼 부드럽게 늑골궁 위에 대고, 그 부위로 호흡을 해보라고 요청하라. 손으로 간을 들어올리는 동작을 할 때 손이 닿는 부위로 호흡을 넣어보라고 요청해도 된다. 테크닉은 느리게 적용해야만 한다.

▍호흡횡격막과 위Respiratory Diaphragm and Stomach

여기서는 간과 호흡횡격막 테크닉의 연장선에 있는 테크닉을 소개한다. 먼저 치료사는 고객의 왼쪽으로 이동한다. 이는 위가 복부 중심선에서 약간 왼쪽 공간을 차지하고 있기 때문이다. [사진 12-5]를 보면, 치료사가 다시 고객의 왼쪽 늑골궁 아래를 왼손 손가락으로 걸고 있다. 이 지점부터는 이전과 동일한 과정으로 진행하면 된다. 먼저 고객의 상체를 앞으로 살짝 굴곡시키고, 동시에 왼손 손가락으로 늑골궁 아래에 건다. 그런 다음 고객의 허리를 바르게 세우게 하면서 5~10파운드 정도의 압력으로 늑골궁을 들어올린다. 늑골궁을 올려서 횡격막을 열어주면 위도 스트레칭 되면서 들린다. 위는 과식, 위궤양, 운동부족뿐만 아니라 다양한 원인으로 압박을 받아 복부 아래로 내려갈 수 있다. 위는 횡격막위인대phrenico gastric ligament에 의해 호흡횡격막에 부착되어 있는데, 이 테크닉은 횡격막을 열어주어 호흡 기능을 높일 뿐만 아니라 위와 주변 인대까지 스트레칭시킬 수 있다. 이 테크닉을 적용하

[사진 12-5]

면 예전에 위궤양을 앓다가 위가 주변 조직에 유착된 고객의 위벽을 스트레칭해준다. 이는 위궤양 병력이 있었던 고객의 위를 늘려주는 효과를 가져온다. 이 세션을 하다보면 15~20여 년 전에 위궤양을 앓았는데도 그것을 기억하지 못하는 고객이 많다는 사실을 알고 놀라곤 한다. 청소년들 중에도 위궤양으로 인해 유착이 일어나 나중에 영양과 소화 문제로 이어지는 이들이 많다.

[사진 12-6]을 보면, 치료사가 앞에서 소개한 테크닉을 좌우 양측에서 시행하고 있다. 치료사는 우선 고객의 뒤쪽에서 양손을 늑골궁 아래에 접촉한다. 이번엔 양손 손가락을 고객의 몸 중심선 바로 왼쪽 늑골궁 아래에 거는데, 이 부위는 식도가 횡격막을 관통해 지나가는 식도열공에 해당한다. 그렇기 때문에 이 테크닉은 때때로 식도열공탈장hiatal hernia이 생기거나 만성적으로 호흡이 짧은 고객에게 적용할 수 있다. 시작할 때 고객은 허리를 펴고 앉는다. 사진을 보면 테크닉을 진행하는 동

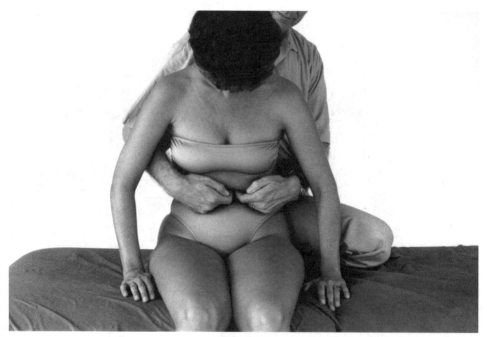

[사진 12-6]

안 고객이 어느 정도 상체를 숙일 수 있는지 알 수 있다. 고객이 몸을 굽힐 때 손가락을 등쪽으로 더 깊게 넣은 후 위로 들어서 심장을 향하면 식도열공으로 다가갈 수 있다. 이 부위는 신경이 많이 분포되어 있는데, 미주신경vagus nerve이 횡격막신경phrenic nerve과 함께 지나가고 있어서 테크닉에 매우 민감하게 반응한다. 또 다른 방법은 고객의 몸을 펴면서 손가락을 넣은 깊이와 압력을 유진한 채로 배꼽 방향으로 움직이는 것이다. 그렇게 하면 위와 횡격막을 서로 멀어지게 하면서 깊게 스트레칭시키는 효과가 있다. 앞에서 했던 테크닉과 마찬가지로 여기서도 고객에게 위, 횡격막, 또는 간 등의 접촉 부위로 호흡을 넣어달라고 요청하라. 고객이 상체를 굽혔다 펴는 과정이 한 번 끝날 때마다 여유를 갖고 쉬는 것도 호흡을 고르는 것만큼 중요하다. 손을 방금 테크닉을 적용한 부위에 부드럽게 대고 반대 손은 등 뒤쪽으로 부유늑골에 댄 다음 양손 사이로 아주 느리게 호흡해보라고 요청하라. 이렇게 2~3회 정도 호흡을 깊게 한 다음엔 필요하다면 같은 테크닉을 다시 적용한다.

▌ 치골결합 아래에 위치한 방광인대 Bladder Ligaments under the Pubic Symphysis

이 테크닉은 전통적인 치료법으로 잘 해결되지 않는 만성요통을 지닌 고객에게 놀라운 효과가 있다. 체성–내장 반사 somato-visceral reflex와 내장–체성 반사 visceral-somato reflex라는 것이 있는데, 이는 요방형근과 요추근막이 과도하게 긴장되어 반사적으로 골반기저부에 있는 장부에 문제가 생긴다거나, 방광감염 또는 다른 장부 문제로 인해 허리에 있는 연부조직에 반사적으로 문제가 발생하는 경우를 가리킨다. 여기서 소개하는 테크닉과 앞서 소개한 요근 이완법을 함께 사용하면 훌륭한 조합이 만들어진다. 왜냐면 이 반사로 인해 골반기저부를 효과적으로 열어주면 요추근막을 신장시킬 수 있기 때문이다. [사진 12-7]을 보면, 치료사가 손바닥으로 고객의 복부를 누르고 있다. 복부를 누른 손바닥이 1인치 정도 아래로 들어가 있기 때문에 이때 손끝은 치골 상단에 위치하게 된다. 치골결합 중심선 바로 위에서 시작하여, 마치 손가락끝을 치골 아래로 넣으려는 느낌으로 좀 더 깊게 복부 속으로 싱크 기법을 적용하라.

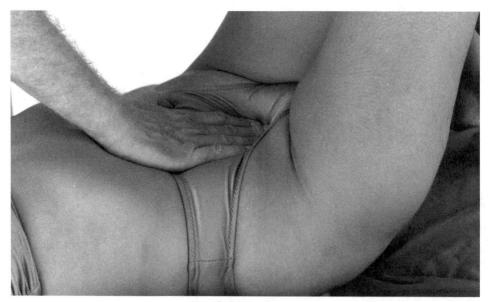

[사진 12-7]

[사진 12-8]에 보이는 것처럼, 일단 손가락끝이 치골결합 바로 아래로 들어간 느낌이 들면, 그리고 거기서 매우 단단한 조직 느낌이 전해지면, 압력을 유지하면서 고객에게 통증이 있는지 물어보라. 이 중심선과 바로 좌우 옆쪽에 여러 개의 트리거포인트를 발견할 수 있는데, 만약 고객이 통증을 호소하면, 그 지점에서 조직이 부드러워지거나 손가락이 조금씩 밀리는 느낌이 날 때까지 기다렸다가 다시 약 1/4인치 정도 좌우로 이동하여 이 과정을 반복한다. 손으로 압박을 할 때 치골결합에서 약 1인치 위쪽에 대고 시작하여, 딱딱한 조직이 아닌 복부의 느슨한 표층근막을 모아 들어간다. 이렇게 하면 손가락이 치골 아래로 접근하게 되어, 해당 부위에서 딱딱하거나 느슨한 조직감을 좀 더 명확하게 파악할 수 있다. 가하는 압력은 몇 파운드에서 10~15파운드 정도까지 조절하며, 그 강도는 항상 고객의 얼굴을 보고 반응을 확인한 후 허락을 구하여 조율한다. 아픈 부위와 그렇지 않은 부위를 확실히 구분하는 기준은 고객의 반응이기 때문이다. 손끝에서 이완감이 느껴질 때, 중요한 점은, 고객 또한 불편함이 풀리거나 이완되는 느낌을 받는다는 것이다. 만약 조직

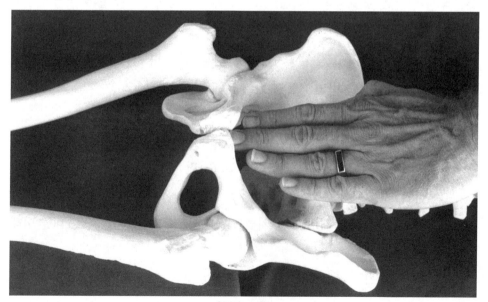

[사진 12-8]

에 제한이 많다면 한번에 모두 제거하길 기대하면 안 된다. 치료사는 방광과 치골 아래에서 방광과 연결된 조직 주변엔 다양한 인대와 신경이 존재하고 있다는 사실을 파악하고 있어야 한다.

그러므로 내용이 좋은 해부학책을 구해 골반기저부 섹션, 특히 비뇨생식계와 관련된 장부를 확인하길 권한다. 이 테크닉의 핵심은 느슨한 조직을 충분히 모아 치골결합과 그 주변부로 진입하는 것에 있다. 이 부위는 매우 통증이 심한 부위이다. 따라서 손바닥을 복부에 대고 하부로 압박하며, 손끝이 치골 위쪽 1인치 이상 위에서부터 치골 아래로 미끄러지듯 들어가야 훨씬 쉽게 원하는 부위에 도달할 수 있다. 고객에게 꼬리뼈를 아주 미세하게 천장 방향으로 움직인 후 테이블 방향으로 되돌리는 동작으로 보조해달라고 요청해도 된다. 양발 사이는 살짝 벌리고 무릎은 서로 모아 세워서 다리에 긴장이 발생하지 않게 해야 한다는 사실도 기억하고 있어야 한다. 그렇게 하면 복직근이 느슨해져 테크닉을 적용하기가 훨씬 쉽다. 고객들 중엔 무릎이 서로 잘 안 붙는 경우도 있다. 이때는 줄로 무릎 사이를 가볍게 고정하면 발과 복부의 긴장을 빼는 데 도움이 된다. 마지막으로, 테크닉을 적용하는 부위로 호흡을 넣게 하는 것도 중요한 사항이다. 방금 테크닉을 시행한 부위에 손을 살포시 올리고 호흡을 유도하면 도움이 된다.

| 테크닉 적용 과정: 치골결합 아래에 위치한 방광인대 |
고객의 자세: 앙와위. 무릎을 굽힌다. 필요하면 양무릎을 스트랩으로 묶는다.
① 손바닥을 고객의 복부에 대고 손가락 끝은 치골 상단에 놓는다.
② 부드럽게 복부 아래로 싱크 기법을 쓰면서, 조심해서 손가락을 치골 아래로 향한다.
③ 딱딱한 조직이 발견되면 고객에게 통증 여부를 확인한다.
④ 통증 부위에서 홀드 기법을 쓰면서 조직이 부드러워질 때까지 기다린다.

⑤ 조직이 부드러워지는 느낌이 나면 살짝 손가락을 뒤로 빼서 좀 더 내측 또는 외측으로 움직이며 다른 통증 부위를 찾는다.

⑥ 움직임 요청 방법

▸ 꼬리뼈를 천장 방향으로 움직여주세요.

▸ 꼬리뼈를 테이블 방향으로 움직여주세요.

▌방광과 배꼽 사이에 있는 방광인대
Bladder Ligaments between the Bladder and the Umbilicus

이 테크닉은 바로 앞에서 했던 방광 이완과 이어지지만, 여기서 소개하는 것은 방광과 골반기저부가 지나치게 민감할 때 사용할 수 있다. 방광은 세 개의 인대를 통해 배꼽에 매달려 있다. 중심인대central ligament와 두 개의 측부인대lateral ligaments가 그것인데, 이들은 중심선 옆에서 약 1/2인치 거리에 위치한다. 먼저 치료사는 [사진 12-9]에 보이는 것처럼 양손 엄지손가락으로 접촉하거나 또는 [사진 12-10]에 보이는 것처럼 손가락을 모아서 해당 부위에 접촉할 수 있다. 처음엔 양손 엄지손가락을 몸의 중심선에서 치골결합 바로 위에 대고 복직근 안으로 싱크 기법을 통해 들어간다. 여기가 바로 방광인대가 위치한 곳이다. 방광인대는 실제로 복직근 뒷면에 있다. 일단 복직근 안으로 매우 느리게 압박을 하며 들어가면 가는 줄처럼 느껴지는 것이 배꼽 아래쪽에서 느껴진다. 이게 인대로 느껴지든 아니든 양손 엄지손가락으로 한 번에 1~2인치 정도 아래쪽에서 위쪽의 배꼽 방향으로 밀고 올라간다. 이때 고객에게 꼬리뼈를 약간 든 후 테이블 방향으로 움직이라고 요청한다. 이렇게 하면 골반기저부를 여는 데 큰 도움이 된다.

일단 중심선에서 배꼽까지 올라간 후엔, 다시 치골결합 조금 위쪽으로 되돌아와서 반복한다. 하지만 이번엔 엄지손가락이나 다른 손가락을 중심선 약간 옆

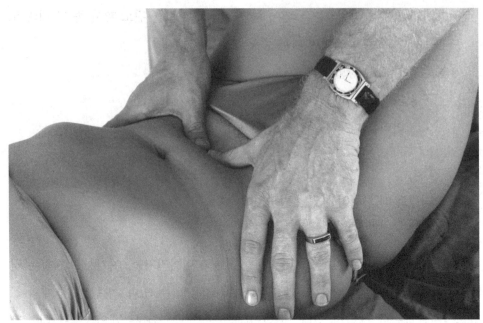

[사진 12–9]

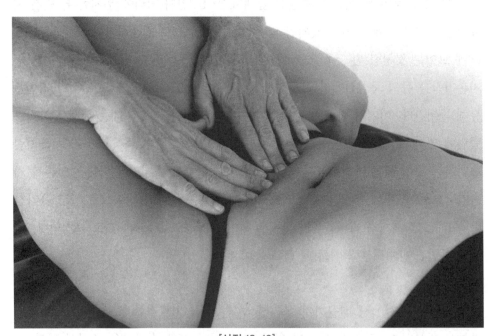

[사진 12–10]

쪽으로 이동시켜서 한 번에 몇 인치씩 배꼽 방향으로 밀고 올라간다. 시험적수술 exploratory surgeries, 복강경검사, 자궁절제술, 충수돌기절제술 등 골반기저부에서 수술을 받았던 분들이 이 테크닉으로 얼마나 많이 효험을 보는지 알게 되면 여러분은 아마 깜짝 놀라게 될 것이다. 수술과 소장문제로 인해 복막과 골반에는 정말 많은 유착이 발생한다. 하지만 이 테크닉을 받은 고객들은 이러한 유착이 풀려 매우 자유로워지는 느낌을 얻곤 하는데, 특히 세션이 끝나고 일어서서 살펴보면 그 느낌이 더욱 크게 다가온다. 세션이 끝난 후에 반드시 상기시켜야 할 것이 두 가지 있다. 먼저, 복부에서 세션을 한 이후엔 항상 테크닉을 적용했던 부위에 손을 대고, 그곳으로 느리고 편안하게 호흡을 해달라고 요청해야 한다. 다음으로, 고객이 일어나면 다시 한번 손을 복부와 요추 앞쪽과 뒤쪽에 대고, 손 사이의 몸을 이완한 후 그 사이로 호흡을 해달라고 요청한다. 특히 트라우마 병력이 있는 고객에게 이러한 세션을 할 때는 틈나는 대로 복부로 호흡을 할 수 있도록 지도해야 한다.

| 테크닉 적용 과정: 방광과 배꼽 사이에 있는 방광인대 |

고객의 자세: 앙와위. 무릎을 굽힌다. 필요하면 양무릎을 스트랩으로 묶는다.

① 고객의 머리 방향을 보고 서서 양손 엄지손가락이나 손가락끝을 중심선에서 치골결합 바로 위쪽에 대고, 싱크 기법을 써서 복직근 안으로 접근한다.

② 방광인대를 풀기 위해 부드럽게 복부 안쪽으로 압박을 가한다.

③ 통증 부위를 찾으면서 위쪽의 배꼽 방향으로 글라이드 기법으로 올라간다.

④ 치골결합 위쪽으로 돌아와 다시 반복한다.

⑤ 최대 3회 이상 반복한다.

⑥ 움직임 요청 방법

 ▶ 꼬리뼈를 앞뒤로 움직여주세요.

 ▶ 복부로 호흡을 넣어주세요.

▌장골근과 맹장 Iliacus and Cecum

종종 간과되곤 하는데, 사실 장요근 세션 도중에 풀어주면 매우 좋은 효과를 볼 수 있는 부위가 바로 이곳이다. 특히 여기서는 맹장에 부착된 두 개의 인대를 풀어준다. 소장과 대장을 잇는 회맹판이 존재하는 하행결장의 하부 영역을 해부학 책에서 확인하기 바란다. 또한 여기서 소개하는 테크닉은 하지의 내전근군과 근막으로 연결되어 있는 장골근을 이완할 때에도 좋은 결과를 가져온다. [사진 12-11과 12-12]를 보면 치료사가 손가락끝을 ASIS 안쪽에 대고 있다. [사진 12-11]을 보면, 고객은 다리를 펴고 있는 모습이 보인다. 앞에서 했던 것처럼 고객의 무릎을 굽혀 서로 붙이면 테크닉을 적용하기 훨씬 쉬워진다는 것을 알게 될 것이다.

시작점은 ASIS 내측이다. 느리고 점진적인 압력을 가해 손가락이 장골 커브를 따라 들어갈 수 있게 한다. 손가락을 요근을 향해 넣는다거나 또는 내측의 척추로 향하는 것보다는, 마치 장골 모양을 따라 미끄러져 들어간다는 느낌으로 테크닉을 적용한다. 여기는 대부분의 사람들이 매우 민감하게 반응하는 부위이다. 왜냐면 이 부위에서 5개의 근막층이 서로 만나기 때문이다. 또한 몸통과 골반이 다리와 만나는 부위이기 때문에 다양한 연부조직, 신경, 순환계가 얽혀 있다. 세션을 하는 중에 늘 고객의 얼굴과 호흡을 주의 깊게 관찰하고, 고정되었거나 딱딱한 조직의 제한 장벽을 만날 때까지 압력을 지속적으로 가한다. 그리고 제한 장벽을 마주치면 기다리며 홀드 기법을 적용하면서 압력을 지속적으로 유지한다. 또한 고객에게 손가락 끝이 닿는 부위로 호흡을 넣어달라고 요청한다. 고객이 숨을 내쉴 때 이완할 수 있도록 지도하라.

또 다른 방법으로는, 고객에게 꼬리뼈를 위로 들거나, 반대로 테이블을 누르라고 요청할 수도 있다. 치료사의 손가락끝이 닿는 주변엔 적어도 5개의 근막층이 존재하기 때문에, 이 5개의 층이 이완되는 느낌을 매우 잘 느낄 수 있다. 하지만 한

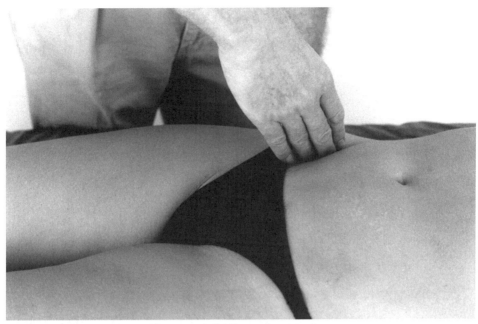

[사진 12-11]

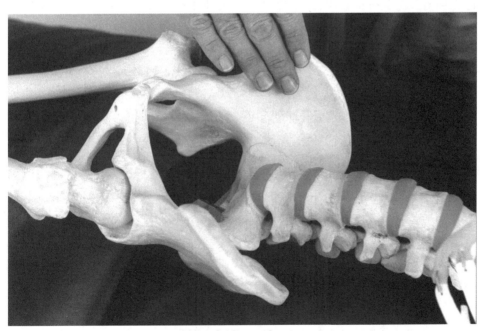

[사진 12-12]

번의 이완이면 충분하다. 매우 민감한 부위이기 때문에 이 부위 세션에 익숙하지 않은 고객에겐 주의해서 접근하도록 한다. 일반적으로 이곳에 세션을 하다가 요근을 이완시키는 기법으로 되돌아가는 것도 좋은 방법이다. 이러한 종류의 세션에 익숙한 고객에게 테크닉을 적용한다면, 발과 다리를 테이블에서 1인치 정도 떼도록 하여 같은 방식을 적용할 수 있다. 하지만 이 방법을 쓸 때는 매우 주의해야 한다. 테크닉은 고객의 다리 방향 또는 측면에서 진행하는데, 이 경우 고객의 오른다리나 오른발 부위가 된다. 고객이 다리를 들면 손가락끝 아래의 조직이 당기는 느낌이 나는데, 이때에도 약 10~15파운드 또는 그 이상의 압력을 유지하는 것이 중요하다. 그런 다음 고객에게 다리를 매우 느리게 펴달라고 요청한다. 이때 발이 테이블 위에서 1인치 정도 들려 있어야 한다. 다리를 다 펴면 곧바로 다시 굽히게 한다. 그리고 다리를 굽힐 때 압력을 푼다. 여기서 중요한 점은 맹장 뒤쪽과 요근이 서로 인대로 이어져 있다는 사실이다. 이게 의미하는 바는 만성변비, 과민성대장 문제, 다른 형태의 영양학적 문제와 장 문제로 인해 반사적으로 요근과 허리에 문제가 발생할 수 있다는 것이다. 이 테크닉은 요통, 천골 문제, 다리 문제, 그리고 다른 종류의 테크닉에 효과를 못 보는 고객에게 추천한다.

| 테크닉 적용 과정: 장골근과 맹장 |

고객의 자세: 앙와위. 무릎을 굽힌다. 필요하면 양무릎을 스트랩으로 묶는다.

① 손가락끝은 ASIS 내측에 댄다.

② 점진적으로 압력을 가하여 손가락이 장골 내측의 커브를 타고 내려가게 한다.

③ 그냥 뼈 모양을 따라간다.

④ 제한을 발견하면 기다린다. 압력을 유지한 채로 홀드 기법을 적용하고 부드러워질 때까지 기다린다.

⑤ 기다리면서, 고객에게 손가락끝이 닿는 부위로 호흡을 넣어달라고 요청한다.

⑥ 고객이 숨을 내쉴 때 이완할 수 있게 지도한다.

▌장골근과 S상결장llicus and Sigmoid Colon

이번에 소개하는 것은 장골근과 맹장 테크닉과 같아 보인다. 하지만 똑같지는 않다. S상결장은 맹장과는 매우 다른 구조물이기 때문이다. [사진 12-13]을 보면 치료사가 고객의 왼편에서 손가락끝을 ASIS 바로 내측에 접촉하고 있다. S상결장은 대장 끝부분에 위치하며, 해부학 책을 보면 그 모양이 집에 있는 세면대의 배수관과 비슷하게 생겼다. 이 구조물은 커다란 S자 커브 모양으로 되어 있으며 장골와에 있는 장골근 외측을 따라 이어진다. S상결장은 S상결장 간막이라 불리는 특별한 막을 지니고 있는데, 이 간막에 의해 S상결장이 요근이 아닌 장골에 부착된다.

치료사는 손가락끝을 맹장 이완을 설명하는 페이지에서 소개했던 방법보다 더 각도를 주어 골반기저부로 향한다. 각도가 중요한 이유는 S상결장이 골반기저부에서 좀 더 깊은 곳에 위치하기 때문이다. 테크닉을 적용하는 방식은 이전에 설

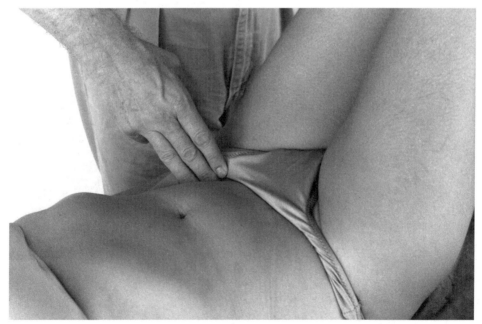

[사진 12-13]

명했던 것과 본질적으로 유사하다. 우선 고객은 무릎을 굽히고 발과 다리를 테이블에서 뗀 채로 무릎을 편다. 치료사는 고객이 꼬리뼈를 앞뒤로 주기적으로 움직이는 것에 따라 한층 한층 나아가면서 테크닉을 적용하기만 하면 된다. [사진 12-14]에는 엄지손가락이나 손가락끝을 활용해 양측에서 테크닉을 하는 모습이 보인다. 이 경우 엄지손가락을 써야 각도를 유지하기 쉽다. 엄지손가락이 ASIS 바로 내측에서 복부로 잠겨들게 한 후 첫 번째 제한장벽이 느껴질 때까지 압력을 가한다. 그런 다음 ASIS에서 배꼽으로 이은 가상의 선을 따라 1~2인치씩 숟가락으로 떠올리듯 나아간다.

이전과 마찬가지로 고객에게 꼬리뼈를 위쪽과 아래쪽으로 움직여달라고 요청한다. 이 기법을 골반 양쪽에서 모두 적용하면 극적인 효과를 보기도 한다. 특히 하복부와 골반에서 충수돌기절제술, 제왕절개술, 복강경검사, 자궁절제술 등과 같은

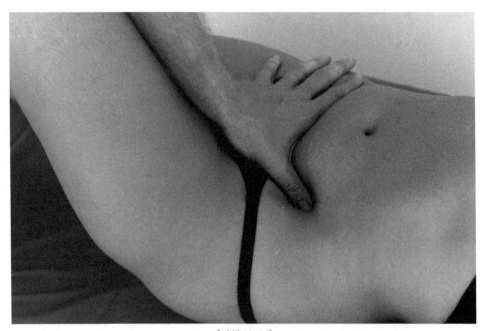

[사진 12-14]

수술 이력이 있는 고객에게 큰 도움이 된다. 이 테크닉을 맹장 우측에서 적용한다면 회맹판의 톤을 살리는 효과도 얻을 수 있다. 이들은 모두 골반기저부 그리고 하지의 내전근과 근막으로 연결되어 있다. 일반적으로 하지의 내전근에 테크닉을 적용해도 장요근에 영향을 미칠 수 있다. 그렇다면 이 둘을 함께 하고, 요추근막에서 전체 세션을 끝내도 된다. 이 세 종류의 테크닉을 합쳐 자세지지근막postural support fascia을 푸는 중요한 삼부작이라고 할 수 있다.

| 테크닉 적용 과정: 장골근과 S상결장 |

고객의 자세: 앙와위. 무릎을 굽힌다. 필요하면 양무릎을 스트랩으로 묶는다.

① 엄지손가락이나 손가락끝을 이용하여, 골반 왼쪽에서 들어간다.

② 벡터는 ASIS 내측에서 골반기저부를 향한다.

▌ 장간막 뿌리와 십이지장 촉진Root of the Mesentery and Palpation of the Duodenum

[사진 12-15]를 보면 치료사가 대장과 배꼽 사이에 있는 십이지장에 손을 접촉하고 있다. 십이지장은 복직근 표면 바로 아래에 위치하며, 만졌을 때 작고 탄성이 있는 튜브 느낌이 난다. 치료사의 손가락은 대략 오디괄약근sphincter of oddi에 위치해 있다. 이 부위를 시계 방향으로 작은 원을 그리며 마사지해주면 오디괄약근의 톤을 정상화시킬 수 있다.

[사진 12-16]을 보면 치료사의 손은 십이지장공장 결합부duodenojejunal junction에서 ASIS를 잇는 선상에 위치하고 있다. 부드럽게 복벽 뒤쪽으로 파고들면 장간막의 뿌리를 느낄 수 있다. 복부에 수술을 받은 사람들은 이 부위 근막이 항상 짧아져 있기 때문에 이완시켜줄 필요가 있다. 고객에게 무릎을 굽힌 다음 양발 사이는 벌리고 무릎은 서로 붙이게 하면 복부 긴장이 떨어지기 때문에 테크닉을 적용하기 쉬워진다. 천천히 테크닉을 적용하되 대동맥을 압박하지 않도록 주의한다.

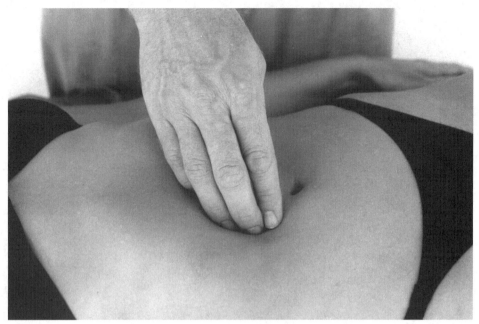

[사진 12-15]

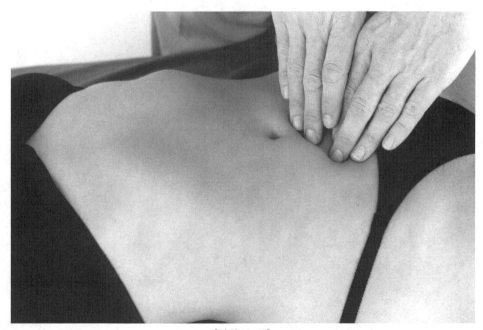

[사진 12-16]

~ **Part 3**

유용한 아티클 모음

Chapter 13

구조통합
모델

The Structural Integration Model
of Ida P. Rolf, Ph.D., by Michael J. Shea, Ph.D.

> 롤퍼가 세우는 치료 전략 중에는 구조를 형성하고 유지하는 근막시스템과 인체의 가소성을 연계시키는 작업이 존재한다. 근막시스템이 중배엽에서 기원되었다는 사실을 기억하라. 롤퍼는 오직 이 근막시스템만을 직접적으로 다루며, 근막시스템을 통해 신체 전체의 기능을 변화시킬 수 있다. 롤퍼는 인체가 올바로 직립할 수 있게 도우며, 근막의 화학적 탄성을 변화시켜 지속적인 변화를 창출한다. 또한 근막이완이라는 치료 도구를 활용해 인체의 각 부위를 효과적으로 구분하여 치료한다. 어떻게 수천 년 동안 이 근막시스템을 제대로 활용할 생각을 한 인간이 없었는지 도무지 이해할 수가 없다.
>
> – Rolf, 1978

아이다 롤프 박사는 성인이 된 이후 대부분의 삶을 인체의 연부조직을 구조화하고 통합할 수 있는 모델을 만드는데 투자하였다. 이 모델은 1960년대부터 공식적으로 롤핑Rolfing 또는 구조통합structural Integration이라는 이름으로 불리기 시작했다. 아이다 롤프는 롤핑, 근막이완, 구조통합, 심부조직워크 등의 용어를 다양하게 사용하며 글을 썼다. 하지만 이들은 모두 같은 원리에 기반한다. 사실 이러한 바디워크 원리는 1920년대 초반, 그녀가 10대였을 때부터 시작되었다.

아이다 롤프는 다양한 치료 원리에 영향을 받았다. 특히 생화학, 동종요법, 요가, 정골요법의 영향을 많이 받았는데, 생화학 박사 과정을 밟을 때 독특하고도 복잡한 막시스템의 속성을 이해하게 되었다. 그녀는 1930년대 생화학을 공부하고 뉴욕 록펠러 연구소에서 생화학 분야 연구를 수행하면서 동시에 핸즈온hands-on 기법도 배웠다. 이를 통해 인체가 가소성을 지닌 매질이라는 사실을 이해하게 되었다. 가소성 원리는 인체 구조를 기계적으로 바라보는 정골요법이나 일반 의학과 매우 차별화된 원리이다. 이 원리는 양자 레벨까지 복잡 다단한 형태의 연구가 이루어지고 있다. 현재는 막시스템을 단지 가소성 관점에서뿐만 아니라, 전기적, 화학적, 전자기적 요소로 바라보는 관점까지 존재한다.

근육과 이를 둘러싸고 있는 막, 즉 근막은 연부조직이다. 인체가 가소성을 지닌 매질이라는 관점에 대해서는 수많은 연구가 이루어졌고 여전히 사실로 남아있다. 이는 생화학뿐만 아니라 양자역학과 심리학 원리에 의해서도 뒷받침되고 있다. 인체 가소성 원리는 단순하게 보면 생각과 감정이 인체 구조에 영향을 미치고 동시에 인체가 감정적 삶에 영향을 준다는 결론을 이끌어낸다(Pert, 1997). 이러한 정신신체적 원리psychophysical principle는 필연적으로 인체가 가소성을 지닌 매체plastic medium라는 구조통합 원리와 이어진다. 아이다 롤프가 제시하는 원리를 이해하기 위해서는 인체가 유동적 매체fluid medium라는 관점을 받아들여야 한다.

아이다 롤프는 "같은 것으로 같은 것을 치료한다like treats like"는 동종요법 원리의 영향을 받았다. 여기서 중요한 측면은 바로 치료 전략이다. 양파 껍질이 층층으로 쌓여 있어서 이를 깔 때도 한층 한층 벗겨나가듯, 어떠한 질병을 치료하더라도 바깥에서 안쪽으로 층을 벗겨내면서 그 과정이 진행되어야 한다. 발생학적으로 보면 인체는 전체적으로 발전한다. 따라서 치료 또한 늘 전체적으로 이루어져야 한다. 아이가 태어난 후 일단 두 발로 서면 이후의 발달은 양방향으로 진행된다. 지구가 바닥에서 꼭대기로 우리를 발전시키는 방향이 그 하나이고, 사회가 우리를 앞에서 뒤로 발달시키는 것이 그 두 번째이다. 아이다 롤프는 인체의 얕은근막층을 구조화시키고 통합시킨 후에 깊은근막층에 접근해야 한다는 근본적인 치료 전략을 제시했다. 이는 문제가 침투한 바로 그 레벨을 직접적으로 다루어야 해당 문제를 풀어낼 수 있다는 그녀의 생각에 기반을 두고 있다. 다시 말해, 빠르게 달리는 자동차에 치여 트라우마를 겪은 환자는 좀 더 깊은 층에 존재하는 신체 조직까지 다루어야 자동차 사고에 의해 생긴 충격을 다룰 수 있다.

동종요법에서 다루는 "같은 것으로 같은 것을 치료한다"는 원리나 증폭 원리 등에 "고통 없이는 얻는 것도 없다no pain no gain"는 기독교적인 은유가 결합되어 구조통합이 탄생했다. 이 은유는 6세기 기독교 교부인 안티옥의 이그나티우스Ignatius of Antioch에서부터 비롯되었는데, 여기에는 삶을 투쟁과 고통의 일종으로 바라보는 관점이 담겨있다. 이 관점에서는 인체를 병들고 원죄를 지닌 만악의 산실로 본다. 그래서 비난과 비방을 받아 마땅하기 때문에 고통의 시험을 거쳐야 구원을 얻을 수 있다고 여긴다. 아이다 롤프가, "외력을 가하여 해부학적으로 올바른 위치로 조직을 배열한 후 움직임을 요청하라"고 했던 구조통합의 근간에는 이와 비슷한 원리가 담겨 있다고 볼 수 있다. 이때 가해지는 힘의 양이 매우 커야 할 수도 있다. 그래서 초창기 구조통합에서는 인체에 근막이완요법을 적용하며 압력을 줄 때 세션을 진행하는 한 시간 내내 큰 힘을 적용했다. 하지만 현재는 인체 조직에 깊은 압력을 가하는 방식은 세션의 일부분에서만 적용된다. 따라서 1960년대나 1970년대의 롤퍼보다 현대의 롤퍼가 제공하는 심부 조직 이완 방식을 더 신뢰해도 좋다.

아이다 롤프 또한 인체의 구조와 기능이 분리될 수 없다는 정골의학 원리를 결국엔 수용했지만, 롤프뿐만 아니라 초기 정골의학 전문가들은 구조를 변화시켜 기능에 영향을 주는 방식을 인체 이해의 기본으로 삼았다. 비록 그녀가 롤핑을 할 때 심리적인 측면을 너무 깊게 파고들지 말라는 주장을 했지만, 롤핑 기법은 심리적인 측면이 형태와 구조에 미치는 영향을 좀 더 섬세하게 반영하는 방식으로 진화하기 시작했다. 구조를 변화시키면 모든 영역에서 기능이 변하며 롤핑을 적용하면 곧바로 바뀌는 구조도 있다. 하지만 신경계, 면역계, 림프계, 심혈관계의 기능은 좀 더 오랜 시간을 두고 느리게 변한다. 즉, 롤핑과 같은 기법을 통해 특정 구조를 직접적으로 변화시키면 인체에 있는 다른 시스템 모두가 간접적인 영향을 받는다. 아이다 롤프 또한 과학적 환원주의와 뿌리 깊은 데카르트 이원론, 즉 몸과 마음이 분리되어 있다는 생각을 자신만의 방식으로 극복해 보려고 노력했다. 그녀는 몸과 마음이 인체의 구조와 기능이라는 물리적 영역 안에 분리될 수 없는 형태로 존재한다고 주장했다. 하지만 그녀는 항상, "여러분은 오직 몸에만 손을 댈 수 있다"는 말을 하곤 했다. 그렇기 때문에 롤프 박사는 인체의 막시스템에 초점을 맞췄다. 막시스템에 주된 초점을 맞추는 방식 또한 정골의학에서 영향을 받았다.

아이다 롤프는, "인체가 중심수직축central vertical axis 주변에 정렬alignment되면 최적의 기능이 발현된다"는 생각을 기반으로 롤핑을 발전시켰다. 롤핑의 목적은 10 세션 안에 이러한 정렬 상태를 구축하는 것이다. 이 원리는 수 년간 발전하여 중력, 사고 등에 의해 유발되는 외부 압박력external compressional forces과 역동적 긴장, 균형적 긴장, 상호적 긴장 등과 같은 내부 팽창력internal expansive forces 사이에 좀 더 균형잡힌 관계를 형성하는 방식으로 진화하였다. 인체 내부에서 균형을 유지하는 힘에는 세포막에 가해지는 유압과 같은 생체운동적biokinetic 힘과 호흡, 심박동, 두개천골리듬 등과 같은 생체역학적biodynamic 힘도 포함된다. 이러한 힘은 세포핵에 있는 DNA에 의해 생성되는 활동전위action potentials에도 보이며, 그 힘은 세포막으로 퍼져나가거나 복잡한 생전기적bioelectric, 생화학적biochemical 반응을 통해 전달되기도 한다. 염증을 유발하는 식사습관으로 인해 스트레스를 받은 내피세포에서 이런 반응이 특히 많이 일어난다.

중심수직축은 부력(위로 떠오르는 힘)과 중력(아래로 당기는 힘) 사이에서 균형을 유지하고 있는 이론적인 선이며, 이 선은 살아서 움직이는 인체에서 끊임없이 이동한다. 전통적인 형태의 롤핑에서는 척추 앞부분에 중심수직축을 설정하여 인체를 정렬하려고 노력했다. 하지만 고정된 형태의 중심수직축은 인체가 구조화되고 통합되는 과정에서 지속적으로 유지되진 않는다. 인체의 외형에 지속적으로 영향을 주는 다양한 형태의 사회문화적 관계(예를 들어, 가족, 친구, 학교 등)가 존재하며, 또한 다양한 형태의 인체 시스템과 여러 종류의 몸/마음 변수 사이의 내적이고 개인적인 관계도 존재한다(Pincus & Callahan, 1995). 여기서 핵심은 대칭symmetry이 아니라 균형balance이다. 인간은 발생학적으로 대칭적으로 성장하도록 디자인되지 않았다(Blechschmidt & Gasser, 2012). 균형은 무작위적이거나 고정된 자극에 의해 즉각적으로 변하며 유연성을 발휘하는 그 무엇이다. 균형은 인체에 존재하는 모든 종류의 액체가 만들어내는 부력에 의한 상승력lift of buoyancy과 막에 가해지는 중력에 의한 견인력drag of gravity 사이에서 형성되는 실질적인 동적평형equilibrium or equipoise 상태이다. 인체의 동적평형에는 몸의 다양한 부위와 끊임없이 변하는 외부 환경 사이의 관계도 포함된다. 이러한 인체 변화 과정은 아이다 롤프 박사의 작업에 있어 중요한 부분을 차지한다.

이러한 관계 개념notion of relationship은 롤핑의 근본 원리를 형성한다. 그러므로 아이다 롤프가 제시하는 관계 개념은 구조통합 요법을 이해하는 핵심 요소이다. 그녀는 명확한 관찰 기법을 개발시켜 막시스템 내에서 이러한 관계를 검사할 수 있어야 할 뿐만 아니라, 롤핑 기법이 인체에 형성하는 관계까지 이해하는 것이 중요하다고 강조한다. 그래서 롤프는 인체를 관찰하는 학생들에게 "관계를 볼 수 있나요?"라는 질문을 자주하곤 했다. 인체를 형성하는 다양한 구조물들은 모두 막시스템과 연계되어 있다. 그녀는 롤핑을 배우는 학생들에게 발목의 비틀림에 의해 다리, 허리, 견갑대와 골반대가 어떻게 연쇄적으로 보상하는지 볼 수 있기를 종용했다. 발목이 삔 현상을 인체의 다른 부위와의 관계를 무시한 상태에서 보면 충분한 치료를 하기 어렵다.

롤프는 이러한 관계를 보려는 학생들에게 인체를 단지 대칭 관점에서 객관적으로 보는 것은 불가능하다고 주장했다. 롤핑 치료를 하는 치료사의 느낌을 주관적으로 1자 관점에서 경험하고 좀 더 깊은 차원에서 이해하기 위해서는 대인관계 신경생물학interpersonal neurobiology을 공부해야 할 수도 있다. 어찌보면 관계야말로 모든 것이다. 하지만 롤핑을 배우는 초기에 대인관계 신경생물학이라는 새로운 과학까지 커리큘럼을 확장해서 배운다는 것은 쉽지 않다. 일단은 롤핑이 아우르는 복합적이고 통합적인 치료 전략을 배우는 것만으로도 충분하다. 하지만 요즘처럼 생명의 연결성에 대한 이해가 높아지고 문화가 성숙한 시대에서는, 치료사뿐만 아니라 고객 모두 대인관계 신경생물학이라는 새로운 과학을 배울 필요가 있다(Siegel, 1999).

마음챙김Mindfulness은 요즘 떠오르는 영역으로, 도수치료와 함께 적용했을 때 통합적인 치료를 이끌어낼 수 있다. 마음챙김에서는 살아있는 몸을 의식적으로 경험할 수 있다고 주장한다. 마음챙김은 판단이나 해석없이 지속적으로 체화embodiment를 해나가는 과정이다. 치료사가 인지하는 것은 그의 감각 경험과 이어져 있다. 그렇기 때문에 치료사는 치료 과정에서 발생하는 느낌, 감정, 감각을 의식적으로 알아채고 연계시켜 이를 고객 학습에 적용시킨다. 사실 감각을 의식적으로 알아채는 것 자체가 치유를 촉진한다. 중력장 안에서 중심수직축 주변에서 느껴지는 감각과 느낌을 기반으로 고객을 교육시키는 법을 추구한다는 점에서 보면 롤핑 또한 일종의 마음챙김 예술이다. 모든 생명 시스템은 그 내부에 흐름이 있다. 그러므로 유체역학적인 몸의 내부 움직임을 인지하기 위해서는 감각을 집중해야 한다. 이러한 감각 인지가 제대로 이루어지려면 치료사와 고객이 서로 협력하여야 한다. 고객은 치료사를 느끼고 동시에 치료사도 고객을 느낀다. 이러한 공명이야말로 마음챙김의 핵심이다. 그러므로 롤핑을 통해 치료 효과를 높이기 위해서라도 관계에 대한 깊은 이해가 필요하다. 이때의 관계란 바로 치료사의 감각 인지와 고객의 감각 인지 사이의 관계이다.

아이다 롤프의 작업은 인본주의 심리학의 전체론적 원리(Maslow,1971)와 새로운 생물학(Harman, 1995)을 기반으로 진화해왔다. 전체론 개념은 몸과 마음이 분리될 수 없다는 생각을 포함하는데, 이는 구조와 기능의 분리 불가능성과 매우 유사하게 느껴진다. 몸과 마음은 구분되지만 동시에 분리 불가능하다. 매슬로^{Maslow}는 이렇게 모호한 측면을 의식적으로 견지하는 능력이야말로 자아실현을 이루는 사람의 특징이라고 말한다. 매슬로의 말이 단지 몸/마음의 모호성을 견지하고 살아가라는 뜻은 아니다. 오히려 삶에서 맞닥뜨리는 다양한 모호성과 모순성을 존재론적인 측면에서 수용하고 의미 있게 받아들이라는 뜻이다. 롤핑은 몸과 마음간의 상호작용이 복잡하다는 사실을 중심 원리로 수용하고 있으며, 몸의 자기조율^{self-regulation} 능력을 촉진시킨다. 자기조율은 자율신경계 항진을 낮추었을 때 느껴지는 내적 감각이며, 뇌, 심장, 체액의 상호연결성을 의식적으로 체화했을 때 생기는 기능이다. 이 자기조율 능력은 회복력을 키운다(Davidson & Begley, 2012). 이러한 생명 원리는 구조통합의 핵심이지만 고객들에겐 잊혀져 있는 것 같다.

롤핑은 고객 신체에 일련의 치유 환경 또는 공간을 마련하며, 이를 통해 체액의 흐름을 원활하게 해준다. 이러한 맥락에서 볼 때 롤핑(또는 다양한 종류의 도수치료)을 잘 하기 위해서는 입체적인 시야가 필요하다. 한편으로 중심수직축을 기준으로 균형을 잡아 웰빙을 이루게 하고, 다른 한편으로는 체액이 막힘없이 흐르게 하여 형태와 구조를 바르게 한 후 신체의 구조통합을 이루게 하는 것이 롤핑 전문가가 하는 일이기 때문이다(Conrad, 2007). 따라서 롤퍼는 입체적인 시야로 전체를 보면서 특수한 테크닉을 적용할 수 있어야 한다. 유동적인 막시스템은 학습을 위해 디자인되었다. 롤핑은 이러한 생물학적 법칙을 촉진한다. 인체를 구성하는 분자의 99퍼센트는 물분자로 알려져 있다(Pollack, 2013). 그렇기 때문에 이러한 생물학적 특징을 잘 활용해야 롤핑을 효율적으로 할 수 있다. "롤퍼는 항상 변하고 움직이는 현상에 익숙해져야만 한다"(Rolf, 1978, p. 53).

밖에서 시작하여 안으로 작업을 해나가라. 대부분의 도수치료 전문가는 그들이 "원인"이라고 부르는 부위, 즉 안에서 시작한다. 그게 원인일 수도 있지만, 어쨌든 상관없다. 당신은 원인 부위에서 시작할 수 없다. 문제를 풀어낼 수 있는 부위에서 시작해야만 한다(Rolf, 1978, p. 153).

Chapter 14

자율신경계
표현

전통적으로, 자율신경계는 교감신경계와 부교감신경계가 대결구도를 이루고 있으며, 교감신경계가 투쟁-도피 반응을 이끈다고 간주되어 왔다. 하지만 최근의 패러다임에서는, 이 두 시스템을 서로 적대적으로 간주하지 않고 오히려 교감신경계가 신경근계neuromuscular system와 내장계visceral system 사이에서 주된 중재자 역할을 한다고 여긴다(Korr, 1979). 모든 연부조직엔 교감신경이 분포되어 있다. 하지만 겉으로 보기에 부교감신경은 연부조직에 존재하지 않는다. 심혈관계 전체, 즉 인체의 모든 혈관엔 교감신경이 분포한다. 그러므로 교감신경계가 혈관운동계를 조절한다. 다시 말해, 심박과 혈류는 교감신경계에 의해 통제된다. 미주신경은 부교감신경계의 75퍼센트를 차지하는데, 이 신경이 심장과 내장 시스템을 어느 정도 통제한다. 몸 전체를 통해 일어나는 모든 일들이 교감신경적이다. 이는 혈관의 수축과 확장(혈관운동)이 교감신경계를 통해 조절되기 때문이다.

부교감신경의 일부는 내장계(소화와 관련 있는 모든 장부) 조절을 돕고 내장신경계와 연결되어 중추신경계와 상호작용한다(Camilleri, 1993). 부교감신경계의 주된 영역은 미주신경이 담당하는데, 골반에서는 천미신경총(엉치꼬리신경얼기)이 이에 속한다. 부교감신경계를 두개천골계cranial-sacral system, 교감신경계를 흉요추계thoracolumbar system로 부르기도 하는데, 이는 신경근(신경뿌리)이 나오는 부위에 따른 명명이다.

자율신경계(신경근계와 심혈관계)와 내장계(부교감신경계) 사이엔 조율 과정이 존재한다. 신경근계는 인체에서 에너지를 가장 많이 소비하는데, 여기서는 인체의 다른 어떤 부위보다 많은 산소를 사용해 많은 열을 내기 때문에 더 빠르게 노폐물을 생산한다. 이런 일이 가능하기 위해서는 교감신경계가 내장 기능을 조율하여 신경근계의 필요를 충족시킬 수 있어야 한다(Gelhorn, 1960). 그러므로 신경근계를 1차 시스템primary system으로 간주하기도 한다. 신경근계가 1차 시스템인 이유는 바로 전체 시스템 중에서 가장 에너지 소비율이 높기 때문이다. 내장은 자신만의 관성을 지니고 있어 척수와 뇌에 영향을 별로 많이 주지 못한다(Foreman, 1989). 내장신경계는 소화관에 있는 뉴론을 가리키며, 이 신경계는 음식물을 소화하고 아미노산과 지방산 그리고 신진대사에 필요한 연료를 유지하는데 관여한다. 운동을 잘 안 하거나 스트레스와 불안이 가득한 삶을 살아간다면 인체의 연부조직이 단축된다. 그러면 몸의 에너지가 연부조직으로 이동하여 내장 활동이 줄어든다. 이렇게 에너지 불균형 상태에서 시간이 흐르면 일반적응반응general adaptive response이 일어나며(Selye, 1976), 연부조직 기능장애와 장부문제(궤양, 변비, 과민성 대장증후군, 설사 등)도 만연한다. 일반적응반응에 따른 습관화가 진행되면 면역계, 심장, 뇌까지 영향을 받는다(Arnason, 1993). 습관화Habituation란 인체에서 일어나는 스트레스 반응의 첫 번째 단계이며, 이는 스트레스에 의해 높아진 자극에 신경계가 적응할 때까지 지속된다.

중추신경계는 근육 활동에 기본적으로 관여하는데, 연구에 따르면 연부조직에 연결된 교감신경에 의해 근육이 활용하는 에너지가 증가한다고 한다(Korr, 1979). 또 연부조직에 있는 교감신경을 자극함으로써 근육 에너지 활동을 20퍼센트 정도 증가시킬 수 있다고도 한다. 이는 중추신경계의 원심성 자극 능력을 향상시킨다. 근육조직에는 교감신경과 체성신경 두 종류 신경이 부착되며, 이로 인해 연부조직은 위협을 받는 상황이나, 몸을 움직이는 상황 등에서 놀랄만한 적응력을 발휘한다. 감정적으로 스트레스를 받을 때에도 교감신경계 에너지가 증가한다. 자동차에 깔린 아이를 보고, 그 차를 초인적인 힘으로 들어올려 아이를 구했다는 드라마 같은 이야기를 들어본 적이 있을 것이다. 스포츠에서는 이를 세컨드윈드second wind라 부르는데, 근막이완요법을 할 때 이러한 정보는 매우 중요한 역할을 한다. 여러분이 누군가의 몸에 손을 대면, 그 순간 그 사람의 교감신경 톤sympathetic tone에 영향을 주기 시작하기 때문이다. 현대를 살아가는 이들은 교감신경 톤을 높이는 환경에 노출되어 있다. 아침에 일어나 직장에 나가면서 세 잔의 커피를 마시고, 차를 운전하는 동안 아내와 핸드폰으로 언쟁을 한 후, 직장에서는 상사의 분노를 마주하며 긴장되어 있다. 현대인들은 이렇게 불안한 마음으로 운전하다 차에 치일 수도 있는 상황에서 겪는 반응을 원시인들은 검치호랑이의 공격을 받으며 경험했다. 현대인의 신경계는 원시인이 겪은 것과 같은 반응을 한다. 하지만 현대인들은 원시인들보다 신경계 자극을 훨씬 자주 받으며, 안 좋은 음식을 먹으며 불안한 생활 습관을 이어나간다. 그렇기 때문에 신경계 흥분 정도가 매우 높게 설정되는데, 이는 원래부터 그렇게 디자인된 것이 아니다(Levine, 1986). 현대인들의 몸에서는 높게 형성된 신경계 톤이 늘 해소되지 않은 채로 존재한다. 이는 근막이완요법을 적용할 때 엄청나게 중요한 개념이다. 이렇게 완료되지 못한 신경계 반응이 결합조직에도 그대로 남아 있기 때문이다.

근막이완요법을 하면 거의 5, 10, 15분 내에 톤의 변화가 보이기 시작한다. 톤이 떨어지는 것은 정상적인 반응이다. 이 과정에서 어지럼증을 느끼는 고객, 땀을 흘리는(**땀샘운동성 반응**) 고객도 있다. 몸 전체가 붉어지며 떨리는 현상은 전체 교감신경계의 톤이 급속도록 변할 때 일어난다. 이를 교감신경계 방전sympathetic discharge이라 한다. 몸에 트라우마가 생기면 스트레스와 불안이 누적되고 신경학적인 반사가 일어난다. 인체는 이러한 트라우마를 각인할 뿐만 아니라 일반적응반응을 누적시킨다(Willard & Patterson, 1992). 근막이완요법을 하면서 좀 더 시야를 넓혀서 관찰하면 고객 신체에서 톤이 변하면서 피부색이 바뀌고, 땀이 나며, 감정적 반응과 떨림 등이 일어나는 모습도 볼 수 있다. 그러므로 근막이완요법을 적용할 때는 눈을 크게 뜨고 몸 전체를 계속 스캔해야 한다. 사실 어떠한 종류의 도수치료를 하든 이러한 교감신경 톤 변화tone shift 또는 방전 현상discharge phenomena을 관찰할 수 있다. 그리고 톤 변화와 방전 현상이 일어나면 전체 도수치료 세션이 훨씬 쉽게 진행된다.

근막이완 세션을 받은 고객의 몸에서는 비언어적 신호가 전달된다. 이를 자율신경계 톤 변화 또는 방전 현상이라는 용어로 표현한다. 이 용어는 도수치료를 통해 교감신경계의 톤이 올라가는 순간을 나타낸다. 조금 개략적인 표현이기는 하지만, 대부분의 도수치료는 자율신경계 변화를 야기한다. 이러한 자율신경계 표현 autonomic expression은 다양한 방식으로 일어난다. 예를 들어, 고객의 다리가 떨리거나, 팔과 어깨가 흔들리는 근섬유다발수축fasciculation 현상이 이에 해당된다. 고객은 이러한 현상이 일어날 수 있도록 허용할 수 있어야 한다. 때로는 감당하기 힘들 정도로 몸을 흔들거나 떠는 고객도 있는데, 떨림, 흔들림, 튐, 피부색 변화, 오한, 축축해짐, 웃고 우는 현상 등이 세션 중에 일어난다면 이를 자율신경계 방전패턴 autonomic discharge patterns으로 볼 수 있다(Levine, 1992). 치료 중에 말을 많이 하기 시작하는 고객을 본 적이 있는가? 이 또한 다른 형태의 교감신경계 방전의 일종이다. 이는 언어 시스템이 활성되면서 일어나는 현상이다. 세션을 받다가 우는 현상도 같은 관점에서 바라볼 수 있다. 고객이나 환자 중에서 우는 이들을 얼마나 많이 보았는가? 이게 바로 교감신경계 방전 현상이다. 시상하부는 자율신경계 조절을 돕는데, 시상하부는 변연계(둘레계통) 또는 간뇌(중간뇌)의 끝부분에 위치한 구조물이다. 이 변연계를 통해 감정이 조절된다(LeDoux, 1993). 감정은 시상하부(반응), 해마(기억), 특히 편도체(감정), 즉 변연계의 모든 구조물과 연계되어 있다. 그런데 이 세 구조물은 서로 이웃한다(Morgane, 1992). 최근 연구에 따르면 신경전달물질들이 감정 조절에 관여하며, 이러한 신경전달물질들을 받아들이는 엄청나게 많은 수용기들이 편도체, 해마, 그리고 시상하부에 분포한다고 한다.

감정이란 무엇인가? 화는 무엇인가? 화에도 스펙트럼이 있다. 분노와 미움은 화의 일종이다. 혐오도 화의 변형이다. 공격적인 감정이나 짜증나는 감정도 화의 일종이다. 고객들이 때때로 거칠게 짜증을 드러내는 경우가 있는데, 사실 이런 감정 표현은 건강한 반응일 수도 있다. 개인의 환경, 즉 자신의 내부나 외부에서 일어나는 일들에 좀 더 의식을 집중해 인지하려 할 때 화가 발산되곤 한다. 인체는 감정을 중심으로 모양을 드러낸다(Reich, 1997). 직장 상사의 뺨을 돌려치려는 감정이 일어나거나, 자신을 치고 지나갈 뻔한 운전자에게 주먹을 날리려 할 때 작용하는 신경전달물질의 충동을 조절하여 잠시 감정을 다스리게 해주는 구조물이 바로 시상하부이다. 시상하부 덕분에 우리는 연부조직과 근막의 움직임을 잠시 멈추어 화를 조절할 수 있다. 자동차 사고로 경추 편타성손상을 당한 환자 대부분은 두려움와 분노를 잘 조절하지 못하고, 자율신경계 톤이 높아져 있다. 이들은 감정적인 충동에 시달리곤 한다. 따라서 근막이완 세션을 진행할 때, 고객에게 자신의 감정이 어디에서 비롯되었는지 물어보는 것은 중요한 작업이다. 다중 자동차사고를 당해서 감정 조절을 못하는 것일 수도 있기 때문이다. 고객에게 어떤 형태의 사고를 당했는지 물어보라. 그 사고가 전하는 메시지는 무엇일까? 고객은 그 메시지를 받았을까? 스트레스, 질병, 그리고 연부조직 문제를 당한 사람에겐 심리적인 문제가 있을 수 있으니, 이를 무시하지 말고 확인하는 것이 중요하다(Booth & Ashbridge, 1993; Cunningham, 1955; Foss, 1994; Squotas-Emch, Glaser, & Kiecolt-Glaser, 1992).

자율신경계 방전과 연부조직계 이완soft tissue system releases은 구분되지만, 이들은 하나의 사이클로 연계되어 있다. 연부조직이 이완되면서 생긴 에너지가 자율신경계로 흘러가면서, 연부조직 내에서 일어나는 생전기적 활동과 생에너지적 레벨 변화가 자율신경계 방전을 이끌어낸다. 여기서는 단지 자율신경계 방전으로 정의했지만, 사실 이는 훨씬 광범위하게 적용되는 인체 시스템 전체의 사건이다. 다시 말해, 이완release은 연부조직 내의 국소적인 상황이지만, 방전discharge은 시스템적이다. 방전은 좀 더 많은 시스템이 작용하는 다중시스템적인 사건이라는 뜻이다. 막시스템이 이완되면서 그 흐름이 다리로 내려가면서, 호흡이 잠시 멈추거나 과호흡이 일어나는 현상이 일어나는데, 이 모든 것이 부교감신경의 작용이다. 눈물이 눈에 맺히고, 자율신경계 톤이 변하는 일은 다중시스템적인 사건이다. 중추신경계와 자율신경계가 몇 분 동안 협응하지 못하며, 눈물이 나거나, 카타르시스가 일어나며 몸이 이완되거나, 비현실적인 느낌을 받는 것도 방전 현상의 일종이다. 인체는 이러한 반응이 일어나도록 촉진하고 또 해소될 수 있도록 인도한다. 그렇기 때문에 이러한 방전 현상이 일어났을 때 치료사의 대처 능력이 중요하다. 고객에게 방전 현상이 일어나면 치료사는 이를 제대로 설명해주고 지지해주어야 한다. 자율신경계 반응이 어떻게 일어나느냐에 따라 치료 계획을 변화시키거나 연장시켜야 할 필요도 있다.

자율신경계 방전 현상을 다루는 핵심은 바로, 치료 속도를 늦추고, 치료 자체를 미루거나 고객 호흡을 조절하여 신경계 통합이 일어날 수 있는 여유를 갖게 하는 것이다. 이때의 통합이란 뇌와 신체가 좀 더 높은 수준의 기능 변화에 적응하는 것을 가리킨다. 통합은 신경계가 파편화된 상황에서 전체적인 상태를 추구하며 치유를 해나가는 과정에서 생긴다. 이는 방전 과정이 유기체의 기능을 향상시킨다는 것을 암시한다. 통합에는 시간이 필요하다. 신경계가 통합되기 위해서는 연부조직이 이완되는 것보다 더 많은 시간이 필요하다. 처음 방전 현상이 일어난 이후에 통합이 일어날 때까지 몇 시간 또는 며칠이 걸릴 수도 있다. 고객이 세션실에 있는 동안에 통합이 완료되지 않을 수도 있다는 뜻이다. 다리, 골반, 척추 등에서 이완이 일어나고 방전 현상이 일어난 후, 통합이 전체 신경계와 몸으로 진행된다. 치료사는 이러한 일들이 고객의 신체에서 자연스럽게 일어날 수 있도록 교육하여야 한다. 이런 일련의 과정에는 인내, 비전, 그리고 부드러운 치료 과정이 수반되어야 한다.

살아온 과정에서 특수한 형태의 트라우마를 경험한 고객은 늘 심리적, 육체적으로 관련된 문제를 안고 살아간다. 전체론적, 인본주의적 모델에서는 몸과 마음이 분리되지 않는다고 주장한다(Cassidy, 1994; Johnson, 1983, 1994). 그러므로 심리적인 측면에만 집중해서는 안 된다. 눈을 크게 뜨고 톤의 변화를 관찰하면서 이완 다음에 방전이 일어나는 것을 체크하라. 이 과정에서 언어적으로 고객에게 이완과 방전이 일어날 수 있도록 설명하면서 이를 허용하고, 통증 부위로 호흡을 할 수 있도록 유도한다(왜냐면 치료사가 이 지점에서 진정으로 관심을 가지는 것은 고객에게 요청하여 방전 현상이 통합될 수 있도록 유도하는 것이기 때문이다). 이게 바로 환자나 고객에게 해줄 수 있는 최선의 서비스이다. 치료사는 고객이 치료실로 걸어 들어오는 순간부터 보이는 모든 형태의 비구조적 형태의 신호들을 전체적으로 스캔하는 관찰 능력을 지니고 있어야 한다. 치료사는 선 자세에서 신체의 대칭성과 구조적인 요소를 관찰하는 능력이 뛰어나다. 하지만 이외에도 자율신경계 방전과 같이 비대칭적으로 일어나는 현상도 관찰하는 능력을 갖추고 있어야 한다. 뇌와 척수는 반사적 활동을 통해 통증**(통각)**, 감정, 감각, 느낌, 사고 등을 몸으로 드러낸다(Willard & Patterson, 1992). 이때 드러나는 패턴은 개인에 따라 독특하며, 관찰 가능할 뿐만 아니라 도수치료를 통해 조절이 가능하다. 얼굴, 턱, 목, 몸통, 호흡, 사지, 그리고 골반에는 주된 자율신경 신경얼기가 위치해 있다. 따라서 이런 부위에서 자율신경계 항진과 방전 현상이 자주 관찰된다.

교감신경계 톤이 떨어지면 부교감신경계 톤은 오르거나 되돌아온다(Gellhorn, 1957). 인체에는 목근막과 허리근막처럼 도수치료를 적용했을 때 미주신경 톤을 올릴 수 있는 특수 부위가 존재한다(Cottingham, Porges, & Lyon, 1988; Cottingham, Porges, & Richmond, 1988). 두개천골계 기법도 미주신경 톤을 올릴 수 있다. 앞에서 이야기 했듯, 이러한 부위는 통합근막, 즉 모든 척추옆근막paraspinal fascia을 포함한다. 이러한 근막이 통합근막으로 불리는 이유는 모든 세션을 마무리할 때 이완시키기 때문이다. 척추옆근막을 인체 중심선에 구조화시키면서 모든 세션을 종결시킬 수 있는데, 이때 미주신경 톤이 변하면서 고객은 욕지기가 올라오거나, 약간의 두통, 또는 척추가 펴지며 아치를 이루는 현상이 일어날 수 있다. 이러한 감각은 일시적이며 금방 지나간다. 때때로 이러한 자유신경계 톤 변화가 즐겁게 느껴져서 되돌아보며 음미하거나 미소짓게 될 수도 있다. 얼굴은 부교감신경 기관이라고 볼 수도 있다. 그렇기 때문에 웃음은 부교감신경계를 활성화시킬 수 있다(Ruskin, 1979).

도수치료를 하면서 호흡 기법을 활용하면 교감신경계 방전을 이끌 수 있고, 이를 통해 고객을 좀 더 깊은층에서 재교육, 재통합시키는데 기여할 수 있다. 하지만 대부분의 사람들은 통증 부위로 호흡을 넣는 법을 잘 모른다. 우리가 살아가는 문화 환경 자체가 호흡을 멈추는 것, 즉 숨을 들이쉬고 멈추거나, 숨을 내쉬고 멈추는 방식에 경도되어 있기 때문이다. 호흡횡격막에 놀람반사 기전이 발동되면 호흡이 고정된다. 다시 말해, 사람들은 보통 호흡을 고정시키면서 충격을 받았을 때의 느낌을 멀리하려 하거나, 뒤에 남겨놓고 싶어한다. 이런 상황에서 교감신경계 방전, 감정적 자극, 그리고 감정이 몸에서 경험되는 방식 사이에 불균형이 발생한다. 이런 일을 겪었던 적이 있는지 떠올려보라. 철학자들과 과학자들은 오랜 시간 감정이 실제로 어떻게 경험되는지에 대해 논쟁해 왔다(Solomon, 1993). 대부분의 사람들은 흥분하고, 화가 나고, 열망에 휩싸이고, 슬퍼하고, 죄책감을 느끼는 것과 같은 감정을 실제 자신의 육체를 통해 경험한다. 여러분은 아마 화가 났을 때 어떤 감각이 팔과 다리, 그리고 가슴으로 지나가는 느낌을 받은 적이 있었을 것이다. 슬픈 일이 있을 때는 상부 흉추 부위, 아마도 가슴 부근에서 아픔이 느껴졌을 것이다. 도수치료를 적용하면서 고객의 호흡을 참여시키면 근막이 이완되는 동안 몸과 마음을 재연결시키거나 동조시킬 수 있다. 어떤 바디워크를 통해서도 이런 현상은 일어나지만, 카타르시스를 억지로 일어나게 하거나 강하게 밀어붙이듯 테크닉을 전개할 필요는 없다.

근막이완요법의 임상적인 효과는 매우 놀랍다. 핫팩이나 냉팩 또는 초음파 기기를 사용하지 않고 도수치료만으로 몸 전체에 영향을 준다고 상상해보라. 혈관 확장을 도와 심혈관계에 영향을 주고, 노폐물 배출을 촉진시키는 방법이 있다고 상상해보라. 그런 일을 하고 싶지 않은가? 근막이완을 할 때 조직에 느리게 접근하고, 인체를 단지 기계로 간주하지 않는다면, 교감신경계에 영향을 줄 수 있는 가능성을 얻게 될 것이다. 혈관 확장을 일으켜 혈액 순환을 촉진시키거나, 인체에 쌓인 노폐물을 제거하여 신경의 부적절한 자극을 감소시키는 일은 중요한 작업이다. 또한 교감신경계 톤을 감소시킨다면 장부로 공급되는 혈액의 양을 증가시킬 수 있다. 궤양과 소화계 기능장애는 다양한 문제를 동반한다. 이런 문제는 교감신경계 톤이 상승되거나 일반적응반응에 의해 유발되었을 수 있다. 인체에 쌓인 노폐물을 제거하고, 혈관을 확장시키며, 연부조직을 이완시키면 치유 반응을 촉진시킬 뿐만 아니라 자체 치유력이 생기게 만들 수도 있다. 호흡을 통해 이토록 많은 생리학적 현상을 몸 전체 시스템 차원에서 촉진시킬 수 있다. 인체는 스스로 균형을 유지하려는 속성이 있는데, 생리학적으로 혈중 이산화탄소 비율이 높아지면, 혈액은 좀 더 산성에 가까워지고, 결국 세포의 저산소증 경향도 높아진다. 이렇게 되면 인체의 자체 치유 능력도 감소하게 된다. 하지만 느리지만 충만하고 목적있는 호흡을 통해 몸 안에 산소를 가득 채울 수 있다. 세션 중에 고객이 이완과 방전을 겪으며 몸을 경련하거나 떨 때, 이를 하나의 항상성 레벨에서 다른 레벨로 넘어가는 것으로 단순하게 바라보라. 그리고 그런 현상이 일어났을 때 호흡을 통해 이완할 수 있도록 북돋아 주고, 팔과 얼굴을 마사지해주어 경련이 줄어들 수 있도록 하라. 과호흡이 일어나면 칼슘이온이 근육에서 펌프되어 나오기 때문에 경련이 일어난다. 이러한 경련은 특히 팔과 얼굴에서 자주 일어나며, 입술이 마비되는 느낌이 들기도 한다. 경련이 일어난 고객은 몸이 아이처럼 앞으로 말리거나 손목, 팔꿈치, 팔까지 과도하게 굽혀지곤 한다.

치료의 첫 번째 목표는 교감신경 적응성을 줄이고 부교감신경 입력을 높여 교감신경계 유연성을 증진시키는 일이다. 여러분은 치료 중에 목표를 변화시킬 수 있는 유연성이 있는가? 치료 중에 방전 현상이 시작되는 모습을 보면, "아. 이게 바로 자율신경계 톤이 떨어지는 현상이야. 울고, 몸을 떨고, 하는 현상 말이지!"라고 생각하며 현재 세션을 진행하고 있는 조직에서 손을 떼고 다른 부위로 목표점을 변화시킬 수 있는가? 방전이 일어났을 때는, 그때 발생하는 생체에너지와 움직임을 조직화하여 인체 중심축에서 위아래로 이동하게 하는 전략을 써야 한다. 만약 중심축에 고정이 있다면 방전을 팔다리로 흘려보내야 한다. 그런 다음 중추신경계와 몸 전체를 통해 방전 현상이 통합되게 하면 좋다. 치료 목표와 전략은 고객의 상태에 따라 변화시켜야 한다. 이는 현재 접근하고 있는 인체 시스템을 전환하면서 치료 과정을 진행한다고 볼 수 있다. 그렇기 때문에 치료 초기에 교감신경계가 항진되었다가 부교감신경이 주도적인 상태로 변했는데도 원래의 치료 전략을 고수하는 것은 옳지 않다. 신체에 접촉하는 방식을 변화시킬 수도 있다. 때로는 두개골을 푸는 도수치료를 하다, 때로는 부드럽게 고객의 횡격막을 풀 수도 있고, 마사지나 움직임요법을 적용하다가 아무런 테크닉을 적용하지 않고 기다리는 방식을 쓸 수도 있다. 고객에게 항상 테크닉을 해주어야 한다는 생각을 내려놓아야 할 때도 있다. 지금 이 순간의 변화에 맞춰 목표를 조율하고, 눈을 크게 떠서 계속 관찰하며, 고객에게 도움이 될 수 있는 것이 무엇인지 고민하라.

치료 중에 유연하게 치료 방식을 변화시키는 능력을 갖추기 위해서는 국소적인 관점에서 전체적인 관점으로 시선 이동을 할 수 있어야 한다. 한 걸음 물러나 몸 전체를 보라. 핸즈온 기법을 통해서 고객의 감정까지 통합될 수 있게 하라. 도수치료를 통해 고객에게 따스한 마음을 전할 수도 있고, 호흡법을 가르쳐주어 이완을 촉진시킬 수도 있다. 이는 매우 간단한 일이다. 단지 여러분이 가하는 손의 압력과 그 느낌이 어떤지 피드백 해달라고 하기만 하면 된다. 뭔가 분석을 해야할 필요도 없다. 신체가 스스로 통합하는 능력이 있다는 사실을 받아들이고 존중하라. 치료사는 촉진자facilitator이며 교육자educator이지 단순한 테크니션technician이 아니다. 호흡과 언어적 피드백은 고객에 대한 정보를 확보할 수 있는 매우 강력한 수단이다. 여기서 중요한 것은 고객과 친밀감을 유지하는 일이다. 호흡은 특히 친밀함을 높이는 수단이다. 사회적으로, 이 친밀감이라는 말이 성적이라는 말과 오인되는 경우가 많다. 하지만 이는 잘못된 생각이다. 치료를 위해 고객과 여러모로 친밀한 관계를 형성하면 알게 모르게 좋은 치료 결과를 낳는다. 그렇기 때문에 친밀감을 형성할 때에는 부드러움이 필요하다. 겉만 번드르르한 테크니션으로 남지 말고, 부드러운 접근법으로 고객과 친밀감을 형성하는 일에 집중하라.

자율신경계가 항진된 고객에게 접근하는 좋은 방법이 있다. 고객이 치료 중에 몸을 떨기 시작하면 이렇게 말하라. "그 떨림이 골반으로 이동하게 할 수 있나요?" 몸의 특정 부위가 떨릴 때마다 떨림이 일어나지 않는 부위를 확인하고, 고객에게 자신의 내부로 접근해 떨림이 있는 분절 위나 아래로 그 떨림을 이동시킬 수 있냐고 물어보라. 이렇게 하면 몸 전체를 통합시키는데 도움이 된다. 예전에 이런 현상을 다뤄본 적이 없는 치료사라면 이렇게 분절에서 분절로 떨림을 이동시키는 일이 뭔가 위험한 느낌이 들 수도 있다. 하지만 이런 방식을 통해 고객을 좀 더 많이 도와줄 수 있다. 이 방식이 고객의 몸 전체 통합을 돕기 때문이다. 중추신경계는 이런 일을 좋아한다. 트라우마로 인해 분절들 사이의 연결성이 떨어져 파편화fragmentation되어 있는 몸에 연결성이 살아나는 느낌이 나면 기분이 좋다. 많은 사람들이 전체와 하나되는 것보다 파편화된 몸으로 살아간다. 도수치료 전문가는 이렇게 파편화된 상태가 정신적으로 통합될 수 있도록 촉진시킬 수 있다. 치료사는 공감을 통해 고객의 물리적 실체에 접근한다. 이를 통해 고객이 자신을 전체적으로 느낄 수 있도록 돕는다. 서양 문화 관점에서 보면 이런 생각은 대단한 마법에 비유할만 하다.

방전 현상이 시작되면, 몸통과 복부에서 호흡이 제한되곤 한다. 이때 언어적으로 또는 단지 손을 대는 것만으로 복부와 횡격막에서 이완이 일어나게 할 수 있다. 흉곽출구와 목은 방전이 일어날 때 긴장되어 굽혀지기 시작한다. 아마도 여러분도 이런 모습을 본 적이 있을 것이다. 이때 손을 목이나 척추 아래에 접촉하거나 목을 편안하게 만들거나, 척추를 가볍게 들어올려 이완시킬 수 있다. 이렇게 하면 부교감신경계가 열려 몸 전체로 이완 신호가 전달된다. 척추가 채찍처럼 위아래로 움직이기 시작하면 부교감신경 톤이 증가한다. 고객은 언제든 갑자기 척추를 채찍처럼 움직이며 아치를 만들 수 있다. 이는 부교감신경 톤, 보통 미주신경 톤이 변하면서 관련 신호가 몸 전체로 전달되면서 일어나는 일이다. 이러한 톤 변화가 몇 분, 때로는 15~20분 정도까지 진행될 수 있는데, 이 현상을 막지 말고 지지해 주어야 한다. 자율신경계 방전 패턴은 교감신경계에서 부교감신경계로 왔다갔다한다.

치료사는 호흡법을 코칭하여 긴장된 부위의 이완을 촉진해야 한다. 방전이 일어날 때 보통 고객이 호흡을 멈추어 꾹 참는 모습을 보게 된다. 이때 긴장이 일어난 부위를 이완시킬 수 있도록 돕는다. 고객이 긴장을 잘 흘려보내지 못할 경우, 긴장이 일어난 부위에 손을 대서 알리면 된다. 고객이 자신의 현 상태를 알아채고 이완을 향한 투쟁을 멈추지 않게 해야 한다. 만약 치료실에서 20분밖에 시간을 쓸 수 없는데, 15분 정도에 방전 현상이 발견되면 남은 5분 동안 어떻게 할 것인가? 방전 현상에 놀라 치료를 멈출 필요는 없다. 할 수 있는 데까지 하고 다음 치료 기회를 마련하면 된다. 단기적으로 부족한 부분이 있더라도 장기적인 접근으로 효과를 누적시켜 나가면 된다. 여기엔 고객의 협력과 참여도 중요한 몫으로 남는다. 방전 현상을 다루는 것이 때론 낯설게 느껴질 수도 있지만 단순하게 계속해서 앞으로 나아가며 세션을 유연하게 진행해 나가면 그만이다.

근막이완요법을 받는 동안엔 고객 신체의 결합조직 매트릭스의 특정 층에 압력이 가해진다. 압력이 가해질 때의 방향 벡터, 압력의 지속 시간, 그리고 이때 고객의 움직임 참여에 대해서는 이미 앞에서 기술하였다. 어떤 부위 또는 어느 층의 근막을 이완시키든, 의도된 작업에 의해 결합조직의 가동성이 높아진다. 근막의 가동성이 높아지면, 국소 부위의 신진대사가 증가하고, 근육군의 정렬이 살아나며, 자세가 개선되는 등의 임상적으로 유효한 변화가 일어난다. 따라서 치료사는 결합조직에 압력을 가했을 때 일어나는 임상적 효과에 대해 알고 있어야 한다. 근막이 완요법을 통해 막시스템의 유기결정구조organic crystalline structures에 압전효과를 일으켰을 때 해부학적으로 어떤 변화가 일어나는지 이해하고 있어야 한다는 뜻이다.

압전효과Piezoelectric effect는 압력이 가해졌을 때 전기장 변화가 일어나는 현상을 가리킨다. 분자 레벨에서 보면 근막 조직은 유기결정구조를 이룬다. 그렇기 때문에 근막은 전기장을 만들고 전달하는 능력이 있다. 수분이 많은 막 조직일수록 더욱 더 전기적 활동을 잘 수행한다. 인체에서 일어나는 전기적 활동에는 이온결합, 양분 이동, 노폐물의 배출, 그리고 신경신호 전달 등이 있다. 상처를 입거나, 압력을 받거나, 또는 움직임이 떨어져 탈수화가 진행되면 스트레스 받은 조직은 국소전위가 감소하며 신진대사에 간섭을 받는다.

결합조직을 구성하는 바탕질은 길고, 가늘며, 유연한 아교섬유을 포함한다. 바탕질은 30~40퍼센트 정도의 글리코사미노글리칸glycosaminoglycans과 60~70퍼센트의 물로 이루어져 있다. 바탕질은 겔처럼 윤활 기능을 하며 아교섬유 사이 공간(임계섬유간격으로 알려져 있다)을 유지한다. 바탕질에 탈수화가 진행되면 아교섬유가 자유롭게 움직이기 어려워진다. 그래서 임계섬유간격critical fiber distance이 감소하면, 아교섬유가 서로 붙으며 근육, 뼈, 장부를 감싸는 막거미줄fascial web을 단단하게 만든다.

막의 결정구조에 압력이 가해지면 전위가 증가하고, 물을 끌어들여 해당 부위의 수분이 증가한다. 이게 바로 결합조직 도수치료에 의한 압전효과이다. 결국 바탕질에 수분이 빠르게 증가하면서 결합조직의 가동성이 회복되기 시작한다.

압전효과에 의한 전기장이 발생하려면 적절한 압력 벡터가 가해져야 한다(이때의 벡터는 각도와 힘의 합이다). 근막이완요법은 이를 통해 효과를 창출한다. 그렇기 때문에 적절한 압력, 올바른 각도, 그리고 지속 시간이 효과적으로 결합된 근막이완을 하기 위해서, 치료사는 감수성을 높이고, 기법을 트레이닝하며, 지속적으로 치료 경험을 쌓아나가야 한다.

Chapter 15

근막이완과
정신신체적 몸

Myofascial Release and the Psychosomatic Body

근막이완요법과 마음의 관계가 어떠한지에 대한 질문을 자주 듣곤 한다. 근막의 이완과 마음의 관계에 대해 특별히 알려진 것은 없다. 하지만 행동매개 스트레스 패턴behaviorally mediated patterns of stress 때문에 막을 구성하는 아교섬유가 짧아지고 두꺼워진다는 사실은 알려져 있다(Keleman, 1985). 막이 긴장되어 아교섬유가 쌓이는 비율은 제거되는 비율보다 높다. 만일 자신과 주변 사람들이 전하는 부정적이거나 공격적인 감정에 대한 반응으로 형성된 안 좋은 자세(흉곽이 붕괴된 자세, 머리가 전방으로 이동하거나 아래로 떨어진 자세, 골반이 뒤로 무너진 자세, 어깨가 말린 자세 등)를 한 채 오래 생활한다면, 확실히 그 자세를 유지하기 위해 관여하는 막이 긴장되며 아교섬유가 두꺼워질 것이다. 그러므로 심리적인 문제와 생리적인 현상은 서로 연결되어 있다(Reich, 1945).

보통 감정적으로 스트레스를 받는 동안 정형학적 사고를 당할 확률이 높다. 자동차 사고를 당해 팔이 부러진 여인이 사고 후 2년이 지나 팔꿈치 통증을 지닌 채로 치료사를 찾아갔다고 한다. 그런데 팔을 치료받는 동안, 그녀의 동생이 사고 3일 전에 자살 기도를 했다는 사실을 기억해 냈다. 사고로 팔이 부러졌기 때문에, 동생과 관련된 그녀의 슬픔이 줄고 연기되었지만, 그 감정이 몸에 잠재된 채로 남아 있었던 것이다. 치료사가 치료하는 동안 약 한 시간을 울고 나서야, 그녀는 자기 팔의 통증이 천천히 사라지는 것을 느꼈다고 한다.

치료사라면 고객이 사고를 당했을 당시 어떤 감정 상태였는지 항상 물어보도록 하라. 아마도 놀라운 대답을 듣게 될 것이다. 특히 편타성손상 환자에게서 이런 일들이 많이 일어난다. 사람들은 모두 자기만의 정신신체적 몸psychosomatic body을 지니고 있다. 이 몸은 스스로가 자신에 대해 생각하는 방식(난 너무 뚱뚱해, 난 너무 말랐어...), 집착하는 방식(내 어깨에 살이 좀 더 있었으면 좋겠어, 내 허벅지가 너무 싫어...), 또는 투사하는 방식(이런저런 몸매를 나도 가졌으면 좋겠어, 그녀와 같은 머릿결과 얼굴을 나도 갖고 싶어...)과 관련되어 있다. 사람들은 자신의 몸에 대해 부정확하고, 불공정하고, 또는 비현실적 생각을 많이 하는데, 이 모든 것들이 정신신체적 몸을 형성한다. 정신신체적 몸은 막에서도 발견된다. 이 막에는 개인이 원하는 어떠한 인체 형태가 놀라운 형태로 쌓여 있다.

단축된 근막과 높아진 교감신경계 톤 배면에 정말로 어떤 사람이 존재하는지 발견한 다음 그 사람과 접촉하는 것이 바로 근막이완의 기본이다. 근막이완 도수치료를 제대로 적용한다면 이를 통해 고객의 몸에 건강한 관계를 형성할 수 있다. 또한 고객이 선 자세로 있을 때 비구조적인 측면을 관찰하는 것도 가능하다. "그 사람은 도대체 그 몸 안에서 어떻게 살아가고 있을까? 그 몸이 하고자 하는 말은 무엇인가? 몸의 어느 부위를 바르게 하고, 어느 부위를 내버려두어야 할까?" 고객의 몸에서 관찰해야 할 것은 단지 정형학적 손상만은 아닌 것이다.

관점과 기법을 조금만 바꿔도, 이전엔 다루기 꺼려졌거나 애매모호했던 것과는 다른 세계, 다른 몸을 고객에게서 관찰할 수 있다. 또한 당신이 현재 세션을 진행하고 있는 부위에서 뭔가 부족하고, 의문스럽고, 당황스러운 감정을 느끼더라도, 이를 통해 고객과의 관계를 더욱 심화시킬 수 있다. 세션 전, 도중, 후에 고객에 대한 이해가 깊어지게 되면 심리적으로 다음과 같은 세 가지 현상이 일어날 수 있다.

1) 당신의 눈과 손, 그리고 다른 감각이 고객 몸의 특정 부위로 이끌릴 수 있다.
2) 하지만 놓치거나 보이지 않는 신체 부위도 생긴다.
3) 관심이 밀려나거나 튕겨나가는 신체 부위도 생긴다.

이런 현상이 일어나면 그 위에 개념적 투영도conceptual overlay 또는 형이상학적 템플릿metaphysical template을 더한다. 아마도 숙련된 롤퍼거나 경험 많은 물리치료사라면 이 경우 대칭성이 깨진 느낌을 받게 될지도 모른다. 그리고 무릎 세션을 잘 못하는 치료사라면, 고객의 무릎으로 시선이 안 갈 수도 있다. 어쨌든 마음은 일종의 감각 기관sense organ이어서, 어떤 치료사는 특정 고객을 보고 섹시함을 느껴 함께 자고 싶다는 충동이 일어나거나, 골반에 마음이 이끌릴 수도 있다. 또 몸집이 크고 강인한 고객에게서 학대 당하던 어린 시절의 권위적인 아버지 모습을 떠올리며 그를 마주보고 싶지 않아 등 부위 세션을 많이 해주는 치료사도 있을 수 있다. 이런 일들은 치료사의 의식적인 마음과 무의식적인 마음 모두에서 진행된다. 그리고 어떤 경우든 치료사의 행동과 세션에 영향을 미친다. 임상적으로 전문성을 쌓고 경험이 많아지면 오히려 직관적, 창조적, 예술적인 형태로 전해지는 풍부한 주관적 정보를 제외시키는 경향이 생긴다. 하지만 훌륭한 치료사라면 양쪽 세계를 자유롭게 오갈 필요가 있다. 인지 과학자들은 머리로 이해하기 전에 무의식적으로 경험되는 정보가 있다는 사실을 잘 알고 있다. 주관은 객관을 넘어선다. 감정은 요천추 기능 장애를 넘어선다. 고객에 대한 치료사의 느낌은 몸의 기능장애에 대한 임상적 정보를 넘어선다. 매슬로Maslow는, "개인은 전체를 알 수 없다"는 말을 했다. 내 경험에 따르면, 고객을 의식적으로 이해하려 하면 때때로 많은 정보를 얻지 못하곤 했다. 치료 예술은 미묘함과 주관성이라는 영역 안에 놓여 있다.

근막이완요법 전문가는 직접적인 근막이완 도수치료를 통해 고객의 주관적 경험에 접근한다. 고객 개개인은 모두 내적으로 풍부한 생각, 느낌, 감정을 지닌 생명체이며, 이 모든 것이 고객의 자기이미지와 신체이미지에 영향을 미친다. 이러한 자기이미지, 신체이미지에 대한 감각은 근막이완 도수치료에 의해 영향을 받는다. 여기가 바로 좀 더 깊은 힐링이 일어나는 지점이다. 근막이완요법을 잘 받은 고객은 이렇게 말하곤 한다. "이전엔 몰랐던 새로운 내가 된 것 같아요." "몇 년간 못 느껐던 생명력이 느껴져요."

질병과 질환은 종종 자기소외^{self-alienation}와 함께 시작된다. 자기소외란 자기와 신체에서, 사고 과정과 느낌에서, 그런 다음 타인에게서 서서히 멀어지는 과정이다. 이는 막시스템에서도 동시에 일어난다. 질병은 몸과 마음 모두에 스며들고, 막은 이 양자를 연결시키는 가능성의 사슬을 제공한다. 아이다 롤프가 이야기했듯, 근막이완요법 전문가는 확실이 이 막에 손을 접촉할 수 있다. 스트레스, 면역결핍, 투쟁—도피 반사, 불안, 그리고 우울증은 모두 인체의 연부조직계에 손상을 준다.

하지만 건강과 웰빙을 추구하려는 경향은 몸과 마음에도 깊숙이 스며들어 있다. 그래서 고객을 볼 때마다 이렇게 물어보라. "건강한 부위는 어디고, 트라우마가 있는 부위는 어딘가요?" 근막이완요법 전문가는 직접 테크닉을 활용하는 법을 배우고, 막의 상호연관성을 이해하여야 한다. 더하여 자율신경계와 호흡에 대해 배우고, 고객—치료사 관계의 심리적인 측면까지 이해해야 한다.

막을 이완시키려는 의도를 지니고 세션을 하는 치료사는 이론적으로 고객의 몸 전체에 영향을 미치고 있다고 볼 수 있다. 하지만 막을 좀 더 고차원적인 기능 수준까지 효과적으로 통합시키고 조직화시키기 위해서는 1회 이상의 세션이 필요하다. 이는 특히 골막(뼈막)과 장막하막(가슴막), 그리고 경막과 같이 깊은 막층 세션을 한 이후에나 가능하다. 어쨌든 치료사는 의도적으로 매우 깊은 막층에까지 영향을 미칠 수 있다. 여기서 의도^{intention}란 손을 통해 고객에 직접적으로 접근할 수 있는 "행위를 넘어서는 무엇"이며 생각과 에너지가 정신적으로 협응된 것이다. 국소 부위에 대한 근막이완 도수치료만으로도 몸 전체에 영향이 가해지는 느낌을 받는 고객들이 많다. 고객은 이를 자신의 연부조직계와 자율신경계를 통해 인지한다. 자율신경계는 감정을 조율한다. 세션을 잘 받고나면 고객은 홀연히 뭔가 충만한 느낌을 받는다. 물론, 치료사는 관절가동범위나 다른 변화를 측정할 수도 있지만, 감정적 문제가 해소되어 통합되지 않은 고객은 여전히 파편화된 상태로 남는다. 치료사는 치료 속도를 낮추고, 간헐적 휴식을 주며 세션을 진행하고, 호흡을 고를 시간을 주는 방식을 활용해 이러한 감정적 문제를 해소하거나 통합시켜 나갈 수 있다. 이렇게 치료 흐름을 만드는 일은 간단하다.

결론 내리자면, 치료사는 고객의 문제를 단순히 치료하려거나, 무언가 해결책을 제공하는 방식을 고수하는 어리석은 형태의 세션을 하지 않는 게 좋다. 근막이완요법은 확실히 놀라운 치료 효과가 있지만, 지금-여기서, 판단없이, 친밀감을 형성하는 방식으로 고객과 함께하는 법을 익혀야 좀 더 치료 예술에 다가갈 수 있다. 여기엔 바디워크나 심리학적인 테크닉 이상의 것, 즉 진짜 인간의 핵심으로 다가가는 태도가 필요하다(Trunpa, 1980).

Chapter 16

근골격계 기능장애에 있어 통증 심리학

The Psychology of Pain in Musculoskeletal Dysfunction

고객의 몸에서 발생하는 통증의 근원을 추적하는 일은 종종 출구 없는 미로를 헤매는 느낌이다. 하나의 증상을 보고 하나의 원인 부위를 찾으면, 또 다른 증상이 꼬리에 꼬리를 물고 이어진다. 어쩌다 운 좋게도 치료를 통해 통증이 사라지기도 하지만, 화가 났는데 통증이 되살아났다는 고객의 전화를 다음 날 받으면 행운이 말라가는 느낌이 들기도 한다. 최근 내방하는 고객들은 복잡한 형태의 신체 문제를 호소한다. 그들은 수많은 건강 전문가를 찾아다녔었지만 통증 문제를 해결할 희망이 사라지는 느낌을 받는다고 토로한다. 이 글에서는 신체와 관련된 네 종류의 심리적 통증을 다룬다.

▌ 외로움Aloneness

신체와 관련된 첫 번째 심리적 통증은 바로 외로움이다. 때때로 외로움을 느끼지 않는 이들은 거의 없다. 사랑하는 이와 다투고서 좌절감과 함께 외로움이 찾아오면, 이를 토로할 곳도 없고 또는 토로하고 싶은 마음조차도 안 생길 때가 있다. 외로움은 투명한 고치와 같아서 눈에 보이진 않아도 사람과 사람 사이에 견고한 벽을 만든다. 보통 외로운 사람들은 자신과 자신의 느낌에만 경도되는데, 그러다 보면 종종 고독이 엄습한다. 외로움이 찾아오면 자신의 행동을 변화시켜 이를 탈출하는 사람도 많다. 이들은 반항하고, 충동적으로 행동하고, 자신의 몸에 상처를 주기도 한다. 몸에 통증이 생겨 외로움이 생기기도 하지만, 반대로 외로움 때문에 아픔이 찾아오기도 한다. 몸과 마음이 이어져 있기 때문이다. 질병 때문에 고독이 찾아오는 것이다. 살아온 인생에서 이와 비슷한 경험을 했다면 오히려 고객의 외로움을 이해하는데 도움이 될 것이다.

▌ 우울Depression

두 번째로 소개하는 심리적 통증은 우울이다. 우울은 외로움보다 더 깊고 진하다. 하지만 건강한 우울은 자신의 인생을 명료하게, 때로는 생생하게 반추할 수 있는 계기를 마련해준다. 복잡하지 않은 형태의 우울은 정상적이다. 이러한 우울은 자신을 둘러싼 환경, 관계, 문제, 그리고 최근에 겪은(하지만 그렇게 최근은 아닌) 사건으로 인해 형성된 몸과 마음 상태를 물러나서 살피고, 되돌아볼 수 있는 기회를 제공한다. 우울감에 젖어 있는 동안엔 기미가 보이지 않을 수도 있지만, 건강한 우울은 빠르게 지나간다. 우울은 이전엔 선호하지 않았던 것들에 대한 자신의 태도를 변화시켜 내부에서 억압하던 것들을 직시한 후, 용기를 내 다른 길로 나아갈 수 있는 놀라운 기회를 부여하기도 한다. 몸에서 급성 또는 만성 통증이 생기면 자신이 약해진 느낌을 받고 우울해 하는 고객들이 많다. 하지만 이러한 우울은, 보통 이전에 간과했던 신체적 불편함에서 비롯되었을 수도 있기 때문에, 좀 더 자신의 몸을 깊게 살펴볼 수 있는 기회로 삼는 편이 좋다.

진정으로 자신의 외로움과 우울을 반추할 수 있는 이라면, 그 느낌이 따스하고, 아늑하며, 오히려 안락하다는 것도 알게 될 것이다. 이는 타인에게 감춰왔던 비밀스러운 삶, 바로 내면의 풍요로움을 나타내는 단서가 된다. 하지만 임상적으로 말하는 우울증은 건강하지 않은 우울을 가리킨다. 이러한 우울은 오랜 시간 지속되기 때문에 전문가의 치료가 필요하다.

▌ 희망과 두려움Hope and Fear

세 번째는 희망/두려움과 관련된 통증으로, 인생 곡선의 상승, 하강에서 오는 고통과 연계되어 있다. 이러한 통증은 청소년 시기엔 변화무쌍함에서, 어른이 되어서는 조울증이나 감정의 기복에서 비롯된다. 여러분은 일 분 전엔 세상의 꼭대기에 있는 것처럼 보이다가 일 분 후엔 세상의 바닥으로 떨어져 고통 속에 휩싸인 듯이 보이는 청소년들을 본 적이 있을 것이다. 아마도 이 글을 읽는 분들도 지금 현재, 또는 어렸을 때 그런 일들을 겪었을 것이다. 어른들도 좋은 날과 안 좋은 날을 반복하며 살아간다. 때때로 즐거운 시간이 지나가면 곧바로 힘든 시간, 어려운 순간이 찾아온다. 차를 운전하며 직장으로 향하다 바지에 커피를 엎지르면서 불행한 하루가 시작된다. 때로는 비가 오는데 서리 제거 장치가 고장나 손이나 옷소매로 자동차 앞유리를 닦아야 했던 날도 있다. 비 때문에 출근을 늦게 했는데 설상가상으로 깜박 잊고 작업 중이던 중요한 서류를 놓고 왔다는 사실을 떠올린다. 이제 열불이 나서 커피를 한 잔 더 입 안에 들이부으며 신경계를 혼란케 하기도 한다. 센터에 찾아오겠다고 약속한 다섯 명의 고객에게 전화를 걸었는데 자동응답기가 받거나 아예 통화가 안 되는 경우도 생긴다. 그래서 그냥 신문을 펼쳤는데 최근 일어난 비극적인 사건만 눈에 들어온다. 점심을 먹으로 갔는데 대기줄이 길게 늘어져 주구장창 기다리거나, 원하는 음식이 다 떨어져 어쩔 수 없이 느끼한 햄버거를 먹어야 했고, 직장에서 잠시 멍하니 있었는데 상사가 새로운 업무 데드라인을 힘들게 설정하기도 한다. 고장난 차를 수리하는 일은 도대체 언제 한단 말인가? 이렇게 엎치락 뒤치락 하며 끊임없이 자극하는 일들을 겪어본 적이 있지 않은가? 고통스런 기운이 느껴지지 않던가? 고객들은 보통 신체적 고통에 대해 투덜거리며 치료 센터를 찾는다. "언제 내 통증이 그칠까요?", "이 불편함이 언제 멈추죠?" 이런 질문을 얼마나 많이 받았던가? 고객의 통증과 불편함은 좋아졌다, 재발했다, 나아졌다, 다시 드러난다. 모든 이들이 자신만의 상승과 하강 곡선을 그린다. 희망 가득한 판타지를 간직한 채 마음 놓고 자신의 길을 가지만, 또 다른 낭떠러지가 기다린다. 그렇지만 다시 꿈을 꾸고 고통을 망각한다. 어떤 이들은 마음을 비우는 수련을 하기도 하고 무언가에 중독되기도 한다. 육체의 통증은 이 과정을 가속화시킨다.

어떤 심리학 교수가 최고의 심리적 처방은 사회적인 활동을 격렬하게 하는 것이라는 말을 했다. 세션을 받으러 오는 고객들 중에는 바쁜 일상에 치료 약속을 잘 못 지키고, 아이를 봐줄 사람이 없어 힘들어 하기도 한다. 카드 한도가 다 되어 비용 지불이 어려운 고객, 중독된 행동/관계로 어려워 하는 이들도 있다. 사실 몸에 기능장애가 발견된다는 것은 무언가 변화가 필요하다는 신호이다. 그러니 이러한 신호에 주의를 기울일 필요가 있다. 이를 통해 새로운 나로 변할 수 있는 가능성이 존재하기 때문이다.

▌ 통증에 의한 통증 Pain of Pain

네 번째는 통증에 의한 통증이다. 통증은 통증을 낳는다. 통증이 생기면 거기에 주의를 뺏기는데, 이때 그 통증에 집착하면 오히려 통증이 가중된다. 만성적으로 통증을 안고 살아가는 이들을 본 적이 있을 것이다. 통각은 변형이 잘 된다. 그렇기 때문에 외부의 통증 자극이 사라졌는데도 여전히 통증에 시달리는 사람들이 있다. 신경계는 통증에 관심을 잘 기울이는 방향으로 진화해 왔기 때문이다. 온종일, 또는 오랫동안 지속적으로 통증 자극에 시달리며 살아가는 이들도 많다. 자극 속도를 늦추고 이완하는 법을 잃어버린 사람일수록 통증에 시달린다. 몸도 마음도 함께 자극을 받기 때문이다. 신경계의 가소성과 무의식 깊숙이 파고들어 더 많은 통증을 형성하는 정신적 경향 때문에 몸과 마음 모든 측면에서 통증이 가중되곤 한다. 이것이 바로 통증에 의한 통증이다.

고객들은 자신의 몸에 문제가 발생하면 두려움에 떤다. 두려움은 자연스럽고도 정상적인 감정이다. 두려움 때문에 인간은 부상을 예방할 수 있어서, 두려움은 감정보다 본능으로 간주되기도 한다. 몸에 어떤 질병이 발생하면 두렵다. 어느 날 목에 통증이 생겼다고 해보자. 다음 날까지 그 통증이 지속되면 암이 아닐까 하는 의심이 들 수도 있다. 하지만 네 번째 날에 아무 문제없이 자리에서 일어나 모든 것이 좋아진 느낌이 나면 웃음이 나며 이전의 모든 걱정이 사라지곤 한다. 하지만 이는 암 때문에 죽을 수 있다고 믿다가 자신을 돌보며 건강 프로그램을 실천했기 때문에 문제가 해결되었을 수도 있다. 두려움은 이렇게 변화를 낳고, 자신을 발전시키며, 스스로를 돌보는 원동력이 되기도 한다. 어렸을 때 부모님께 겁 먹지 말라는 잔소리를 들어본 적이 있을 것이다. 때론 두려워 말라는 말이 강박처럼 다가와 정말 미칠 것 같은 느낌을 받은 이들도 있다. 이런 경험은 자기소외self-alienation를 낳는다. 자기소외란 자신의 감정과 기본적인 본능에서 유리된 상태이다. 자기소외가 심해지면 가장 필요할 때, 예를 들면 아플 때, 자기 자신을 전혀 못 믿는 상황에 처할 수도 있다.

두려움이 생겨도 이를 거부하지 않으면 대담한 마음이 생긴다. 두려움은 좋은 친구이다. 알아주고, 존중하고, 자세히 살피면, 두려움은 용기와 건강을 선물한다.

> 좋은 건강이란 현실을 성공적으로 다룰 뿐만 아니라 그 성공을 즐기는 상태를 가리킨다. 건강한 이는 기쁠 때나 슬플 때에도 살아있음을 느끼며, 무언가를 소중히 간직하면서도 생존의 위협에 과감히 대처하는 능력을 지니고 있다(Illich, 1976, p. 128).

치료사는 고객에게 접촉하고, 인도하여, 스스로의 통증을 재조정할 수 있도록 돕는다. 치료사가 고객의 통증을 줄여야 한다거나, 줄일 수 있다고 여기는 것은 착각이다. 특히 만성 통증을 다룰 때 이러한 경향은 더 커진다. 종종 통증을 적으로 인식해서 그 뿌리를 뽑아야만 한다고 오해하기도 한다. 이런 착각으로 온갖 종류의 공격적인 치료법을 배워왔겠지만 고객에게 도움을 주기는커녕 치유도 하지 못하고 끝나는 경우가 비일비재하다. 도수치료를 예로 들면, 정말 수많은 도수치료 테크닉들이 존재한다. 근막이완요법, 두개천골요법, 롤핑 등을 통해서는 몸에 물리적인 변화를 창출할 수 있다. 치료사들은 수많은 치료 워크숍에 참여해 다양한 기법들을 배우는 일이 일상이다. 그래서 환자들은 이 기법 조금, 저 치료법을 조금 겪으며 오히려 혼란만 가중되곤 한다. 이러한 테크닉으로는 자율신경계를 제대로 다루기 어렵다. 그래서 고객의 감정은 통합되지 못한 상태로 남는다. 신경계 반응에 따른 감정적 방전 현상은 적절히 다루어져야 한다. 이는 신경계가 그 패턴을 완료하고 재구조화되어야 달성할 수 있다. 여기서 재구조화^{reorganization}란 인체 시스템이 변화에 반응하여 내적 조율을 거친 후 새로운 물리적 패턴을 창출하는 능력을 가리킨다. 재구조화가 일어나기 위해서는 정체된 에너지가 풀려나 장부와 연부조직계에 활용되어야만 하며, 발산되어 소진되어서는 안 된다. 따라서 이완은 퍼져나가면서 동시에 몸 안으로 진행되어야 한다. 연부조직, 장부, 그리고 중추신경계가 바로 통증을 재구조화하고 재조정하는데 관여한다.

장부에는 유기체의 깊은 감정이 담긴다. 영어에 "나는 이런 내장 느낌을 지니고 있어(나는 이런 예감이 든다 = I have this gut feeling)", "내게 너의 내장 느낌을 줘(너의 직감을 알려줘 = give me your gut feeling)", "너의 심장에서부터 말해(심중을 토로해라 = speak from your heart)", 등 특정 장부 이름이 들어간 말이 있는데, 이들 표현은 자신의 바람을 나타내거나 타인의 의견을 간청할 때 사용된다. 문제는 우리의 감정을 온전히 그리고 정확하게 표현하는 일이 쉽지 않다는 것이다. 한 개인이 자라면서 감정적 배움을 얻는 데 있어 부모 또한 최상의 모델은 아니다. 소년들은 종종 두려움과 슬픔을 극복하라는 충고를 듣고, 소녀들은 분노와 개성을 억누르라는 잔소리를 들으며 자란다. "여자들은 웃을 때 소리를 내지 말아야 해", "화를 대놓고 표현하면 어떡하니?" 부모들이 자식들에게 자주 하는 말이다. 이런 말들을 자주 듣고 자라면 자신의 내장 느낌$^{gut\ feeling}$을 표현하는 일에 서투르고 갈팡질팡하는 어른이 된다. 그렇기 때문에 도수치료 전문가들은 연부조직을 이완시킬 때 발생하는 에너지를 활용해 이를 장부로 이동시키는 일을 한다. 장부로 에너지가 이동하면 장뇌$^{gut\ brain}$가 깨어난다. 물론 도수치료를 통해 장뇌(내장 두뇌)를 깨우기 위해서는 시간, 인내, 사랑을 담은 친절한 보살핌이 필요하다. 오랜 시간 자신만의 치료법을 지속적으로 발전시켜온 치료사라고 해도 고객의 깊은 감정층을 깨우는 일엔 겨우 표피만을 긁고 있을 수도 있다. 하지만 미지에 대한 두려움을 안은 채로 앞으로 나아가라. 고객 입장에서도 자신의 내적 분노를 근막이완과 같은 도수치료로 풀어내려면 시간이 걸린다. 어쩌면 치료사 중에는 경추 퇴행에 따른 디스크 압박으로 바디워크를 계속하기 힘들 정도의 통증에 시달리고 있어서 자신의 직업을 계속 유지하기 힘든 이도 있을 것이다. 통증이 있는 상태에서 일을 하는 것은 매우 고통스럽다. 하지만 자신과 고객의 통증을 이해하고 해결해 나가는 일은 보람이 있고 큰 기쁨을 선사한다.

통증은 문화의 적으로 간주된다. 통증이 자신을 반추하는 계기를 마련해주는데도 이를 느끼는 기회가 약리학에 의해 박탈된 사회에서 살아가고 있기 때문이다. 사실 타인이 나의 문제에 대한 해답과 그것을 치유하는 힘을 가지고 있다는 생각이 약리학의 밑바탕에 깔려 있다. "의학 문명은 통증을 기술적 문제로 치환한다. 통증이 지닌 내적인 의미를 체험할 수 있는 기회를 박탈하는 것이 의학이다"(Illich, 1976, p. 189). 자신이 겪는 통증에 의해 스스로를 변화시킬 수 있는 기회가 박탈된다면, 질병은 의료 전문가들에 의해 쓰레기처럼 처리될 것이다.

통증을 단순히 객관적으로 바라보아서는 안 된다. 통증에는 매우 주관적인 경험, 의미가 내포되어 있고, 이를 통해 뭔가를 배울 수 있다. 누군가의 통증을 모두 없애는 것이 좋은 일인가? 이는 정말 숙고해 보아야 할 질문이다. 특히 정형학적인 문제를 지닌 환자를 다룰 때, 도수치료 전문가라면 반드시 되돌아봐야 할 내용이다. 통증을 단지 객관적으로 바라보고 없애야 할 대상으로 보지 말고 다음과 같은 질문을 던져라.

"어떻게 하면 내가 이 사람을 도울 수 있겠는가?"

Chapter 17

도수치료를 할 때
발생하는 심리적인 문제

Psychological Issues in Manual Therapy

모든 도수치료는 심리적인 문제를 자극할 가능성이 있다. 하지만 연부조직 기능장애와 이완이 생리학적으로 어떤 영향을 미치는지에 대한 연구는 진행이 되었어도, 치료사와 고객의 상호관계에 따른 심리적 문제는 지금까지 간과되거나, 무시되거나, 잊혀져 왔다. 그리고 이러한 문제가 제기되었을 때도 잘못 다루기 일쑤였다. 이 글에서는 도수치료를 진행할 때 고객과 치료사 사이에 가장 많이 발생하는 심리적인 문제를 간략하게 다룬다. 이 문제의 핵심은 전통적으로 전이와 역전이 transference and counterference에 관한 것이다. 전이와 역전이는 고객과 치료사 사이에 자연스럽게 일어나는 현상이다. 이는 양방향 도로에 비유된다. 프로이드는 어머니나 아버지가 자식들을 대하듯, 치료사가 고객에게 권위나 힘을 드러내면, 그 느낌이 전이되어 고객은 치료사에게서 부모와 같은 감정을 느낀다고 말했다. 치료사 또한 이러한 권위의 힘을 의도적으로 표출하면, 자신은 부모와 같은 감정을 전이받고, 반대로 환자나 고객은 딸, 아들과 같은 감정을 느낀다. 자신의 심층에서 또는 가정 내의 갈등 상황에서 감춰지고, 해소되지 못해 무의식에 남은 전이와 역전이 문제를 해소하는 것도 치료의 일환이다. 최근에 전이와 역전이 개념은 치료 과정에서 일어나는 자기소외 문제로까지 확장되었다. 1회 세션을 받는 동안 고객은 남성 치료사에게서 분노한 아버지, 착한 아들, 때로는 술취한 상사, 심지어는 어릴 때 읽은 문학 작품이나 신화 속에 등장하는 전사나 성인같은 가상의 인물을 투사하기도 한다.

몸의 문제로 괴로워하던 고객이 도수치료 전문가를 찾아올 때는 부푼 희망과 간절한 기대를 품는다. 하지만 자신이 바라던 기대가 무너지고 원하는 결과가 충족되지 않았을 때는 전이와 역전이 현상이 강화되어 심리적 문제를 야기한다. 실망, 분노, 모멸 등의 감정을 표출하기도 하고, 히스테리를 부리거나 충동적인 폭음을 하는 등 엇나가는 행동을 하는 것이 그 예이다. 또는 치료사와 사적인 관계를 맺고 싶어 거리감을 유지하지 못하거나, 치료비를 지불하지 않기도 하며, 노쇼no-shows,

지각, 등의 행동으로 치료를 방해하기도 한다. 보통 도수치료 전문가들 중에 심리치료사들처럼 커뮤니케이션 기법, 경계, 자아방어기제, 전이, 심리학적 윤리 등에 대한 트레이닝을 받은 이들이 많지 않은 것도 이러한 문제를 악화시킨다. 치료사와 고객이 아닌 제 3자의 위치에 있는 이들이 치료 과정에 혼돈을 야기하는 경우도 흔하다. 접수원, 전화 응답 사원, 사무장, 보험사 직원, 그리고 진단을 내리는 의사 등이 이에 해당된다. 이들은 도수치료 전문가 주변에서 완충 지대 역할을 하기 때문에 치료사와 고객 관계의 확장된 영역으로 간주할 수도 있다. 그런데 이런 완충 지대가 고객의 건강과 치료에 부정적 영향을 미치는 경우가 많다. 아마도 치료사들은 대부분 치료를 시작하고 처음 10분 동안 센터의 이런저런 사람들에 대해 불평불만을 늘어놓는 고객들을 만난 적이 있었을 것이다. 여러분도 얼마나 많이 이런 일들을 겪었는지 떠올려보라.

부정적 전이를 막는 최선의 해결책 중 하나가 바로 경청이다. 여기서 경청이란 불평과 불만에 반응하지 않고 단지 인내심을 가지고 고객에게 감사를 표하며 그냥 치료를 계속 해나가는 것이다. 때로는 고객이 하는 말을 반복하며, 역지사지하여 이렇게 말해보라. "이런, 그런 일이 있었다면 나라도 화가 많이 났겠어요." 이러한 태도는 고객의 마음을 상하게 하지 않으면서도 공감을 이끌어낸다. 여기서 공감이란 고객의 상황 속으로 들어가 느끼는 일, 고객에게로 감각(시각, 청각, 미각 등)을 확장시키는 것을 말한다.

종종 사업적인 문제가 심리적인 문제에 깊게 관여하기도 한다. 치료 스케줄 잡기, 치료 비용 결정하기, 예약하고 나오지 않는 고객 관리하기 등의 문제는 고객과 치료사 사이에 혼란과 실망의 감정을 유발시킨다. 특히 치료사와 고객의 첫 만남이 매우 중요하다. 이때에 신체적, 감정적 경계boundaries가 형성되기 때문이다. 이 첫 만남에서 명확한 관계를 형성할수록 고객의 지각, 노쇼, 치료 중의 불만 전달

등의 문제가 줄어든다. 이러한 문제는 치료실 내에서 일어나는 상호관계에도 영향을 미친다. 치료사의 태도가 고객에게 영향을 주며 해당 센터나 병원에서 제공하는 모든 서비스의 선택에 영향을 미치는 경우가 많다는 뜻이다. 마사지테라피스트는 물리치료사보다 이 문제를 더 많이 겪는다. 미국의 공인 마사지테라피스트는 경영에 관한 훈련을 거의 받지 않고, 이전의 직업을 내팽개친 채 자기성장을 위해 마사지 업계에 뛰어든 경우가 많다. 마사치테라피스트 중에서는 일반 의학을 배운 사람들과 함께 일을 하기도 하는데, 이 경우에도 경영과 고객 응대 등에서 똑같은 문제에 봉착하곤 한다. 이는 물리치료사도 마찬가지로 겪는 문제이다. 의원성 질환이란 의사의 치료 행위로 인해 발생하는 병을 가리키는데, 마사지테라피스트의 경우에 적용해 보면, 마사지 자체가 오히려 문제를 악화시키고, 의료 서비스 재구매를 방해하는 요소로 작용하기도 한다는 의미이다. 여기엔 부정적 역전이 현상이 관여한다. 하지만 치료 과정이 늘 이 시나리오 대로 일어나는 것은 아니다. 환자의 통증을 다루고, 증상을 감소시키고, 치료하는 기본적인 일이 치료의 전체 과정에서 그다지 중요한 기여를 하지 못할 때가 있다는 뜻이다. 어떤 융 심리학자가 이런 사실을 알고 나에게, "베이컨만 익었다"고 충고한 적이 있다.

고객과 사적인 대화를 어느 정도까지 나눠야 하는지 때론 혼란스러울 수도 있다. 이를 자아개방self-disclosure 문제라고 한다. 대화의 깊이는 항상 자신의 경험에 따라 결정되어야 하며, 자신이 모르는 정보를 타인의 경험에 의존해서는 안 된다. 예를 들어, 여러분이 고객이 겪고 있는 것과 비슷한 목/디스크 문제를 앓고 있다면 이에 대해 정보를 공유하면서, 자신이 한 번도 겪어보지 못한 운동이나 해결책에 대한 대화를 나눌 수도 있다. 이 경우 이렇게 말하는 것이 도움이 된다. "저도 이 운동을 예전에 해본 적은 없지만, 이 경우에 정말 좋다는 말을 들었어요." 도수치료 영역에서 자주 회자되는 거짓말이 있다. 바로 이런저런 치료법이 좋다는 연구 결과가 있으니, 이 질환을 앓는 모든 사람에게도 도움이 될 것이라는 식의 접근법 말이다. 이런 일은 거의 안 일어난다. 환자 치료를 할 때는 요리책에 나오는 레시피를 적용하듯 일괄적으로 똑같은 치료법을 적용할 수 없다.

　　도수치료를 할 때 마주치는 가장 큰 이슈 중 하나가 바로 성적인 문제이다. 피부와 피부가 접촉하는 상황은 종종 성적 친밀감을 느끼게 하여 마음을 혼란케 한다. 도수치료 전문가들은 고객을 치료하는 과정에서 이와 관련된 윤리적 문제에 자주 봉착하곤 한다. 부적절한 접촉, 고객과 데이트하고 식사 같이 하기, 잠자리를 함께 하는 등의 많은 행동들이 이와 관련되어 있다. 고객과 친밀한 상태를 유지하는 것은 중요하지만 이게 성적인 문제와 혼동되면 세션 전체에 영향을 미친다. 치료사의 머릿속에 성적 판타지가 자리하면 고객을 접촉하는 방식이 달라지고, 고객에게 치료를 권하는 횟수가 달라지며, 가정에서 반려자를 대하는 태도에도 영향이 간다. 접촉은 인간 발달 과정에서 중요한 필요조건이기 때문에, 적절한 접촉이 이루어져야 한다. 아이였을 때 우리는 쓰다듬을 받고, 포옹하고, 사랑 가득한 돌봄과 관심을 받으며 자랐다. 하지만 이러한 접촉이 충분히 가해지지 않은 채로 자란 아이는 애정을 주고 받을 때 형성되는 정신적 성숙이 더뎌진다. 그래서 애정과 성행위가 자주 혼동되곤 한다. 도수치료 전문가는 늘 이런 심리적 욕구를 마주한다. 도수치료를 시작하면서 편견없는 마음으로 고객의 말을 경청하고, 적절한 접촉 기법을 평정심으로 적용하는 일은 쉽지 않다. 그래서 어떤 치료사는 성적인 충동에 쉽게 빠지기도 하며, 친밀감과 사랑 사이에서 혼동을 느껴 성적 관계를 갈망하기도 한다.

　　치료실에 들어온 고객은 탈의를 하면서 당혹감을 느낀다. 치료를 위해 탈의하는 과정에서 부끄러운 느낌을 받거나 친밀감이 형성되는 일은 당연하지만, 이게 성적인 감정은 아니다. 당혹감과 부끄러움은 많은 고객이 마주치는 문제이다. 이러한 것을 경계boundaries 문제라고 한다. 여러분도 이러한 경계 문제를 살아가면서 자주 겪었다. "어른처럼 굴어라. 어른은 울지 않아" 또는, "그렇게 느낄 필요는 없어. 어른은 그렇게 느끼지 않아" 등과 비슷한 말을 부모님께 얼마나 자주 들었던가? 어머니는 딸에게, "여자는 화내는 모습을 모여선 안 돼" 등과 같은 말도 자주 한다. 아이들의 감정과 느낌은 이러한 말 때문에 위축되곤 한다. 부끄럽고 당혹한 느낌은 매우 강력하며 존중받아 마땅하다. 그렇기 때문에 치료사가 고객의 이러한 느낌을 존중하는 것은 고객을 존중하는 것과 같다. 자신의 느낌이 존중받을만 하고 가치를 지닌다는 사실을 깨달은 고객은 치료사에게 친밀감을 느끼고, 이는 치유를 촉진한다. 고객의 말을 경청하고, 그들이 느끼는 감정을 판단없이 또는 경계의 침범없이 존중하면서 치료적 접촉을 하라. 고객이 느끼는 것을 평가절하하지 말라. 이렇게 친밀감이 생기면, 치료사는 함부로 평가하지 않는 환경에서 고객에게 자신의 느낌을 적절히 표현한다. 바디워크와 도수치료를 받으면서 고객은 다양한 느낌을 경험한다. 천천히, 그리고 점진적으로 고객이 여러분의 접촉에 오랜 시간에 걸쳐 익숙해지고 편안해지게 하면, 신체와 느낌이 서로 연결된다. 예전에 어떤 선생님이 이런 말씀을 하셨다. "치유는 과정이다. 사건이 아니다." 치유는 고객/치료사 관계의 산물이지 특별한 테크닉의 결과물이 아니다. 이는 심리학뿐만 아니라 도수치료에도 똑같이 적용된다.

치료사의 부정적인 역전이negative countertransference가 고객에게 투사되어 해석될 때는 오만함, 공격성, 전문가의 거리감으로 받아들여진다. 이런 일들은 신경계가 통합되지 못하게 하는 상황을 만들어 심리적이며 신체적인 측면 모두에서 고객의 트라우마를 심화시킨다.

건강 전문가들은 임상적으로 고객과 적절한 거리를 두어야 한다는 강박을 지니고 있다. 마사지테라피뿐만 아니라 물리치료도 객관적인 사실을 바탕으로 한다. 하지만 객관적이고 과학적이며 확인된 데이터만으로 또는 커튼 뒤에서 20분간 핫팩과 초음파 치료를 하는 것만으로 치료가 일어나진 않는다. 이런 것들은 일시적인 효과를 줄 뿐이다. 하지만 이 나라의 수많은 병원들은 이 방식으로 운영된다. 정형적인 손상을 해결하거나 수술 후 트라우마를 치유시키는 일이 단지 과학적인 접근법만으로 이루어지지 않는다는 뜻이다. 핫팩과 초음파만으로 물리치료를 제공하는 방식은 몸/마음 연결성을 고려하지 않고 있으며 제대로 된 치료 환경을 제공하지도 못한다. 평화롭고 고요한 환경 자체가 건강과 웰빙에 중요한 요소이다. 그러므로 치료사와 치료 센터 모두 평화롭고 안정되어 있어야 부정적인 역전이 현상을 예방할 수 있다. 이를 위해 환자와 치료사 모두 방해받지 않는 조용하고 개인적인 치료실에 드나들 수 있어야 한다. 여기서 환자는 최소 한 시간 동안 치료를 받으면 좋다. 이를 하루에 한 번 시행하라. 모든 치료사는 고요한 환경에서 방해받지 않고 하루에 한 시간 동안 치료에 임할 수 있었으면 한다. 궁극적으로 치료사는 자신의 역전이를 관리하는 최고 책임자가 되어야 한다. 서비스 재구매를 위한 상담 기법의 중요성도 이해하고 있어야 하고, 치료에 영향을 주는 실질적인 환경을 제공할 줄도 알아야 한다. 자신의 자아와 온전한 연결성을 이루는 책임 또한 치료사에게 있다.

"바디워크를 할 때 고객이 감정적인 반응을 하면 어떻게 대해야 할까요?" 이런 질문을 하는 치료사들이 많은데, 아마도 질문을 한 이는 치료 중에 자신이 겪은 고객의 반응에 여러 번 겁을 먹었을 수 있다. 질문을 한 치료사가 감정적 문제를 다루는데 경험이 부족하다는 사실도 이 질문을 통해 추론해 볼 수 있다. 근막이완요법, 두개천골요법, 롤핑, 내장기 도수치료, 등은 치료 효과가 매우 좋다. 그래서 이러한 기법을 통한 치료 과정에서 자율신경계 방전, 정신신체적 긴장 이완, 그리고 감정적 정화가 일어나는 일도 흔하다. 이와 같은 현상이 일어났을 때 대처하는 방식은 치료사의 경험에 따라 그 편차가 크다. 경험 정도에 따라 관찰하고 대처하는 방식에 차이가 나기 때문이다. 그런데 치료사들 중에는 정신적, 감정적 이완을 촉진하거나 문제를 해결하는 방법을 알려주는 일주일 워크숍만으로 고객의 반응을 대처할 수 있다는 잘못된 기대를 하는 이들이 많다. 일주일 워크숍에서는 정말 단순하고 기계적인 접근법만을 가르친다. 때론 이런 단편적인 배움이 오히려 부정적인 역전이를 불러일으킬 수 있다. 배운 내용을 적용한 치료사들은 다음 두 가지 문제에 봉착하곤 한다. 첫째는 배운 내용대로 적용했는데 고객의 증상이 개선되지 않아서 자신의 접근법이 뭔가 부족한 느낌이 드는 경우이다. 당혹감을 느낀 치료사는 고객을 제대로 관찰하지 않고 오직 신체적 문제를 고칠 수 있는 방법을 전하는 워크숍에 더 많이 참여하게 된다. 둘째는 많은 치료사들이 자기 자신의 고통스러운 감정을 다루는 방법을 잘 모르거나, 심지어 그러한 감정이 올라올 때 인지하지도 못하는 경우이다. 이 또한 치료사에게 큰 문제를 야기한다. 고객이 치료사에게 얻는 것보다 치료사가 고객에게 얻고 배우는 것이 더 많다. 치료사는 고객 덕분에 감정을 지니고 살아가는 자신의 존재 방식을 개선시킬 수 있다. 자신이 어떤 사람인지 그리고 자신의 미성숙한 감정의 고통스런 경계가 어디인지 아는 치료사에게 치료를 받은 고객은 이를 감지한다. 미국 남동부에 있는 앨라바마Alabama 속담에 이런 말이 있다. "찾지 말고, 금지하지 말라." 감정이완과 관련된 치료법을 쓸 때 이 말을 기억하기 바란다. 만일 여러분이 고객의 감정을 확실히 찾아서 완벽히 해소시키는 작업을 하려 한다면 심리학 학부에서 150시간을 이수하거나 심리학 박사 학위를 따도 부족하다.

타인의 신체를 가지고 작업하는 치료사들은 스스로를 돕고 성장시킬 수 있는 트레이닝을 받길 권한다. 찾아보면 혼란스럽고 혼동스러운 감정을 다스리는 법과 관련된 자기성장 프로그램 또는 카운셀링 워크숍이 존재한다. 가족 구성원 중 한 명의 건강이 나아지면 다른 모든 이들 또한 변화를 겪는다는 사실은 매우 잘 알려진 사실이다. 그러므로 고객의 상태가 나아지길 바란다면 치료사 자신이 성숙해져야 한다. 감정과 관련된 기법은 다음 사이클을 따른다. 첫째, 그 감정을 알아채고, 둘째, 그것을 경험하고(감정을 함부로 표출하지 않는다), 셋째, 표현하고, 넷째, 문제를 해결하는 작업을 시작한다. 이는 신체기반 치료법을 적용하는 치료사들은 잘 모르는 감정이완 관련 접근법의 기본 원리이다. 고객의 웰빙 상태가 영구적으로 변하길 기대하는 것은 치료사의 인지상정이지만 발달장애, 정신운동성 질환, 또는 인지왜곡과 연계된 감정적 문제가 전문가의 개입 없이도 해결될 수 있다면 최상이다.

마지막으로, 치료사는 자신과 타인에 대한 피해의식을 갖기보다는, 자신의 감정과 행동에 책임을 질 줄 알아야 한다. 피해의식에 사로잡혀 있는 치료사는 무언가 잘못되었다는 착각의 늪에 빠진다. 그래서 위축되고, 슬퍼한 후, 분노한다. 분노는 무언가 잘못되었다는 느낌과 연계되어 있다. 치유가 일어나기 위해서는 자신과 자신의 삶 전체에 진정으로 주인의식을 지녀야 한다. 이게 바로 치료사가 고객을 치유하는 과정에서 반면교사 삼아 얻을 수 있는 최고의 선물이며, 궁극적으로는 자신을 성장시키는 배움의 결실이다. 고객의 느낌과 감정을 존중하고, 그들이 느끼고 있는 것을 잘 느낄 수 있도록 허용함으로써, 치료사는 고객을 가르칠 수 있다. 이 목표는 매우 단순하게 달성될 수 있다. 고객의 눈에서 눈물이 보이면 이렇게 물어라. "치료를 계속 할까요, 아니면 조금 쉴까요?" "지금 느끼고 있는 것을 그대로 느껴도 괜찮아요." 이런 식으로 대처한 후 고객의 횡격막, 복부, 또는 가슴 위나 목 아래에 매우 가볍게 손을 얹는다. 그러면 이게 바로 자신의 느낌을 탐험해도 괜찮으니 이를 허용한다는 신호가 된다. 그리고 그냥 이렇게 말하라. "잘 하고 있어요. 그느낌을 받아들이세요." "좋네요. 이곳이 느껴지나요?"(손을 접촉한 부위에 따라 다르게 표현한다).

고객과 치료사는 열린 시스템의 일부이다. 질병은 고객의 삶 전체 맥락과 관련되어 있으며 단지 신체적 문제로 인해 기인한 것은 아니다. 다시 말해, 고객의 생활 스타일, 식습관, 정신적 상태, 몸 상태, 영적인 측면 전체가 질병 치유와 건강 증진에 중요하게 작용한다는 뜻이다. 따라서 치료 과정에서 이와 관련된 문제가 발생할 때마다 고객의 전체적인 측면을 인지하여 효율적으로 대처하여야 한다. 치료사는 능동적으로 경청하고(미러링), 경계를 설정하며, 자신의 감정과 느낌에 책임질 수 있어야 한다. 그리고 고요하고 평화로운 치료 환경을 조성하여야 한다. 고객과 치료사는 건강과 치유라는 목표를 향해 함께 탐험하는 동반자이다.

Chapter 18

신체 쇼크
유형

Types of Body Shock by Michael J. Shea, Ph. D.

여기서는 쇼크의 여러 범주에 대해 이야기하고, 트라우마를 지닌 고객을 상대할 때 느끼는 당혹스러운 측면을 다룬다. 쇼크란 운동패턴^{motor patterns}과 감각영역 sensory field이 제한된 상태이다. 쇼크는 과잉자극을 막는 장벽에 구멍이 생겨서 나타난다. 이 장벽이 오래되면 방어기제를 활성화시킨다. 이게 무슨 말일까? 쇼크는 해리를 낳는다(Putanam, 1993). 의식과 동떨어진 상태에서 다른 정보가 종합 또는 통합되지 못하여 일정 기간 생각, 느낌, 또는 행동이 지체되거나 변한 상태를 해리 dissociation라 한다. 쇼크를 받은 유기체는 위축 반응을 보인다. 위축 반응이 생기면 먼저, 신체가 각성 장애를 겪는다. 자신이 옳다고 여겼는데 오해를 받으면 오히려 분노를 억누르려는 사람이 있다. 이들은 턱을 꽉 다물고, 굴곡근을 긴장시키는 등의 신체 반응을 보인다(Feldenkrais, 1949). 또는 두 개 이상의 신체 반응이 동시에 드러나는 이들도 있다. 두려움이나 쇼크를 맞닥뜨렸을 때 투쟁-도피 반응이 활성화는 것이 그 예이다. 싸우고 싶은 마음이 들면서, 동시에 도망치고 싶은 마음이 일어난다는 뜻이다. 신체가 각성 장애 상태에 있으면 억제 반응이 일어난다. 전형적인 형태가 바로 죽은척하기^{death-feigning or sham death} 반응이다(Ludwig, 1983). 이때엔 신체 조직이 느슨해지며 체념 자세^{posture of resignation}를 취하기도 한다. 어떤 반응은 신체 조직의 톤을 높이고, 어떤 반응은 또 조직의 톤을 줄인다. 때론 이 두 가지 현상이 동시에 일어나기도 한다(Levine, 1992).

유기체는 상황에 따라 이 두 반응을 선택하며, 일생 동안 어느 하나의 반응을 선호하며 살아가기도 한다. 쇼크 유형에 따라 투쟁 또는 도피가 일어나면, 해당 패턴은 그 자체로 완료될 것이다. 하지만 투쟁하거나 도피하지 않으면 중추신경계에 과부하가 걸려 몸이 스스로 필요한 반응을 선택하기 시작한다. 이에 따라 위축 반응이 일어난다. 자, 그렇다면 이 반응은 어디로 나아갈까? 근막이 바로 그곳이다. 위축 반응으로 몸이 뻣뻣해지면 우리는 보통, "놀라서 몸이 굳었어"라고 표현한다. 인체의 굴곡근이 수축하면 뻣뻣해지는 현상이 일어나는데, 이 수축으로 인해 모세혈관이 압박을 받고, 결국 연부조직에 허혈성 압박이 가해진다. 그래서 혈중 산소가 감소하고 심혈관계가 이를 백업하기 시작하면 고혈압 또는 협심증이 유발될 수도 있다. 이제 의사에게 찾아가 약을 받지만, 어쩔 수 없이 가족 문제가 있는 상황에서 계속 살아가거나, 학대 받는 것을 계속 견디거나, 또는 오거같은 상사에게 시달리며 스트레스를 받는 생활을 계속 해나갈 수밖에 없는 일상이 이어진다. 이렇게 스트레스 가득한 일상이 지속되면 언젠간 수술을 받는 일이 발생하거나, 또는 사고를 당하기도 한다. 자동차 사고로 인한 편타성손상을 입거나, 설상가상으로 스트레스를 넘어 진짜 육체적 기능장애를 겪게 되기도 한다. 많은 이들이 쇼크를 이런 방식으로 대처한다. 이때에 몸은 많은 문제들로 가득한 폐기물 처리장과 같다.

죽은척하기 반응은 인체 조직에 수동성을 부여한다. 죽은척하기는 해소하거나 극복할 수 없는 트라우마나 쇼크 때문에 나타나는 해리 상태^{dissociative state}이다 (Ludwig, 1983). 이러한 해리 상태가 지속된 사람은 외상후 스트레스장애^{PTSD}를 겪거나 다중인격장애를 호소하기도 한다.

도수치료 전문가는 고객이 수술을 받은 부위나 경추 편타성손상 부위를 직접 손을 대고 풀어줄 수 있지만, 일반적으로 심리적인 측면을 다루는 법에 대해서는 트레이닝을 받지 않는다. 하지만 손을 접촉해 도수치료를 시작하면 쇼크에서 비롯된 문제들이 자극받아 풀리면서 자율신경계 안에서 온갖 종류의 부수적인 증상이 튀어나온다. 치료사는 도수치료를 통해 새로운 반응이 구조화되도록 돕고, 오래된 트라우마가 재조정되도록 도우며, 자율신경계 활성화와 방전이 시작된 이후에 더 높은 기능 수준으로 몸이 통합될 수 있도록 돕는다. 이를 통해 치료사는 고객의 몸이 스스로 조율될 수 있는 공간을 창출해준다.

많지는 않지만 앞에서 소개했던 것과 다른 종류의 쇼크도 존재한다. 나는 대학을 졸업하고 군대에 지원했는데, 베트남 전쟁이 터져 서독의 프랑크프루트에 거하게 되었다. 이때는 아마도 잠시 평화로운 시기였던 것 같다. 나는 유럽 최고 군사령부가 위치한 큰 건물에서 근무하고 있었다. 당시 숙소는 군사령부 건너편 장교 아파트 1층에 있었다. 어느 날 장교 클럽으로 놀러갔는데, 근처에 주차를 하고 나온 후 식당으로 들어가는 순간 테러리스트가 설치한 폭탄이 터졌다. 나는 돌무더기에 묻혔고(함께 있는 모든 이들이 같이 묻혔다), 내 차 뒤쪽에 주차했던 중령 한 사람은 그 자리에서 즉사했다. 내 차도 완전히 망가졌다. 피가 낭자할 정도로 고강도 쇼크를 겪게 된 것이다. 나는 중령의 머리 일부가 잘려 내 차 뒷자석에 떨어지는 모습을 보았다. 살아남은 나는 몇 년간 심리치료를 받았으며, 쇼크 때문에 생긴 감각 부하를 회복시키기 위해 여러 종류의 바디워크를 받았다. 이 장의 부록 부분에 나의 경험으로 인해 겪었던 내적인 여정과 만성 외상후 스트레스장애를 극복한 과정을 소개하였다.

이런 종류의 경험은 해리 환경과 해리 현상을 낳고 외상후 스트레스장애로 이어진다. 외상후 스트레스장애는 베트남 전쟁의 또 다른 결과물이다. 베트남 전쟁에서 살아남은 군인 중에서 실제로 자살, 범죄, 그리고 정신질환을 앓는 이들이 많다는 암울한 통계가 존재한다. 실상을 바로 볼 줄 알아야 한다. 물리치료사나 마사지 테라피스트 중에서 베트남 참전 용사를 치료한 이들이 얼마나 많은지 정확히 알려져 있지 않지만, 사실 정형학적 부상, 수술 등을 받은 환자들은 늘 외상후 스트레스 증후군을 갖고 있을 확률이 높다. 미국의학협회American Medical Association는 1995년에 시각적 폭력이 스트레스와 불안의 주된 원인이 된다고 발표했다. 시각적 폭력Virtual violence이란 TV, 신문, 또는 영화 등에서 볼 수 있는 폭력적인 모습이다. 쉽게 말해, 이제는 TV를 시청하고 나서도 외상후 스트레스장애를 경험할 수 있다는 뜻이다. 이런 상황이라면 현대인들은 긴장된 신경계를 안정시키지 못하고 계속 살아가는 셈이다. 생각해보자. 경추 편타성손상을 당한 후 5년이 지나서야 경추 편타성손상후 증후군 판정을 받았다면, 이게 바로 첫 번째 외상후 스트레스라고 할 수 있다. 고속으로 달리는 자동차에서 사고를 당하든, 시속 15~20마일 정도로 달리는 차에서 사고를 당하든 인체에 충격이 가는 것은 마찬가지다. 사고 후 신경계는 쇼크에 빠진다. 고강도 쇼크는 차 사고뿐만 아니라, 폭탄 사고, 차량 전복, 또는 지속적으로 TV를 시청하는 상황에서도 발생할 수 있다. 그리고 이때 받은 쇼크는 몇 년에 걸쳐 진행된다. 이러한 쇼크를 해소시키는데 근막이완요법과 두개천골요법의 조합은 매우 좋은 결과를 가져온다.

고강도 쇼크뿐만 아니라 어릴 때 겪을 수 있는 폐쇄형 뇌손상closed-head injuries이나 신경학적 문제 등 다양한 형태의 쇼크 트라우마가 존재한다. 이러한 쇼크에 대한 손상을 예방하기 위해 인체는 전환기전shunting mechanism을 발동시키는데, 이 전환기전에도 정도 차이가 있다. 예를 들어, 성인은 이 전환기전 때문에 아이들보다 훨씬 더 쉽게 큰 쇼크를 다룰 수 있다. 성인은 쇼크로 인해 발생한 에너지를 장부, 중추신경계, 골격계, 관절공간, 또는 심장으로 보낼 수 있다. 인체는 엄청나게 복잡하다. 그래서 연부조직에 트라우마가 생기면, 조직의 톤을 높이던가 낮추던가 아니면 만성통증, 만성피로, 또는 근육근막염myofascitis이나 섬유근통fibromyalgia 등으로 표출한다. 그리고 모든 대식세포macrophage가 교감신경계와 연계되어 있기 때문에 궁극적으로 면역계까지 고통을 받는다(Arnason, 1993).

두 번째 유형의 쇼크는 수술이다. 편도절제술을 받든 제왕절개를 받든 수술은 인체에 매우 큰 충격을 남긴다. 제왕절개를 한 여성들을 치료할 때 매우 흥미로운 경험을 한 적이 있다. 이들은 근막이완요법뿐만 아니라 심리치료도 함께 받았다. 제왕절개로 자연분만을 하지 못하게 되면서 이들의 신경계는 위축되었던 것이다. 자연분만을 수행할 수 없었던 몸에서는 심각한 트라우마성 방전 패턴이 진행되었는데, 몇 년 후 근막이완요법을 받으면서 자연분만에 활용되는 인체 조직의 반사적 긴장이 이완되기 시작했다. 제왕절개뿐만 아니라 다른 형태의 반흔조직^{scar tissue}을 지닌 여인의 골반을 이완시킬 때에도 비슷한 현상이 일어났다. 특히 반흔조직에 대한 근막이완을 명확히 해야 한다. 유착이 일어나면 엉덩이, 굴곡근, 장부, 골반기 저부가 영향을 받을 수 있기 때문이다.

세 번째 유형은 피할 수 없는 공격에 따른 쇼크이다. 미국 사회에 만연한 육체적, 성적, 감정적 아동 학대는 놀라울 정도이다. 이와 관련된 쇼크를 지닌 고객을 치료할 때는 눈을 크게 뜨고 관찰해야 한다. 인체가 보내는 학대의 징후는 다양하게 드러난다. 하지만 아동 학대는 종종 잊혀지거나, 오래되어 이차적인 형태도 변형되거나, 의사에 의해 가려지거나, 발달 과정의 문제로 변모한다. 학대에 따른 증후가 일차적인 것이라면, 이차적인 과정도 매우 중요하다. 이는 고객의 심리적 과정과 연관되기 때문이다. 전통 의료 시스템에서는 이를 놓치는 경향이 있다. 고객에게서 이러한 이차적 과정이 일어나는 것을 관찰할 수 있기 위해 심리학 트레이닝을 받아야 할 필요는 없다. 단지 고객의 자율신경계 기능을 관찰하려고 노력하기만 하면 된다. 피할 수 없는 공격에 따른 쇼크를 받아 이차적으로 진행되는 과정은 언어 이전에 또는 증상을 넘어서서 전달된다. 특히 자율신경계에서 진행되는 이차적 과정이 더 중요하다. 고객의 고관절 내전근(엉덩관절 모음근)을 이완시킬 때는 훨씬 주의해서 살펴봐야 한다. 이런 쇼크를 당한 고객의 고관절 내전근에는 여러 번의 세션을 진행한 후에 접근하는 것이 좋다. 고관절 내전근에는 척추로부터 내려온 깊은 근막이 닿기 때문에 더욱 조심해서 부드럽게 세션을 진행해야 한다. 느리게 들어가고 피드백을 요청하라. 세션을 진행할 때에는 고객의 눈을 계속 관찰하라.

공격을 받아 회피하려고 할 때에는 육체적으로 또는 내적으로 무언가 부족한 것이 있다는 느낌이 바탕에 깔린다. 이게 바로 다른 쇼크와 구별되는 흥미로운 점이다. 우리는 외부에서 공격을 받는 순간에 보통 내적으로 힘이 달리는 느낌 또는 요령 있게 피하지 못할 것 같은 느낌을 받곤 한다.

네 살 먹은 아이가 있었는데 어느 날 거리를 걷다가 도베르만 품종의 개에게 발목을 물리게 되었다. 하지만 그 아이는 이 사실을 부모님뿐만 아니라 어느 누구에게도 말하지 않고 20년을 살았다. 개에게 발목을 물린 이후로 그는 개만 보면 엄청 놀라곤 했다. 아이는 광견병 주사를 맞으면 길다란 바늘이 배를 쑤시고 들어간다는 말을 들었었다. 그게 얼마나 아플지 상상하며 부모님께 감히 말을 할 수 없었던 것이다. 그는 개에게 물린 이후로 20년 동안 개 짖는 소리를 듣기만 하면 불안이 엄습해 오는 느낌을 받았을지도 모른다.

당신도 아마 이와 비슷한 쇼킹 상황을 많이 겪고 살아왔을 것이다. 모든 사람들이 그렇다. 여러분의 신체를 과소평가하지 말라. 살면서 겪은 사건들과 거기에서 파생된 증상들이 실처럼 서로 이어져 계속 우리를 괴롭히고 있다.

네 번째 쇼크 유형은 신체 부상이다. 여러분은 정형학적 손상을 입은 고객을 많이 만났을 것이다. 여기엔 질병으로 입원을 해서 신체를 못 움직이거나 여러 종류의 자동차 사고를 당한 고객도 포함된다. 여러분도 승객으로 차에 타고 있다가 또는 도로 위를 걷다가 사고를 당했을 수도 있고, 차를 운전하다 또는 빙판 위에서 넘어져서 다친 경우도 있을 것이다. 중추신경계와 몸은 이러한 스트레스에 반응한다. 사고로 쇼크를 당하면 호흡이 변하고, 혈액의 화학적 상태가 변한다. 면역계가 바뀔 뿐만 아니라 몸 전체의 신경생리도 영향을 받는다. 이와 같은 사고를 당하면 만성 스트레스에 시달리지 않는 곳을 찾아보기 힘들어진다. 이러한 맥락에서 보면, 스트레스 때문에 연부조직에 중요한 변화가 생기면서 자세에도 영향이 가는 것을 알 수 있다. 바디워커는 고객의 중추신경계와 자율신경계가 트라우마의 압박에서 좀 더 효율적으로 벗어날 수 있도록 돕는다. 바디워크를 받는 것뿐만 아니라 운동을 하는 것도 매우 중요하고, 양분을 충분히 섭취하는 것도 중요하다. 기도와 명상 또한 이러한 쇼크와 트라우마를 제거하는데 중요한 역할을 한다(Dossey, 1993; Kabat-Zinn, 1985).

다섯 번째 유형의 쇼크는 신체 방어 실패이다. 낙상이 이에 해당된다. 도로변이나 계단에서 발을 헛딛거나 넘어지는 일은 신체 부상 유형의 쇼크와는 다른 결과를 가져온다. 왜냐면 낙상엔 좀 더 전정계 기능이 관계되기 때문이다. 중추신경계 대부분은 인체를 정립시키는 것과 관련되어 있다. 그런데 넘어지면서 몸을 보호하려고 하면 쉽게 뼈가 부러지거나, 관절에 타박상이 생기는 등의 손상이 발생한다. 정형학적 손상을 당하는 이들 중 낙상이 원인이 되는 경우가 많은 이유이다. 낙상을 당하면 근막이 긴장되고 단축되기 때문에, 이 경우 근막이완요법이 특히 도움이 된다.

마지막으로, 환경적, 문화적, 그리고 심리적 쇼크가 있다. 문화적 쇼크를 예로 들어보자. 내가 군대를 제대한 1970년대 초는 불황기어서 일자리를 구할 수가 없었다. 이전엔 고등학교 영어 선생으로 근무했고, 또 군대에서도 좋은 곳에 있었지만, 이 당시엔 거의 1년 가량 실직 상태로 있다 보니 어쩔 수 없이 상선 선원이 될 수밖에 없었다. 나에겐 정말 힘든 시기였다. 상선 선원으로 근무하는 것은 그 자체로 일종의 쇼크였다. 배에서 일하던 선원 중 대부분은 알콜 중독이었고, 그들의 절반 정도가 읽고 쓰는 것도 잘 못했다. 난 내 인생 처음으로 월급 수표에 X자 사인을 하고 돈을 지급받는 사람들을 보게 되었다. 정말 충격이었다. 그러한 시스템 속에서 난 뭘 해야 할지도 몰랐고, 그들과 어떻게 교류하고 함께 할지도 몰랐다. 정말 문화 쇼크였다.

심리적 쇼크 또한 매우 흔하다. 살아가면서 가장 스트레스를 받는 상황에 대한 통계가 있는데, 여기에 결혼과 이혼이 항상 최상단에 위치한다. 결혼은 스트레스다. 이혼은 훨씬 더 큰 스트레스다. 이외에도 일상에서 맞닥뜨릴 수 있는 다양한 종류의 심리적 쇼크가 있을 수 있다. 행동중독에 빠져 자신의 감정대로 행동하는 사람과 살아가는 것은 끔찍한 일이다. 이들은 갑자기 비이성적인 행동을 하는데, 그게 언제 나타날지 알 수 없다.

환경적인 쇼크도 존재한다. 익숙한 환경에서 익숙하지 않은 환경으로 바뀔 때에도 늘 어느 정도의 충격이 발생한다. 이는 중추신경계가 낯선 환경을 처리하는데 익숙하지 않기 때문이다. 이렇게 바뀌는 환경으로 인해 연부조직, 장부에 긴장이 유발된다. 다음은 또 다른 몇 종류의 유기체 쇼크를 소개하는 글이다.

모욕을 당하거나 신체에 부상이 생기면 쇼크가 발생하며 혈관 변화가 생긴다. 심장이 효율적으로 펌핑하는 능력을 저하시키거나 정맥 환류가 줄어들게 하는 어떠한 문제도 쇼크를 유발할 수 있다. 저혈량성(출혈성) 쇼크는 심각한 출혈이 있는 환자나 화상을 입은 환자의 몸에서 혈장이 손실되어 혈류량이 줄어들면서 발생한다. 치료는 혈장이나 전체 혈액을 공급하는 형태로 이루어진다. 신경인성 쇼크는 일반적으로 혈관 긴장도가 감소해 혈관 확장이 일어나면서 발생한다. 혈압이 감소하면서 심장으로의 정맥 환류가 잘 안 되면 심박출량도 줄어든다. 척추마비, 척수손상, 또는 특정한 약물 복용을 하면 혈관 긴장도가 줄어들 수 있다. 과민성 쇼크가 생기면, 부적합 수혈시 항체 반응이 생기는 것처럼, 독특한 항원이 필요하다. 심장성 쇼크는 광범위한 심근경색으로 인해 발생한다. 이 쇼크는 종종 치명적이지만, 이를 대처할 수 있는 약물을 쓰면 때때로 효과적이다(Mulvihill, 1980, p. 136).

약물 복용과 음식물 알레르기로 인해 보통 또는 중간 정도의 과민성 쇼크를 받는 사람은 흔하다. 따라서 세션을 할 때 고객에게 음식물 알레르기가 있는지 그리고 특정 약물에 따른 부작용이 어떤지 확인해야 한다. 심지어 보통의 과민성 쇼크에도 인체 조직의 톤이 영향을 받는다. 어떤 약물은 신경인성 쇼크를 유발하기도 한다. 보고된 증상 또는 정형학적 문제를 고려하면서, 고객이 복용하는 약물과 식습관을 조심해서 관찰하여야 한다. 서양인들은 변형된 형태의 음식물을 섭취하기 때문에 음식물 알레르기를 지닌 이들이 매우 많다. 세계 인구의 70퍼센트 정도가 유당불내증인데도, 수많은 미국인들이 매일 엄청난 양의 우유와 유제품을 소비한다. "미국 국민 영양과 식생활 목표Human Nutrition and Dietary Goals for United States"라는 제목의 보고서가 상원 특별 위원회에 의해 채택이 되었는데, 여기서는 유제품과 과도한 당 섭취에 따른 문제점을 명시하고 있다. 이 보고서는 원래 1970년대 중반에 발행되었는데, 여전히 워싱턴 D.C.에 있는 미국 정부 인쇄사무소에서 열람이 가능하다.

자율신경계는 레이더 시스템과 같다. 자율신경계를 통해 쇼크나 두려움을 인식하는 일이 유발되거나 수행되기 때문이다. 중추자율신경회로망CAN, Central Autonomic Network은 뇌에서 자율신경계를 조율하는 신경로 네트워크network of nerve pathways이다. 여기서는 다양한 방식으로 시상하부와 자율신경계를 함께 조율해나간다. 뇌간에 위치한 고립로핵NTS, Neucleus Tractus Solitarius에는 교감신경 입력 신호를 변연계로, 특히 시상하부로 보내는 배전반이 존재한다. 따라서 고립로핵과 시상하부는 자율신경계를 공동으로 조율하게 된다(Low, 1993). 인간이 투쟁하거나 도피할 때, 억제하거나 전환할 때, 가장 먼저 하는 것 중에 하나가 바로 횡격막을 수축하는 일이다. 또는 이 상황에서 굴곡근과 신전근 톤이 변화하거나, 시스템적으로 매우 복잡한 형태의 생리적 변화가 수반되기도 한다. 이에 관해서는 한스 셀리에Hans Selye가 잘 정리해 놨으니, 여기에 더 많은 시간을 낭비하고 싶지 않다(Selye,

1976). 다음에 한스 셸리에가 설명한 일반적응증후군^{GAS, General Adaptation Syndrome}이 발생했을 때 몸에서 일어나는 현상을 간략히 요약하였다.

- 심박동수 증가
- 장부와 피부로 가는 혈관 수축
- 땀 분비 증가
- 호흡 기도 확장, 호흡 빈도 증가
- 비장 수축
- 소화기관에 의한 효소 생산 감소
- 부신수질에서 에피네프린과 노르에피네프린 분비 증가
- 간에 저장된 글리코겐이 글루코스로 변환되면서 혈당 수치 증가
- 신장으로 가는 혈류 감소로 신장 활동 저하
- 나트륨 저류/칼륨 전환, 소변으로 분비
- 글루코코르티코이드 증가로 단백질 이화작용 가속화
- 갑상선 자극으로 인해 탄수화물의 이화작용 촉진
- 간 자극으로 지방의 이화작용 촉진
- 글루코코르티코이드 증가로 결합조직 형성이 잘 안 되면서 상처 치유 속도가 늦춰짐
- 칼륨 이온 감소로 세포질의 탈수화

보통 사람들은 자신의 삶에서 겪는 대부분의 쇼크를 극복하고 잘 살아가지만, 그러지 못하는 이들도 있다. 어떤 형태의 쇼크는 해리 현상dissociative phenomenon, 즉 정신이 바뀐 상태를 유발하기도 한다(Putnam, 1993). 기억상실증, 이인증, 비현실감 장애, 정체성 혼동, 집착, 속박 등이 해리 상태와 관련이 있다. 멍 때리기, 주의력결핍, 단기적으로 발생하는 이상 감각 등은 이인증depersonalization의 증상에 포함된다. 이인증에는 몸에서 분리되는 경험 또는 임사체험도 해당된다. 악마나 영이 씌인 것 같은 빙의 상태 또한 해리 현상을 지닌 이에게서 자주 볼 수 있다. 우울, 불안, 과각성도 해리 상태에 해당된다. 바디워크를 할 때 이러한 증상이 나타나면 주의해서 대처하라. 이러한 증상은 뇌에 있는 변연계와 시상하부를 통해 조절된다. 그리고 연부조직에 큰 영향을 주는데, 어떤 종류의 해리 증상이 나타나든 쇼크 트라우마shock trauma를 동반할 수 있다.

치료사는 고객이 해리 상태를 벗어나도록 변화를 만들 수 있다. 경험을 재조정하고 자아를 구조화시키면 된다. 다양한 문화권에서 엄청난 쇼크를 받았던 사람이 힐러가 되어 타인을 도운 사례는 흔하다. 이를 상처입은 치유자 패러다임wounded healer paradigm이라 한다(Campbell, 1949). 때로 쇼크는 현실을 자각하는 문이 되기도 하며 영혼의 울부짖음이 되기도 한다(Grof & Grof, 1990). 이러한 체험을 한 사람의 말엔 힘이 실린다. 어떤 이는 임사체험을 하고 이를 알리기 위해 살아가기도 한다. 어떤 질병이든 그것을 통해 변형을 이루지 못한다면, 그 의미가 퇴색된다. 많은 힐러들이 임사체험을 했거나 심각한 질병에 걸렸던 적이 있다는 것은 시사하는 바가 크다.

쇼크를 당하는 아주 짧은 순간 모든 것이 선명하게 인식되기도 한다. 이를 치유이미지healing image라고 부른다. 자동차에 치인 순간 보았던 나무껍질의 색깔, 도로에 전복된 차량 전면유리를 때리던 빗방울, 뜨거운 피가 얼굴 가득 흘러내리는 느낌, 그리고 성적 학대를 받던 순간 보이던 천정에서 느리게 돌아가던 선풍기, 이 모든 것이 치유이미지이며 고객을 치료할 때 참조가 되는 사항이다. 치유 세션을 받는 동안 고객이 이런 치유이미지가 보인다고 호소하면, 세션 속도를 줄여라. 그런 다음 두개천골요법처럼 신경계에 영향을 줄 수 있는 간접적인 형태의 부드러운 테크닉으로 전환한다. 그러면서 억제되었다 풀려나오는 감각을 확인하라. 척수는 내재성 아편제endogenous opiates인 뇌척수액 안에서 헤엄치고 있다. 치료사는 신체가 죽음을 맞닥뜨리고 거기서 빠져나올 때 생기는 치유이미지를 발견하기 위한 낚시 여행을 하고 있는 건지도 모른다. 때론 이 과정이 치료사와 고객 사이의 언어적 소통으로 해결되기도 하지만, 대부분 고객 개인의 내적인 이미지와 은유로 진행되곤 한다. 치료사는 단지 이러한 방전 현상이 연부조직(교감신경적)에서 장부(부교감신경적)로 자동적으로 그리고 깊게 진행되도록 도울 뿐이다.

골반염 때문에 병원에서 마취제를 과다 투여받은 한 여성의 이야기를 하겠다. 그녀가 임신중이었을 때 골반의 염증이 점점 커져서 병원으로부터 낙태를 권유받았는데, 이를 치료하려고 병원에서는 마취제를 과다 투여했다. 이로 인해 그녀는 거의 죽음에 가까운 경험을 하게 되었다. 나중에 그녀는 두개천골요법 치유 클래스에 3일간 참여했는데, 한밤중에 골반에서 자율신경계 방전 현상이 일어났다. 이때 예전에 마취제 과다 투여로 혼미한 상태로 있었던 순간이 떠올랐다고 한다. 그녀는 매우 강인하고 용감한 여성이었다. 치유 클래스의 강사는 그녀에게 적절한 코치를 하며 고무시켰다. 그렇게 3일째 되던 날, 그녀는 매우 지쳤지만 또한 뭔가 통합된 상태에 다가갔다. 클래스에 참여한 사람들과 얘기를 나누고 의식이 정렬되면서 몸과 감정이 하나로 통합되기 시작했던 것이다. 사실 클래스에서 두개천골요법을 받은 첫날부터 그 과정이 진행되었었다. 세션을 받으며 테이블에 누워 천정의 불빛을 올려다보는 순간 예전에 수술실에 있던 조명이 떠올랐던 것이다. 이렇게 3일간 클래스를 참가하던 마지막날 밤에 치유이미지가 열리며 그녀의 트라우마를 재조정하기 시작했다.

특정한 쇼크를 극복하는데 사람마다 얼마의 시간이 걸리는지 명확하진 않다. 치유는 과정이며, 사건이 아니다. 누구나 자신만의 치유 사이클을 지니고 있다. 살아가면서 물리적 트라우마가 발생하면, 그 순간 몸의 생리적인 측면과 정신적인 측면이 얽힌다. 치료사는 이렇게 형성된 질병을 좀 덜 심각한 수준으로 변형시켜준다.

도수치료를 받으면 몸의 생리적 경계physiological boundaries가 변한다. 이러한 정보는 고객뿐만 아니라 치료사에게도 유용하다. 치료사가 일단 고객이 지닌 경계를 발견할 수 있다면 재교육이 가능하기 때문이다(Katherine, 1991). 자율신경계와 관련된 현상이 제대로 수습되지 못하고 남는 이유는 바로 그걸 인지한 이가 내적으로, "난 통제가 안 돼", "이런 건 바보처럼 보인다고", "우스꽝스럽게 보이면 어쩌지" 등과 같은 생각을 하기 때문이다. 자율신경계 방전 현상이 일어났을 때 사람들은, "정말 당혹스럽군", "아이쿠 이게 뭐지?", "이젠 땀이 막 나네", "으아, 축축한 느낌이야", "정말 기묘한 느낌이군" 등과 같은 생각을 하는 경향이 있다. 치료사는 치료 과정에서 고객이 이러한 현상을 겪는 모습을 자주 본다. 당신이 어떤 치료 테크닉을 쓰는 사람이든 상관없다. 바디워크를 하는 동안에도 자율신경계는 항진되거나 방전된다. 따라서 이런 현상이 발생했을 때 제대로 알리고 적절한 매너로 대처하는 일은 치료사에게 책임이 있다.

치료사가 고객의 몸에 손을 접촉하는 매 순간 자율신경계 반응이 촉진될 수 있다. 근막이완요법처럼 직접 테크닉의 경우 그 효과는 배가된다. 근막이완을 하기 위해 조직에 압력을 가하는 순간 신경계는 통합되거나, 구조화되고, 또 에너지 레벨을 재조정한다. 강사들이 간혹 "두 번째 테크닉을 할 때 5파운드의 힘을 가해야 합니다"라고 하지만, 이보다는 "느리게 압력을 가한 후 점진적으로 늘려가세요"

라는 말을 머리에 새기는 편이 낫다. 접촉을 하면서 고객이 숨을 참는지, 눈을 게슴 츠레 뜨고 있는지, 그리고 울거나 해리 상태에 있는지 관찰하라. 이는 고객의 자율 신경계에 접근하는 길이며, 고객이나 치료사가 이전부터 알고 있는 트라우마에 대해 더 많은 정보를 파악할 수 있는 시간이다. 신경계가 이러한 정보를 내보내면 그 지점에서 이완 속도를 늦추거나 멈추어 관찰한다. 입력 신호를 느리게 하거나 하던 테크닉을 완전히 멈추는 일은 고객이 자신의 트라우마를 떠올리고 다시 느끼는 것을 완화시키는데 영향을 준다. 보통 트라우마와 관련된 기억은 감각 부하가 크고 빠른 경향이 있는데, 이렇게 느리게 접근하면 고객 신체의 전환 시스템이 작동하여 해당 트라우마를 재구조화하는데 도움을 준다. 치료사는 고객의 호흡을 통해 또는 치료실을 안전하고 편안한 공간으로 변화시키는 방식으로 트라우마를 통합시키는데 도움을 줄 수도 있다. 이를 소프트시잉이라 부른다.

여기서 핵심은 매우 간단하다. 테크닉을 멈추고 고객이 2~3회 호흡을 할 수 있게 하면 된다. 1분간 멈추고 이렇게 물어라. "발에서 땀이 나네요. 느껴지나요? 어떤 느낌이죠?" 정말 간단한 질문이지 않은가? "지금은 자신이 몸 안에서 어느 부위에 있는 것 같나요?" 이렇게 물었을 때 고객이, "잘 안느껴져요", "아무 것도 느껴지지 않아요"라고 말하면, "지금 느껴지는 부위를 잡아보세요. 어디든 괜찮아요"라고 물어보라. 이렇게 하면 상황을 해결할 수 있다. 자율신경계와 관련된 문제는 종종 무의식적으로 진행된다. 시상하부와 장부가 관련되어 있기 때문이다. 그러니 눈을 크게 뜨고 고객이 하는 호흡, 눈의 상태, 그리고 흉곽출구 부위를 살펴보라. 이러한 부위에는 자율신경이 매우 많이 분포되어 있다. 치료사는 관찰자이자 인도자이다. 익숙한 언어로 주의해서, 고객의 인지가 통합될 수 있게 하라. "그것에 대해 어떻게 생각하나요?" 이런 질문은 하지 마라. 그리고 이렇게 질문하라. "몸에서 어디가 느껴지나요?" 고객과 소통할 때 신체 중심적인 대화가 이루어져야 결과가 좋다.

피터 레빈은 쇼크 트라우마를 다루는 5단계 모델을 제시했다(Peter Levine, 1991). 첫 번째 단계는 감각sensation이다. 고객에게서 감각을 이끌어내려면 치유가 필요한 부위에 매우 느린 접촉을 가하면 된다. 감각은 이미지image를 이끈다. 앞에서 설명했던 치유이미지가 바로 레빈이 했던 이야기이다. 치유이미지야말로 고객의 신체에 존재하는 원래의 쇼크 트라우마에서 중심 또는 초점에 해당된다. 부상과 질병이 신체에서 처리되면 때론 무의식적인 행동unconscious behavior으로 표출되기도 한다. 이는 몸에서 생기는 일차적인 반응을 촉진하는 이차적이며 심리적인 반응에 해당된다. 하지만 이들은 서로 불가분의 관계이다. 일차니 이차니 하는 것은 중요도의 차원이 아니다. 몸에서 드러난 것인지 아니면 알려지지 않은 다른 것인지가 이들을 구분한다. 이 3개의 단계, 즉 감각, 이미지, 행동이 정동affect을 이끈다. 느낌feelings, 인식perceptions, 그리고 감정emotions이 이 정동(情動) 범주에 속한다. 여기서 정동은 쇼크 트라우마와 관련된 신체적 또는 신경학적 사건이다. 정동은 항상 거기에 존재하며, 때로는 카타르시스로 변모한다. 카타르시스란 쇼크 트라우마가 강력한 기억과 함께 해소되는 현상이다. 하지만 치유가 일어나기 위해 쇼크 트라우마가 해소되거나 기억 속에서 상기되어야 할 필요는 없다.

의미만들기Meaning-making는 신체 경험과 관련된 레빈 모델의 마지막 단계이다. 의미만들기란 순간에서 순간으로, 인간의 정신이 삶에 의미를 부여하는 내적인 능력이다. 쇼크 트라우마에 걸린 인간은 이 의미만들기 과정을 통해 미지의 영역이나 신비한 세계로 내던져진다. 인간은 자신이 살아가며 획득한 은유를 통해 의미를 만든다(Lakoff & Johnson, 1980; Olds, 1992). 때론 성장하면서 듣고 자란 이야기나 신화를 통해 의미만들기를 하기도 한다(Jung, von Franz, Henderson, Jacobi, & Jaffe, 1964). 치료사는 도수치료를 통해 고객의 의미만들기에 동참한다. 그러니 눈을 크게 뜨고 속도를 낮추면, 고객이 좀 더 지적인 능력을 활용해 자신의 문제를 풀어낼 수 있는 새로운 의미만들기를 할 수 있도록 도울 수 있다.

쇼크의 징후

▸ 피터 레빈이 말하는 정동 상태와 행동 상태가 갑자기 변하는 것. 예를 들어, 갑작스럽게 정동 단계와 관련 있는 느낌, 감정이 분출되거나, 행동 변화가 일어남

▸ 갑자기, 과도하게 놀랐는데 그 상태가 오래 지속됨. 의도적으로 억제하던 것이 풀려났거나, 억눌렀던 감정이 행동으로 드러남

▸ 멍멍하고, 움직임이 저하되고, 조급한 감각이 몸에서 느껴짐

▸ 인사불성인 것같은 표정 또는 의식이 없는 듯한 공허한 눈빛. 특히 놀라거나 긴장되어 있을 때 나타남

▸ 안구돌출증처럼 보이는 "큰 눈"

▸ 해리 현상과 비슷한 자율신경계 방전 등으로 자신이 겪었던 사건에 대한 기억을 상실하거나 감각이 떨어짐

▸ 근육이 경직되어 가동성이 떨어지거나 흐물흐물할 정도로 유연해짐

▸ 파킨슨병에 걸린 것처럼 몸이 떨림

▸ 일반적인 신체 발달 패턴에서는 보기 힘든 과긴장 또는 저긴장 상태의 근육이 관찰됨

▸ 언어 능력을 갑작스럽게 상실

▸ 현기증, 기절

▸ 자율신경계 관련 증상: 고정동공(매우 크거나 또는 매우 작은 눈동자); 안구건조(**동공확대**); 심박동수가 감소하면서 말초혈관이 수축해 손이 차가워지는 것과 같은 교감신경과 부교감신경이 동시에 활성화; 이완된 상태에서 심박동수가 높아짐

▸ 의심(**음모 이론**), 패닉-불안증, 광장공포증, 초조성 우울증, 대부분의 정신병, 다중인격장애

▸ 호흡정지, 과호흡증후군

앞에서 예로 든 징후들은 스트레스와 함께 더욱 불안정해진다. 특히 근육, 골격, 장부, 중추신경계, 그리고 내분비계 등 신체 여러 부위에 영향을 미친다.

쇼크의 원인

- ▸ 고강도 트라우마
- ▸ 피할 수 없는 공격
- ▸ 신체 손상
- ▸ 정신 방어 실패
- ▸ 환경적, 문화적, 정신적 요인

위축 반응을 유발하는 상황

- ▸ 과도한 각성 상태로 인해 꼭 필요한 자극 상실
- ▸ 흥분으로 인한 신체 폐색
- ▸ 두 개 이상의 양립 불가능한 상황에서 동시 흥분

위축에 대한 일차 반응(체성)

- ▸ 인내 – 사안에 대해 끈기 있는 접근
- ▸ 충동성 – 변덕스러운 선택
- ▸ 갈팡질팡함 – 다양하게 반응
- ▸ 긴장으로 인한 신체 고정

위축에 대한 일차 반응(자율신경성)

- ▸ 영양 측면 – 타액 분비가 증가하거나 감소, 소변, 배변
- ▸ 순환 측면 – 창백, 상기, 생식기 혈관확장, 졸도
- ▸ 호흡 측면 – 호흡 횟수와 크기 변화, 가쁜 숨, 한숨, 헐떡임

- ▸ 체온조절 측면 – 발한, 모근운동
- ▸ 눈물을 흘림

위축에 대한 이차 반응

- ▸ 맥락과 전혀 상관없는 행동
- ▸ 성숙하지 못한 반응 태도
- ▸ 무반응
- ▸ 사안에 대해 지나친 접근

위 목록은 피터 레빈 박사의 워크숍 내용과 그가 쓴 두 권의 책을 참조하였다(Levine, 1997, 2010).

Chapter 19

쇼크를
다루는 법

Working with Shock Physiology

바디워커들은 정말 관찰을 잘 한다. 당신도 사람을 앞에 세우고 어디가 엉덩이고, 어디가 어깨이며, 뼈와 연부조직의 관계가 어떤지, 균형이 깨진 곳은 어디인지 매우 상세하게 설명할 수 있을 것이다. 하지만 많은 바디워크들이 인체 구조에서 비기계적인nonmechanical 요소를 관찰하는 일은 서툴다(Keleman, 1989). 여기서 비기계적인 요소를 관찰한다는 말은 자율신경계의 흥분 상태, 특히 교감신경계와 부교감신경계가 각각의 리듬에 맞춰 방전discharge하는 모습을 보는 것을 의미한다. 자율신경계가 서로 얽혀 교감신경 주도성sympathetic dominance과 부교감신경 억제력parasympathetic depression 사이에서 균형을 이루는 모습을 관찰하고, 인체가 충전charge이나 흥분arousal 상태를 어떻게 다루는지 확인하라. 교감신경계가 인체에 있는 모든 연부조직과 교감신경이 부착된 모든 혈관, 이 두 시스템을 조율한다는 사실을 기억하라. 또한 교감신경계는 대식세포, T-세포, 몇 종류의 B-세포, 림프조직, 그리고 갑상선을 통해 면역계에도 간접적인 영향을 미친다. 부교감신경 억제력은 내장 반응과 관련된다. 부교감신경 억제력은 장부viscera, 장신경계enteric system, 뇌신경인 미주신경vagus nerve 그리고 천골 부근의 천미신경총(엉치꼬리신경다발)에서 관장한다.

자율신경계를 관찰하는observing 행위를 추적한다tracking고 표현할 수도 있다. 치료사는 자율신경계가 인체를 자기치유, 자기조절하는데 기여할 수 있도록 촉진하는 사람이다. 이를 위해서는 고객에게 가하는 입력 신호의 수준을 조절하면 된다. 여기서 조절이란 치료 속도를 늦추고 몇 분간 쉰다는 뜻이다. 신체에 입력 신호(근막이완시 손의 압력, 방향, 속도 등)를 계속해서 전달하면 자율신경계에 부하가 걸릴 수 있다. 대다수 고객들의 자율신경계는 이미 부하가 걸려있는 상태이다. 그러니 이를 자극하여 트라우마를 심화시킬 필요는 없다. 부하가 걸리면 먼저 심혈관계가, 다음으로 소화계가 영향을 받는다. 과도한 입력 신호는 오히려 질병 상황을 유발시킬 수도 있다. 그러니 치료 속도를 늦추고, 적절히 멈추고, 고객을 살피면서 조절하고 추적하라. 테크닉 차원에서 말하면, 테크닉을 적용하는 사이사이에 고객이 2~3회 호흡을 할 수 있는 시간을 허용하는 것이다. 호흡은 신체와 감정 사이를 잇는 접착 제로 간주할 수 있다. 이러한 방식으로 고객의 트라우마가 재발되는 것을 막고 해리 상태에 빠지지 않도록 관리할 수 있다.

트라우마는 몸에서 비롯되지 않는다. 그러므로 당신이 트라우마를 없앨 수는 없다. 오히려 트라우마가 통합된다고 보는 편이 낫다. 다음 말을 기억하라. 중추신경계 내에서 트라우마는 통합되고, 구조화된다. 트라우마는 몇 가지 요소에 영향을 받아 더 높거나 낮은 기능 수준으로 통합되고, 구조화되고, 재조정된다. 트라우마에 영향을 주는 요소에는 생활스타일, 가족관계, 환경(여기서 환경은 사회시스템, 교육시스템 등을 가리킨다), 그리고 체질이 포함된다. 여러분은 세션을 하는 중에 아이가 원하는 모든 도움을 줄 수 있지만, 세션이 끝난 후에 그 아이는 불편한 가족에게, 알콜 중독인 부모님에게 돌아가야만 한다. 이런 요소들이 제대로 해결되지 못한다면 아이의 트라우마는 더 높은 기능 수준으로 재조정되기 어렵다.

마지막 요소는 재교육^{reeducation}과 관련되어 있다. 재교육은 중추신경계를 구조적이며 기능적인 차원에서 더 나은 수준으로 상향시키는 강력한 계기를 부여한다. 치료사는 인체 구조에 접촉하여 기능이 개선될 수 있는 조건을 형성한다. 구조가 바르게 정렬되고 자율신경계가 유연하게 작동해야 개선된 기능이 통합을 이룰 수 있기 때문이다. 재교육 요소에는, 제한적이긴 하지만, 심리요법, 움직임요법, 적절한 영양섭취, 새로운 직업, 새로운 배우자, 등이 포함될 수 있다. 치료사가 고객에게 새로운 배우자나 직업을 소개해 줄 수는 없다. 하지만 관계를 개선시킬 수 있는 방법을 알려줄 수는 있다. 치료사는 고객이 사생활을 영위할 때 도움이 될만한 다양한 조언을 해줄 수 있고 어떤 조언은 매우 효과가 있다. 하지만 이런 조언은 도수치료 영역에서 역전이 문제와 연관된다(Wolfstein, 1998). 치료사는 고객에게 특별한 요청을 하거나 또는 집에서 할 수 있는 운동법을 알려줄 수 있다. 하지만 말을 물가로 끌고 갈 수는 있어도 마시게 할 수는 없다. 그러니 수많은 문제에 시달리는 고객에게 부담을 줄 수 있는 조언은 줄이는 편이 낫다. 고객의 부담을 줄이려고 노력하라. 치료 세션 이외에 스스로 해야만 하는 숙제를 고객에게 부가한다면 한 가지로 줄여라. 이번 세션과 다음 세션 사이에 고객이 할 수 있는 단 하나의 소소한 숙제에는 뭐가 있을까? 고객이 하루에 5~10분만 투자해도 할 수 있는 숙제면 좋다. 고객이 자신의 여유 시간 내에서 또는 수행 능력 범위 안에서 할 수 있는 것으로 신중하게 골라서 요청하라. 대부분의 고객들은 숙제를 내주어도 하지 않고 치료실로 오거나, 하다가 실패하여 죄책감을 갖고 찾아올 수도 있다. 한 가지로 줄여라. 부담없는 한 가지 숙제면 족하다. 그러면 시간이 가면서 좋은 결과가 나타날 것이다. 이러한 개념을 트림탭trim tab이라 한다. 트림탭은 대양을 항해하는 배의 커다란 방향타 옆에 붙은 작은 방향타를 가리킨다. 작은 방향타를 먼저 돌리면 큰 방향타를 먼저 돌리는 것보다 더 빠르게 배의 방향을 바꾸는데 영향을 줄 수 있다.

치료사는 뇌성마비 아이가 지닌 신경학적 문제, 정형학적 트라우마, 수술 트라우마, 또는 경추 편타성손상 등을 지닌 고객의 감각 입력을 구조화할 수 있는 능력을 지니고 있다. 또한 움직임을 개선시켜 더 높은 기능 수준으로 이끌 수도 있다. 통합이라는 말의 의미가 바로 이것이다(Ayers, 1979).

인체에는 자동적으로 발현되는 전환기전shunting mechanism이 존재한다. 인체 시스템에 가해지는 입력 신호의 수준이 특정한 능력 한계치에 도달하면, 이 전환기전에 따라 다른 시스템에 영향이 간다. 근막이완요법 치료사가 치료를 위해 손을 접촉하면, 고객의 근막시스템에 접근하게 된다. 근막시스템 내에도 위계 충차가 존재하고, 인체의 어떤 시스템도 에너지를 조율할 수 있다. 따라서 특정 인체 시스템에 과도한 자극 입력이 발생하면 이를 다른 시스템으로 이동시킨다. 예를 들어, 근막시스템에 가해진 자극이 심혈관계를 거쳐 소화계로 이동하는 식이다. 근막시스템에서 심혈관계로 가는 것은 교감신경 지배와 관련된 2개의 주된 시스템을 거치는 상황인데, 이곳이 바로 스트레스가 이동하고, 스트레스가 반응하는 영역이다. 이다음엔 소화계와 관련된 장부이다. 장부 문제를 지닌 이들 중에 요통과 심혈관 질환을 지닌 고객이 정말 많다는 사실을 여러분은 이미 잘 알고 있다. 이후엔 전환기전을 통해 시상하부로, 그리고 코르티솔cortisol의 증가로 인한 내분비계 문제 등으로 나아가는 식이다. 만성 발한, 오한, 떨림 등과 같은 만성 체온조절장애와 항상성 기전 문제도 있다. 자율신경계 장애와 관련해서 좀 더 많은 정보를 확인하려면 로우의 글을 확인하라(Low, 1993).

이 세 개의 시스템을 매개하는 요소가 바로 세포 내부와 외부에 존재하는 유체역학fluid dynamics이다. 인체의 유체 시스템도 스트레스를 받는다. 우리는 인체가 어떻게 쇼크를 다루는지, 인체가 쇼크를 받아 어떻게 처리하는지, 그리고 어떤 과정으로 해소되는지 알고싶다. 쇼크는 감각 영역이 제한되고 운동 패턴이 삭제 또는 제한된 상태이다. 쇼크는 해리dissociation를 낳는다. 그리고 해리는 통합을 방해한다.

쇼크의 징후는 다음과 같다. 이들은 모두 해리 현상이기도 하다.

1. 느낌과 감정이 자극을 받아 영향을 주는 방식과 행동 형태가 갑자기 변한다. 갑자기 주변에 영향을 끼치는 비율이 줄어들기도 한다. 세션 중에 신체 톤이 놀라울 정도로 떨어지거나 반대로 높아지기도 한다. 세션을 받다가 크게 튀는 행동을 하고, 갑자기 말이 많아진다. 안절부절 못하거나 울기도 한다. 어쨌든 갑자기 스위치가 전환된 것처럼 행동이 변하며 매우 조용한 상태 또는 매우 활동적인 상태로 바뀐다.
2. 갑자기 과도하게 놀란다. 통제하지 못할 정도로 몸을 떨거나 부목을 댄 것

처럼 뻣뻣해지며, 과호흡을 시작하거나 만성 근육 경련을 일으키기도 한다. 이는 모두 쇼크의 징후에 해당된다. 치료사가 고객의 신체에 쇼크를 유발할 수도 있다. 또한 오래된 쇼크에 접근할 수도 있다. 치료사가 고객이 어떤 쇼크를 갖고 있는지 찾고 있었다면, 이는 매우 긍정적인 소식으로 볼 수 있다. 찾은 후엔 도움을 줄 수 있기 때문이다. 고객 몸의 긴장이 갑자기 풀리는지 주의해서 살펴보라. 고객의 신경근 또는 운동계가 극적으로 풀리는 모습을 보면, 이게 단지 보여주기식 풀림인지 아니면 온전히 코어레벨에서 발생하는 풀림인지 확인해야 한다. 쇼크를 당한 사람은 계속해서 코어 주변부를 푼다. 이는 무정위운동(느린비틀림운동, athetoid)을 하는 아이들에게서 볼 수 있다. 이들은 에너지를 코어 바깥쪽, 즉 사지로 계속 내보낸다. 그러면서도 몸통 중심, 즉 코어로 다가가지는 못한다. 이는 교감신경 반응에 고정되어 부교감신계에 접근하지 못하는 상황으로 볼 수 있다.

3. 무감각, 부동성, 그리고 불안정한 신체 감각. 고객이, "감각이 없어요. 움직일 수 없어요. 그 팔을 못 움직이겠어요" 등과 같은 말을 하거나, 테크닉을 적용할 때마다 가만히 못 있고 움직인다면, 이게 바로 만성 해리 패턴이 나타난 것으로 볼 수 있다. 이를 부정적으로 볼 필요는 없으며, 쇼크와 트라우마에 접근하고 있다는 의미로 받아들이면 된다.

4. 고객이 놀라거나 각성 상태에서 공허한 눈빛으로 아무런 인지가 없는 듯 바라보는 경우가 있다. 이런 모습은 성적 학대를 당한 경험이 있는 고객에게서 자주 볼 수 있다. 성인이 지니고 있는 정신신체적 트라우마를 푸는 작업을 할 때는 강한 해리 패턴을 볼 수 있다. 어린 시절에 육체적, 성적, 감정적 학대를 당한 이라면, 그때의 쇼크가 몸에 남아 통합되지 못하고 잠재되어 있을 수 있는데, 이들은 해리 상태를 겪는다. 여러분은 멍 때리는 모습으로 가만히 있는 고객을 본 적이 있을 것이다. 세션을 할 때 이들의 요근(허리근) 깊게 테크닉을 적용할 때에도 해리 상태에서 아무 것도 느끼지 못할

수 있다. 고객의 눈을 통해 이런 반응을 파악할 수 있어야 한다. 해리 반응이 보이면 질문을 하면서 의식이 있는지 확인하라. 하지만 고객이 응답하기까지 시간이 걸릴 수 있다. 그러면 응답을 할 때까지 여러 번 확인하라.

5. 안구돌출증. 크리스마스에 유령을 본 것처럼 눈이 크게 커진다. 곤충같이 큰 눈을 하고 치료실에 찾아오는 고객도 종종 있다.

6. 자신이 겪은 사건, 행동, 감정 등에 대한 기억상실. 기억상실증은 어린 시절 학대를 당한 이들에게서 자주 볼 수 있다. 아이 때는 잊고 지내다 어른이 되어 갑자기 기억이 나곤 하는데, 세션 중에도 학대의 기억을 떠올리는 이들이 매우 흔하다. 삼촌에게 강간을 당했던 기억, 세 살에 차량 전복 사고를 당해 뒷좌석에서 튕겨나갔던 기억 등을 상실한 채로 살아가는 어른이 적지 않다. 치료사가 고객이 자신을 개방시킬 수 있을 만큼 평화롭고 안전한 환경을 제공했다면, 그 치료실은 고객에게 매우 특별하고 어떤 면에서는 성스러운 공간으로 다가온다. 기억은 항상 상상력과 혼재되어 있다 (Hillman, 1990). 기억은 지금 현재 몸 안에서 발생하는 일종의 사건이다. 그렇기 때문에 지금 이 순간 여러분도 자신의 트라우마를 이와 같은 방식으로 떠올릴 수 있다.

7. 신체 조직의 톤이 올라가 움직이지 못함. 만일 세션을 할 때 신체 톤이 올라가 긴장을 못 빼는 고객을 보게 된다면, 여러분의 치료 방향이 잘못되었다고 볼 수 있다. 고객이 지닌 쇼크/트라우마에 접근했다고 보면 가치가 없는 작업이라고 하긴 어렵다. 길은 올바로 들어섰지만 다른 치료 전략, 다른 스타일의 접근법을 선택해야 한다는 뜻이다. 문제가 있는 부위에 계속 세션을 진행하기보다는 건강한 부위를 지지해주는 테크닉을 적용하는 식으로 전략을 바꿔 접근하라.

8. 고객의 근육이 속상수축을 할 수 있다. 속상수축이란 근육이 저강도로 수축하며 흔들리거나 떨리는 현상이다. 이 또한 교감신경계 반응에 해당된다.

미주신경긴장성^{vagotonic} 부교감신경 반응은 이와 달리 척추가 갑자기 꿈틀대며 두통과 구역질이 동반된다. 미소를 짓는 것은 부교감신경계를 활성화시킨다. 고객이 강한 감정적 형태가 동반되지 않은 교감신경계 방전 현상을 겪고 있다면, 몸에서 일어나는 이완 반응을 표현할 수 있는 미소를 지어보라고 요청하라. 방전은 종종 정체된 에너지와 교감신경계 흥분이 단순히 이완되어나가는 현상일 수 있어서 느낌이 꽤 좋다. 따라서 미소를 짓는 것만으로도, 미주신경의 톤을 올려 이득이 되는 결과를 이끌어낼 수 있는 기회를 얻을 수 있다(Gellhorn, 1960).

9. 기절과 어지럼증. 따로 설명할 필요가 없이 자명한 징후이다.

10. 다른 종류의 신경학적 징후가 존재한다. 우울증과 만성 우울증, 그리고 공포와 불안이다. 당신의 어머니께서 불안증을 겪고 있다면, 당신 또한 불안증에 걸릴 수 있다. 불안증에 빠진 이는 자신만이 세상에서 유일하게 그 증상을 겪고 있다는 착각을 할 수도 있지만, 사실 이는 학습된 것일 수 있다. 부모의 행동 패턴이 자식에게도 이어질 수 있다는 뜻이다. 심리학 영역에서는 이와 관련된 내용이 잘 정리되어 있다(Bradshaw, 1988).

어느 쪽 어깨가 더 높은지 확인할 필요는 없다. 단지 고객의 눈을 보고, 얼굴을 보고, 호흡 반응을 보고, 목소리를 들으면 된다. 이게 바로 고객이 겪는 이차 과정secondary process에 접근하는 열쇠이다. 의료 영역에서는 오랫동안 구조적 문제를 일차 과정primary process으로 간주해 왔다. 고객이 어깨의 통증, 허리의 기능장애, 그 외 어떤 문제를 호소하면서 치료실로 걸어 들어오더라도, 이건 일차적인 문제이다. 하지만 세션 도중에 갑자기 멍한 표정을 짓거나 무감각증을 호소한다면, 이는 이차적인 문제 또는 앞서 일어났던 일이 배경이 되어 유발된 것으로 볼 수 있다. 이 순간 치료사는 고객의 쇼크 트라우마 시스템shock trauma system에 접근해 들어간다. 치료사의 치료 행위가 원인이 되어 치료가 될 수 있는 계기를 마련한 것이기 때문에 적절한 접근법이 시행된다면 최선의 방향으로 증상을 완화시키거나 해소시킬 수 있다. 이미 알고 있겠지만, 이러한 이차 과정은 매우 중요하다. 하지만 이차 과정을 통합시키기 위해서는 일차적으로 보고된 증상에 먼저 접근해야만 한다.

치료사가 적절한 치료 방향을 선정하면 고객은 자신의 신체 코어로 진입하기가 용이해진다. 여기서 코어란 소화-장부계, 미주신경계를 가리킨다. 코어는 척추 바로 앞에 존재한다. 이곳이야말로 고객이 안으로 들어가 트라우마를 해소시킬 수 있는 부위이다. 치료사는 고객이 부교감신경 주도성을 되돌릴 수 있도록 돕는 존재이다(Criswell, 1989). 여기서 핵심은 치료사가 고객의 신체를 인도한다는 데 있다. 고객의 몸에서 일어나는 사건을 주의해서 관찰하고, 에너지를 안으로 인도하여 부교감신경계의 에너지가 팔다리로 빠져나가게 도와라. 충분한 시간과 공간이 있다면, 그리고 치료사의 관심과 보살핌이 뒷받침된다면, 고객은 좀 더 자신의 중추신경계 깊은 곳, 즉 자신의 장부 영역으로 접근하여 트라우마를 녹여낸다. 치료사의 애정과 돌봄은 고객의 몸이 치유되기 위한 울타리 또는 경계를 형성하기 때문이다(Keleman, 1986).

문제가 되는 것은 신경계가 쇼크를 임사체험으로 받아들이는 경우이다. "세상에, 죽을 것만 같아요!" 세션을 받는 도중에 몸이 풀리거나 감정적 방전 현상이 일어날 수 있다. 이를 풀어내기 위해서는 고객을 좀 더 코어로 인도하여 스스로 알아챌 수 있도록 해야 한다. 몸이 풀리거나 감정적 방전이 일어나는 것은 중간 단계에 해당된다. 말을 물가로 끌고갈 수는 있지만 마시게 할 수는 없다. 그러니 고객이 자신의 건강 문제에 참여해야만 한다. 치료사는 건강 전문가로서 책임감을 가지고 고객을 교육하며 이끌어야 한다. 여기엔 동기부여가 필요하다. 안전하고 신뢰가는 환경에서 세션을 진행하는 것도 중요하다(Maslow, 1970). 고객/치료사 관계에는 윤리적으로 고려할 사항이 많다는 점을 기억하고 있어야 한다(Purtilo, 1993; Taylor, 1995). 요즘 전문 영역에서 윤리적 문제로 가장 많은 고소를 당하는 경우 중 하나가 바로 감정적, 신체적으로 이완된 고객과 전문가 사이에서 일어난다는 점을 명심하라.

　　치료 환경을 잘 설정하면 고객은 쉽게 긴장된 톤을 방전시켜 내적으로 자신을 구조화시키고 문제를 풀어내게 된다. 고객이 자신의 내부로 깊게 진입해 통합을 이룰 때, 이를 상태변화state change 또는 상전이phase transition라고 부른다. 이런 현상은 세션을 하는 내내 관찰할 수 있다. 고객의 몸에 테크닉을 적용하는 도중에 갑자기 상태변화가 발생하곤 한다. 톤이 갑자기 떨어지고, 무언가 진행되는 것 같으면 치료사는 이를 감지할 수 있다. 치료실이 고요해지며, 고객도 고요해진다. 심지어 치료사도 고요해진다. 무언가 일어나고 있는 것이다. 빙고! 이게 그거다. 고객이 교감신경계 항진 상태에서 탈출한 것이다. 이제 고객은 하드디스크 드라이브로 접근했다. 프로그램을 재설정해서 오래된 소프트웨어를 꺼내고 새로운 소프트웨어를 설치할 수 있는 기회가 왔다. 새로운 패턴으로 통합을 이루기 위해서는 보통 반복 치료가 필요하다.

상태변화가 발생하는 것은 아름다운 일이다. 이는 마치 조류가 밀려오는 것과 비슷하다. 고요한 상태변화 안으로 고객을 인도하라. 그런 다음 빠져나오면 그 끝에 재교육의 시간이 기다린다. 여기엔 리듬이 존재한다(Rossi, 1986; Weiner, 1992). 재교육을 위해서 때때로 움직임 기법을 활용하기도 하고, 고객에게 심리치료사를 추천해줄 수도 있다. 바디워커들 중에 심리치료를 꺼리는 사람들이 많다. 자신이 바디워크를 해주던 고객을 전문 심리치료사에게 이전시키는 것을 어려워 하는 것이다. 미국인의 60퍼센트 이상이 비만이거나 자신의 몸에 관심이 없다는 통계는 충격적이다. 미국 인구 중 8천만 명이 알콜중독이며 이들 개개인은 주변에 있는 사람 7명에게 심각한 영향을 미칠 수 있다. 여성 인구의 3/5 (남성은 2/5)가 성적 학대를 당한 경험이 있다는 통계도 있다. 비만, 알콜중독, 성적 학대를 당한 사람들이 경추편타성손상이나 담낭 수술을 받았을 수도 있다. 기능장애는 이와 같은 형태로 몸에 고착된다. 신체적인 문제와 정신적인 문제는 이렇게 다중 쇼크 상태를 형성한다(Lowen, 1958).

마지막으로, 쇼크를 해소하는 방법을 언급하도록 하겠다. 먼저 여러분은 모빌러티mobility와 모틸러티motility 개념에 대해 이해해야 한다. 모틸러티는 심장, 흉곽(호흡), 두개골 등 인체에서 발생하는 내적인 리듬에 조직이 반응하면서 생기는 리듬이다. 여러분이 두개천골리듬을 느꼈다면 두개천골리듬의 모틸러티를 느낀 것이다. 또 흉곽을 느끼고 있을 때는 호흡의 모틸러티를 느낄 수 있다. 모틸러티를 느끼는 것은 모빌러티를 느끼는 것과는 질적으로 다른 수준의 촉진 기술을 필요로 한다. 근막이완요법 전문가는 조직에 손을 대고 인체 내부를 리스닝한다. 모틸러티는 인체의 내적인 펄스(인체에는 호흡, 두개골, 혈관, 미주신경긴장성 반응과 관련된 다양한 형태의 펄스가 존재한다)가 근막시스템을 통해 전달되면서 생기는 주기적인 반응이다. 그렇기 때문에 모틸러티는 근막시스템을 통해 모두 촉진가능하다. 치료사들은 몇 년 동안 관절 공간, 근육, 근막을 이완시키는 트레이닝을 한다. 여러분은 관찰 기법뿐만 아니라 촉진 기법까지 변화시키려고 노력을 해야 한다. 관절 공간을 열고 근육을 부드럽게 해주는 매우 선형적인 방식의 이완에만 경도된 치료사들이 많다. 하지만 모틸러티를 촉진하는 것은 근본적으로 다른 차원이다. 치료 속도를 늦추고 조직의 내적인 움직임에 동조해 촉진하면 모틸러티를 느낄 수 있다. 모틸러티 안의 모틸러티도 존재한다. 막의 모틸러티the motility of the fascia에 의해 표현되는 지성intelligence이 존재하기 때문이다.

우울과 불안에 시달리는 고객을 돕는 또 다른 접근법도 존재한다. 요즘엔 이런 치료법이 여러 가지 이유로 다양하게 적용되고 있다. 작업치료사는 근막이완요법으로 접근하기 힘든 부분에서 여러분을 도와 시간을 효율적으로 관리할 수 있게 해준다. 고객들 중에는 매우 간단한 관계맺기 기술이나 육아 기술을 배울 필요가 있는 이들도 있다. 요즘엔 예전에 비해 이런 것들을 배울 수 있는 기회가 많다. 에릭스 최면요법Ericsonian hypnotherpay도 도움이 된다. 임상 최면요법은 분노와 공포뿐만 아니라 다양한 문제를 해결할 수 있는 매우 훌륭한 치료법이다. 또한 기도와 명상이 도움이 되기도 한다. 신실한 기독교인 고객이라면 목회상담pastoral counseling도 매우 훌륭한 접근이 될 수 있다. 현대인들은 복잡한 형태의 원인에서 발생한 다양한 문제를 안고 살아간다. 도수치료의 효과를 증명하는 연구가 폭증하는 시대에 살고 있지만, 그러한 치료를 제공하는 치료사 또한 자신의 몸과 내적으로 연결된 마음을 지니고 살아가고 있다는 사실을 잊지 말기 바란다. 어떤 면에서 보면 여러분의 마음도 치료가 필요할 수 있는 것이다.

Chapter 20

근막이완요법과
체성, 정형학적 모델의 결합

Myofascial Release: Blending the Somatic and Orthopedic
Models by Michael J. Shea, Ph.D. and Dale Keyworth, P.T.

근막이완요법이 수십 년 동안 활용되어 왔는데도 이 기법에 대한 개념 설명이나 문헌 자료는 별로 많지 않다. 이 치료 시스템은 연부조직에 도수치료를 행하는 복잡한 기법들로 구성되어 있는데, 주로 요법을 행하는 치료사가 고객 신체의 해부학적, 기능적 측면, 그리고 신경학적 영향을 모니터하는 능력에 의존해 왔다. 근막이완요법은 미국의 정골요법가들에 의해 발전되었지만, 막fascia에 대해 중요한 임상적 유효성이 논의되면서부터 정골요법 분야에서 거의 분리되는 추세를 밟아왔다. 이러한 경향성은 1950년 이후부터이며 그 역사는 길지 않다.

– Ward, 1993, p. 225

근막이완요법을 배울 때 보통 인체의 연부조직, 특히 막을 다루는 포지셔닝 테크닉이나 스트로크 기법을 익히게 된다. 아이다 롤프 박사가 개발한 롤핑은 직접 테크닉으로 분류되고 근에너지 테크닉이나 스트레인/카운터스트레인은 간접 테크닉으로 분류된다(Greenman, 1989). 그리고 두개골 정골요법과 여기서 파생된 테크닉들은 어떤 때는 직접 테크닉 어떤 때는 간접 테크닉으로 구분된다. 포지셔닝 테크닉 안에 스트레인/카운터스트레인과 근에너지 테크닉이 포함되기도 한다. 관절운동학에서 활용되는 관절 생체역학 법칙이 가미되어 치료에 활용되면 근막이완 도수치료로 불리기도 한다. 직접이든 간접이든 일단 근막이완 테크닉을 선택했다면 기본적인 질문은 다음과 같다. "어떻게 해서 이렇게 다른 기법들을 구조화할 수 있겠는가?"

각 세션 초기엔 치료 전략에 따라 테크닉을 선별하곤 한다. 그리고 이 전략은 고객의 신체적, 감정적 상태 그리고 피드백에 기반하여 설정된다. 치료 전략은 상황에 적합하고 치료에 효과적인 관찰 기법을 개발하는 것을 핵심으로 한다. 외부에서, 특히 타인의 신체를 관찰할 때 80퍼센트는 뇌 안의 신경 네트워크에 의해 이루어지며 망막은 겨우 20퍼센트만 이에 관여한다(Varela, Thompson, &Rosch, 1992). 이러한 사실은 임상적으로 중요한 의미를 지니며, 고객을 관찰할 때 많은 생각을 불러 일으킨다. 치료사는 정상적인 몸이라면 이렇게 보여야 하고, 저렇게 움직이거나 동작을 행할 수 있어야 한다는 이론적 배경지식을 지니고 있다. 하지만 이런 생각은 고객의 개별적 신체 상태와 부합되지 못하는 경우가 많다. 치료사가 지닌 선입견은 고객 치료에 있어 의식적인 부분과 무의식적인 부분 모두에 영향을 미치기 때문이다.

근막이완을 통해 구조통합을 해나가는 과정에서 사용하는 관찰 기법이 때론 불완전하고, 애매모호한 것처럼 보일 때도 있다. 관찰 기법은 자기관찰selfobservation(치료사 개인의 감각, 느낌, 내적 사고를 살피는 것)을 기반으로 할 필요가 있다. 이에 대해서는 하이젠베르크가 이야기한 불확정성 원리를 살펴보는 것이 좋다. 이 이론에 따르면 관찰 대상에 변화를 주지 않고 무언가를 관찰할 수 없다고 한다. 그렇다면 치료사가 고객을 관찰하는 방식 자체가 고객에게 영향을 미칠 수 있다고 볼수 있다. 치료사들은 고객에 대해(이 사람은 매력적이다. 이 사람은 슬퍼보인다. 등등), 그리고 자기 자신에 대해(나는 피곤해, 난 집에 가고 싶어. 등등), 치료와 무관한 생각도 많이 하는데, 이러한 감각은 부수현상epiphenomenon으로 간주된다(Sheets-Johnstone, 1992). 보통 감각과 감정은 주관적이어서 종종 치료 세션에서 고객-치료사 관계와 별로 관련이 없는 것으로 치부되곤 한다. 하지만 개인적인 생각과 감정도 중요하며 치료사와 고객의 관계맺음에 영향을 미치는 요소이다.

먼저 고객의 근골격계를 치료하기 위해서는 대칭성이 있는 상태와 대칭성이 부족한 상태를 관찰을 통해 습득해야 한다. 치료사는 고객을 관찰한 후 한쪽 어깨가 높거나 한쪽 다리가 짧다, 또는 한쪽 골반이 더 높거나 머리가 중심선에서 벗어나 있다는 사실을 알아챈다. 하지만 발생학적인 발달 과정에서 보면 인체는 대칭적으로 디자인되어 있지 않다(Blechschmidt & Gasser, 1978). 인체는 모두 내적, 유기적, 좌우, 전후, 상하 구분되는 점이 있다(Dychtwald, 1977). 하지만 실제로 인체는 DNA와 RNA 이중나선 패턴을 모방하며 중심선에서부터 나선형 패턴으로 발달한다(Dart, 1950). 인체를 대칭적으로 보면서 정형학적 트라우마에 대한 정보를 얻을 수 있지만, 표피 아래에서 좀 더 면밀한 관찰을 하기 위해서는 소위 소프트시잉을 개발해야 한다. 소프트시잉이란 중추신경계, 자율신경계, 장신경계에 의해 드러나는 고객의 신체 증후를 파악하고, 이들 신경계가 막을 통해 스트레스, 쇼크, 트라우마를 매개하는 방식을 추적할 수 있는 관찰 기법의 일종이다. 소프트시잉으로 관찰해야 할 것에는 고객의 피부 색, 자세 톤, 급속안구운동, 근수축 패턴, 그리고 떨림, 전율, 호흡 변화, 목소리 패턴, 발한 등과 같은 미세한 움직임이 포함된다. 이들은 자율신경계가 방전되고 있거나 트라우마가 치유되며 통합되고 있음을 나타내는 징후로 볼 수 있다. 임상적으로 교감신경계가 항진되는 신호에 의해 부교감신경도 영향을 받는다. 부교감신경계 활동이 주도적으로 될수록 고객의 자율신경계엔 새로운 유연성이 확보된다. 부드러운 시선 기법은 고객이 치료 약속을 잡고 치료실로 들어오는 순간부터 적용되기 시작하며 본격적으로 근막이완요법을 시행하는 과정에서 핵심적인 기법으로 자리한다.

치료에 반응해 고객의 부교감신경계가 활성화되면서 자세 긴장이 줄어드는 것은 임상적으로 치료가 유효한 결과를 낳았다는 방증이다. 이를 알아차린 의료 전문가는 자신의 치료에 대해 안심하곤 한다. 앞에서 언급한 증상들은 고객이 앉아 있거나, 서 있거나, 아니면 치료 테이블에 누워 있는 것에 상관없이 쉽게 확인할 수 있다. 이러한 자율신경계 방전 패턴과 쇼크 트라우마가 풀리면서 발생하는 징후는 언어적으로 그리고 운동감각적으로 적절한 처치를 하면 통합의 길로 들어선다. 고객의 팔과 다리에서 몸의 중심부로 또는 중심부에서 시작하여 팔다리로 작은 움직임이라도 퍼져나간다면 이는 고무적인 현상으로 볼 수 있다. 이러한 속상수축(**근섬유다발수축**)이 발생하면 치료사는 입력 신호를 느리게 하고 접촉을 가볍게 해야 한다. 그러면 통합이 일어나게 해서 고객이 다시 트라우마를 당하는 위험을 피하게 해준다(Levine, 1997).

목표는 바로 치료가 통합되어 치료사가 고객과 환자를 새로운 눈으로 보고 새로운 손으로 대할 수 있도록 하는 것이다. 치료사는 각각의 고객을 호기심과 감사한 마음으로 바라보아야 하며, 단지 외적인 불균형을 찾으려고 해서는 안 된다. 그들의 감정과 신체를 통해 아직 표현되지 못한 메시지를 보려고 노력해야 한다. 치료사 자신의 개인적이고 주관적인 경험이 고객의 감정과 신체를 이해하고 치료하는데 중요한 역할을 한다. 특히 고객이 살아온 다양한 문화적 배경까지도 이해하고 포용할 수 있어야 한다. 예를 들어, 치료실 안에서 속옷을 입는 방식도 치료를 받는 고객이 살아온 환경에 따라 다를 수 있고, 때론 치료사를 당황케 할 수 있다. 하지만 이러한 당황과 혼란 또한 접근법을 달리할 수 있는 기회로 삼고, 치료사/고객 사이에서 형성된 에너지를 통합과 구조화를 통한 치료 과정에 포함시킬 수 있다. 치유 과정은 상호협력을 바탕으로 한다. 따라서 치료사가 사용하는 테크닉만큼 이러한 관계 또한 중요한 요소이다.

치료사의 개인적이고 주관적인 측면에 다음 세 가지 요소가 존재한다. 첫째가 당혹감이다. 혐오감, 지루함, 호기심, 욕망, 두려움, 그리고 열정과 같은 생각과 감정이 올라올 때 당혹감이 생길 수 있다. 둘째는 경외심이다. 고객은 각자 독특한 신체와 감정을 지니고 있기 때문에 이런 감정을 느낄 수 있다. 마지막은 물리적 균형보다는 심미적 균형과 관련되어 있다. 근막이완요법은 일종의 예술이며 치료사는 조각가에 비유할 수 있다. 고객을 위한 치료 계획을 구조화하여 치료 기반을 형성하는 것이 치료사가 할 일이다. 이게 바로 근막이완요법을 체성 모델로 이해하는 시작점이다.

체성 프로세스 워크somatic process work에서는 고객이 자신의 과거 경험을 어떻게 구조화시켰는지 그리고 어떻게 고객이 재구조화를 통해 새로운 구조를 형성했는지 살핀다. 고객이 자신의 몸을 뻗거나 되돌리는 방식에서 위축되면, 그의 신체 구조도 압박받거나 비틀린다. 이를 통해 형성된 정형화된 방식으로 고객은 세상에 자신의 욕구를 투사한다. 체성 프로세스 워크의 핵심은 이러한 근육—감정 패턴을 재구조화시키는 것이다. 이를 그라운딩이라 한다. 체성, 심리적, 그리고 감정적 과정에는 상상력, 사고, 느낌, 그리고 행동이 포함된다. 체성 프로세스 워크의 핵심 목표는 자신의 삶을 그 신체 안에서 경험하고, 감정의 형상을 현존하는 느낌과 함께 경험하며, 어떻게 이들이 조직화되었는지, 그리고 이와 연관된 의미와 기억을 알아차리는 것이다. 자신이 형성되는 과정을 안다는 것은 자신이 어떻게 경험을 체화하는지 아는 것이다(Keleman, 1986, pp. 63, 80).

근막이완요법을 할 때는 막시스템의 다양한 생물학적 원리와 특징에 대해 이해하는 것이 중요하다. 여기서 알아야 할 첫 번째 원리는 바로 막시스템은 전기적, 화학적, 자기적으로 소통하는 유기결정organic crystal 시스템이라는 사실이다(Oschman, 1993). 정형학적 부상, 스트레스, 쇼크, 트라우마를 겪게 되면 인체의 생전기자기적bioelectromagnetic 환경이 세포 수준에서부터 변하는데, 막과 같은 결정물질crystalline substance에 압력이 가해지면 해당 조직의 전기장이 변하게 된다. 이렇게 막의 결정격자crystalline lattice에 압력이 가해지면서 생기는 변화를 압전효과piezoelectric effect라 한다. 막은 반도체semiconductor이다. 그러므로 근막이완요법을 통해 막에 압력을 직접적으로 가해 해당 조직의 생전기자기적 환경을 변화시키거나 극적으로 개선시킬 수 있다.

막시스템은 인체의 모든 근육, 장부, 뼈를 둘러싸고 있으며 연결시킨다. 얕은 근막superficial fascia은 진피하층에서 하나로 연결된 막층을 이룬다. 발과 발목에 있는 지지대(지지띠)는 두툼한 막으로 인체의 깊은층과 얕은층에 있는 막을 연결하는 다리 역할을 한다. 막은 결합조직에 속하며, 아교섬유, 탄력섬유, 그물섬유 등을 포함하고 있다(Oschman, 1984, p. 7). 이 중에서 아교섬유collagen fiber는 네 개의 범주로 구분할 수 있다. Type I 아교 섬유는 성긴결합조직과 치밀결합조직에서 발견되며 가장 흔하다. Type II 아교섬유는 유리연골hyaline cartilage에서 발견되며, Type III 아교섬유는 태아의 진피와 동맥의 내벽에 존재한다. 그리고 Type IV 아교섬유는 세포 바닥막basement membrane에 존재한다(Grodin & Cantu, 1992). 인체에 있는 모든 세포의 핵은 미세관microtubules을 통해 바닥막의 벽까지 이어지고, 여기서 다시 막 자체의 아교섬유까지 구조적으로 연결되며 소통한다(Grodin & Cantu, 1992).

인체의 모든 결합조직은 바탕질로 이루어져 있다는 사실도 중요하다. 바탕질은 수분을 다량 함유하고 점성과 무정형성을 지닌 용액이며, 여기엔 아교섬유뿐만 아니라 섬유모세포같은 특수한 세포들도 포함되어 있다. 조직학적으로 보면 섬유모세포는 결합조직 안에서 주로 분비세포 역할을 하며, 바탕질뿐만 아니라 아교섬유, 탄력섬유, 그물섬유에도 존재한다. 바탕질은 영양물질을 확산시키고 노폐물질을 처리하는 기능을 하며, 박테리아나 다른 미생물들이 침투하지 못하도록 막는 기계적관문 역할도 한다. 이렇게 다양한 종류의 아교섬유와 바탕질을 합쳐서 세포외기질(세포바깥바탕질)이라 한다(Grodin & Cantu, 1992).

바탕질의 주된 구성 물질은 글리코사미노글리칸glycosaminoglycans과 물이다. 글리코사미노글리칸은 공식적으로는 산성점액다당류acid mucopolysaccharides로 명명된다. 이들은 황산화 그룹과 비황산화 그룹으로 나뉠 수 있고, 비황산화 그룹엔 히알루론산hyaluronic acid이 많으며 물과 결합한다. 결합조직은 약 70% 정도의 수분을 함유하고 있기 때문에, 이 수분 함량이 변하면 바탕질에 있는 섬유사이간격interfiber distance에 치명적인 영향을 미치게 된다. 연부조직에 상처가 생기면 바탕질에 탈수현상이 일어나고, 이로 인해 아교섬유가 서로 결합하여 겔-솔 관계gel-sol relationship를 형성한다. 막시스템에 정형학적 트라우마나 이와 연관된 스트레스가 발생해도 바탕질에 탈수화가 진행되며, 결국 아교섬유의 섬유사이간격이 짧아진다. 이 탈수화로 인해 바탕질은 아교glue 또는 겔gel과 같은 상태가 된다. 여기서 아교섬유가 서로 교차하기 시작하면 몸을 보호하기 위해 좀 더 단단하게 뭉치는데, 근막이완요법에 특정한 목적을 지닌 움직임을 가미하여 세션을 진행하면 바탕질의 탈수화를 되돌려 겔 상태를 용액 상태로 역전시킬 수 있다. 그러면 꼬인 아교섬유가 풀리며 섬유사이간격이 건강한 상태로 회복된다. 이건 바로 막이 지닌 겔-솔 관계 때문에 가능한 일이다. 임상적으로 부상이 있는 곳 주변의 피부와 막이 단단하고 건조하게 느껴지곤 하는데, 적절한 도수치료가 가해지면 조직에 가볍고 부드러운 느낌이 발생긴다. 바탕질에서 일어나는 이 모든 변화는 막의 생전기자기적 환경에서 기인한 것이다.

두 번째 원리는 막이 스트레스stress와 스트레인strain에 반응하는 유동시스템처럼 작용한다는 사실이다. 생명체에 스트레스와 스트레인이 가해지는 것을 생체유동학biorheology에서는 전단력shear force과 장력tension이라는 용어로 설명한다. 막은 아교섬유가 지닌 장력 때문에 비뉴턴형 유체/반고체non-Newtonian-type fluid/semi-solid 속성을 지니며 카오스 행동chaotic behavior을 드러낸다. 그렇기 때문에 이 막시스템에 스트레스가 가해지면 예측하기 어려운 결과가 발생할 수 있다. 다시 말해, 막시스템에 부상이 발생하면 국소적인 부위에서 뿐만 아니라 몸 전체 시스템에서 보상compensation 작용이 일어난다. 하지만 어떤 보상패턴compensatory patterns이 일어날지 예측하기긴 어렵다. 몸-내장Somato-visceral 상호작용과 내장-몸viscero-somatic 상호작용이 일어나는 곳은 척수 분절에만 한정되진 않는다. 내장 영향력은 체성 영향력과 함께 관련된 척수에서 만나며 척수의 다른 5개 분절까지 영향력이 미친다. 이 사실은 특정한 부상을 당했을 때 이게 확산되어 몸의 다양한 부위로 전해질 가성성이 다분하다는 뜻이다. 예를 들어, 만성 무릎통증과 같은 몸 문제는 방광, 간과 같은 내장 문제까지 일으킬 수 있으며, 이로 인해 눈과 다른 부위까지도 안 좋은 영향이 미칠 수 있다. 통각은 통증 감각인데 인체와 중추신경계에 광범위한 영향을 미치며 적응반응을 유발할 수 있다. 그러므로 몸의 특정 부위에 아주 작은 부상을 입더라도, 이 문제가 스트레스 상황을 야기하면 몸 전체 시스템에 정상보다 더 커다란 반향을 불러 일으킬 수 있다(Willard & Patterson, 1992). 예를 들어, 특정 내장 문제가 있는 고객은 발목이 삐고, 변비가 생기면 두통과 불면증에 시달릴 수 있다.

막과 관련된 세 번째 생물학적 원리는, 인체가 제거할 수 있는 것보다 더 많은 막을 생성할 수 있다는 것이다. 과학자들은 생명체가 환경에 빠르게 적응하는 패턴을 발전시키려는 경향성을 지닌 것을 진화 과정의 일부로 여긴다. 인체의 연부조직에 어떠한 종류의 손상이 일어나더라도 이를 치유하기 위해서는 조직이 짧아지고 단단해지는 과정을 겪는다. 이렇게 아교섬유가 뭉치는 변화는 상처를 입거나 비틀린 자세를 하고 나서 20분 이내에 일어난다. 이러한 비틀림의 시간이 오래될수록, 그리고 고정된 자세가 오래 유지될수록, 더 많은 아교섬유가 뭉쳐 더 새롭고 단단한 결합이 일어난다. 시간이 지남에 따라 이렇게 딱딱하게 뭉친 섬유가 손상을 입은 부위 위아래에 있는 관절로 퍼져나간다. 막은 위에서 아래로, 바깥에서 안으로, 다층의 연속체를 이루기 때문에 막이 뭉치면 몸 전체가 영향을 받는다. 이는 근막통증후군이 있을 때 반사적 현상이 일어나는 것을 설명해준다(Travell & Simons, 1992). 그렇기 때문에 몸 전체의 막시스템이 트라우마와 손상에 어떻게 보상, 적응하는지 아는 것이 근막이완 치료에서 중요한 요소이다.

근막제한fascial restrictions이 있는 부위를 이완시키는 전략은 막시스템의 기능적 분할 상태에 따라 달라진다. 또한 얼마나 적절한 접촉을 막시스템에 적용하느냐에 따라서도 달라진다. 막시스템에 접근하는 가장 쉬운 방법은 바로 얕은근막 레벨에서 시작하는 것이다. 얕은근막을 자유롭게 한 이후에 넓고 가벼운 접촉을 통해 깊은근막에 접근한다(Rolf, 1989). 깊은근막층은 깊은 부위의 자세지지근을 둘러싸면서 이어져 있다. 여기에는 다리뼈에 부착된 경골근(정강근)과 비골근(종아리근) 그룹, 경골(정강뼈)와 비골(종아리뼈) 사이에 있는 골막(뼈사이막), 엉덩-허리-횡격막ilio-psoas-diaphragm그룹, 종격(가슴세로칸), 소흉근(작은가슴근)과 견갑하근(어깨밑근), 사각근(목갈비근), 익상근(날개근), 그리고 뇌척수막이 포함된다.

근막이완 치료를 하는 중에 시간 관리를 이야기하자면, 보통 얕은근막superficial fascia에서 처음 20~30분을, 다음으로 깊은근막deep fascia에서 10~15분 정도를 투자한다. 그리고 치료 끝부분엔 다시 얕은근막으로 돌아와 해당 근막의 일부를 조직화시키는 통합근막을 다룬다. 보통 통합근막integrative fascia이란 척추세움근을 둘러싸고 있는 대부분의 척추옆근막paraspinal fascia을 가리킨다. 척추옆근막을 조직화시키면 생체역학적인 측면에서 치아인대와 경질막 연결을 통해 뇌와 척수뿐만 아니라 혈관과 림프관에도 직접적이며 긍정적인 효과를 줄 수 있다.

한 명의 고객에게도 다양한 형태의 치료 세션이 가능하지만, 세 개의 세션을 하나의 단위로 구성할 수도 있다. 세 개의 세션을 하나의 단위로 근막이완 치료에 적용할 때 가능한 옵션은 다음과 같다. 먼저 다리뼈와 골반대(다리이음뼈)에서 하나의 세션을 하고, 다음으로 견갑대(어깨이음뼈)와 어깨뼈에서, 그 다음엔 몸의 중심축과 척추에 특화된 세션을 해서 첫 번째 트라이애드triad 세션을 진행한다. 얕은근막에 세션 세 번, 깊은근막에 세션 세 번, 그리고 척추옆근막에 통합세션 세 번을 하는 방식으로 트라이애드 세션을 구성할 수도 있다. 이러한 트라이애드는 다양한 조합이 가능하다.

이제 인체를 조직화하는 또 다른 세 가지 컨셉을 소개하도록 하겠다. 첫 번째로 몸통을 중심으로 등쪽근막dorsal fascia과 배쪽근막ventral fascia은 스트레스를 받거나 손상을 당하면 가쪽으로 밀려나는 경향이 있다. 이게 의미하는 것은, 근막이완요법을 할 때 치료사들이 배부위와 가슴우리의 근막을 위쪽과 척추 방향으로 이완시켜야 자세톤postural tone을 회복시킬 수 있다는 뜻이다. 그런 다음 척추세움근 위쪽 근막은 안쪽과 아래쪽으로, 승모근(등세모근)에서 천골(엉치뼈)까지 이완시킨다.

두 번째로, 근막이완요법 치료사는 고객이 옆으로 누운 자세를 취하면 관상면을 따라 얕은근막에서 접근해야 최적의 결과를 얻을 수 있다. 여기서 관상면은 재단사가 양복이나 바지의 옆면에 표시한 솔기seam와 같은 역할을 하는데, 이 부위에서 모든 막성 "솔기"가 만난다. 특히 장골능(엉덩뼈능선)과 같은 뼈의 경계는 다양한 근막층이 만나는 부위이기 때문에 세션을 적용하기에 매우 이상적이다. 여기서 핵심적인 부위는 외과(가쪽복사), 비골두(종아리뼈머리), 대전자(큰돌기), 장골능(엉덩뼈능선), 늑골(갈비뼈), 상완골두(위팔뼈머리), 측두골의 유양돌기(관자뼈의 꼭지돌기), 두정골(마루뼈)

능선 등이다.

세 번째, 치료사는 근육 사이의 근막중격^{fascial septa}을 분리시켜 서로 적절히 미끄러지지 못하는 근육을 떼어내려는 의도를 가지고 세션을 진행해야 한다. 근막중격은 주머니와 같은 구조물로 여기엔 개개의 근육들이 담겨있다. 그런데 부상을 입게 되면 근막에 있는 바탕질의 겔-솔 관계 변화에 의해 중격이 서로 엉겨붙어 움직임을 제한한다. 다음으로, 다리, 팔, 몸통, 그리고 척추에 있는 다양한 지지띠에도 근막이완을 적용해야 한다. 척추기립근(척추세움근)을 잡아주는 후거근(뒤톱니근)도 지지띠 역할을 한다. 얕은근막과 깊은근막이 보통 지지띠가 있는 부위에서 만나는데, 여기서 지지띠는 해당 조직을 크게 잡아주는 역할을 한다. 따라서 얕은근막과 깊은근막의 결합부인 지지띠를 이완시키면 막의 움직임을 자유롭게하는데 크게 기여한다.

통합을 위한 치료를 할 때 중요하게 염두에 두어야 할 요소가 바로 주기적 이탈^{periodic disengagement}이다. 치료사는 고객의 몸에 직접적인 압력을 가하며 세션을 진행하다가도, 주기적으로 손을 떼고 고객이 2~3회 정도 호흡하는 모습을 관찰하여야 한다. 이렇게 적절한 시간에 휴식을 취하면 연부조직과 신경계 사이에 통합이 일어나고, 그 모습을 치료사가 관찰하는 과정에서 누적된 치료 효과를 평가할 수 있는 여유가 생긴다. 이렇게 주기적으로 휴식을 취하며 세션 속도를 조절해야 고객의 자율신경계가 적절히 통합되면서 트라우마가 재현되는 위험이 줄어든다(Levine, 1997). 근막이완을 통해 일어난 연부조직의 변화가 중추신경계와 말초신경계와 통합되기 위해서는 오랜 시간이 필요하다. 스트레스와 부상으로 인한 적응반응 때문에 연부조직과 자율신경계가 서로 통합되지 못하고 남는 경우가 흔하기 때문이다 (Patterson & Howell, 1989).

주기적으로 이탈의 시간을 가지면 고객을 머리에서 발끝까지 스캔하며 관찰하기 쉽다. 이때는 눈, 피부 색, 자세톤, 얼굴 표정, 턱의 상태, 사각근(목갈비근)의 긴장패턴, 머리의 굽힘, 몸통의 위치(특정 부위가 올라갔거나 내려갔는지 확인), 팔다리의 떨림, 복직근(배곧은근)의 수축, 그리고 골반의 안정성 등을 확인하면 된다. 이를 통해 자율신경계가 통합되고 있는지 아닌지 확인할 수 있다. 이런 징후를 확인하면, 치료사는 보통 세션 속도를 늦추거나, 조직에 접촉하여 압력을 가하는 중간에 좀 더 긴 시간을 투자해 휴식을 취하거나, 또는 압력 자체를 낮추는 것이 좋다. 물론 고객에게 접촉과 압력이 불편하게 느끼지지 않는지 직접 물어보고 피드백을 할 수도 있다. 그런 다음 고객이 하는 말보다는 그들이 보이는 반응에 주의를 집중해서 살펴라. 고객에게 질문을 할 때는 느낌이 어떠냐는 것보다 어디에서 감각이 느껴지는지 묻는 편이 더 낫다. 느낌에 대한 질문이 때론 고객이 답하기에 부담으로 다가올 수도 있기 때문이다. 느낌은 언어보다는 감각으로 처리된다. 치료사는 고객이 자신의 감각과 다시 연결될 수 있게 해야 한다. 덧붙여, "내버려두세요"라는 표현을 통해 고객이 자신의 몸에서 일어나는 현상을 자유롭게 탐험할 수 있는 여지를 줄 수도 있다. 예를 들어, "이 감각이 등으로 이동하도록 내버려 둘 수 있나요?", "이 감각이 엉덩이로 움직일 수 있도록 내버려 두세요!" 등과 같은 표현이면 좋다.

임상적으로 가동성이 떨어져 동결된 조직은 쇼크나 트라우마의 결과물일 수 있다(Levine, 1997). 흐물흐물한 조직이나 톤이 떨어진 조직 또한 쇼크나 트라우마의 결과물일 수 있다. 치료사는 때때로 고객이 얼마나 편안한지 그리고 몸에 어떤 느낌이 있는지 물어보고 체크하여야 한다. 쇼크나 트라우마가 발생하는 동안, 도피flight 또는 투쟁fight 반응이 막히면 유기체는 두 가지 선택을 한다. 첫 번째는 억제동결inhibitory freezing이라 부르는 선택이며, 이는 두려움에 몸이 딱딱하게 굳는 현상을 말한다. 억제동결 반응에 의해 연부조직이 짧아지면 순환 능력이 줄어든다(Levine, 1992). 그리고 이렇게 단축된 조직이 치료되지 않고 시간이 지나면, 걱정하는 마음 패턴의 영향으로 관련된 부위의 몸이 뻣뻣한 갑옷을 입은 것처럼 변한다(Reich,

1945).

쇼크나 트라우마가 생겼을 때 유기체가 하는 두 번째 선택은 바로 "죽은척하기"이다. 이 반응은 신경계 깊은 곳에 각인되어 있는데 동물의 세계에서는 꽤 자주볼 수 있다. 이는 "자는척하기"로도 알려져 있다. 몸이 붕괴되어 무방비 자세가 되면 연부조직의 톤이 떨어지는데, 이러한 상황 또한 심리학적인 측면과 연관이 있다. 이런 현상은 내인성 우울증endogenous depression을 앓고 있는 사람들에게서 흔히볼 수 있다(Herman, 1997). 쇼크나 트라우마를 겪었을 때 나타나는 억제동결 반응이나 포기 반응을 통해 생긴 문제는 근막시스템에 깊게 각인된다. 그런데 이 근막시스템은 느리고, 조용하고, 사려깊고, 적절한 속도로 진행되는 도수치료에 최적으로반응한다. 이러한 근막이완요법 접촉 기법은 치료사가 시행하는 접촉의 양, 질, 깊이, 방향, 그리고 지속시간에 따라 결정된다. 고객이 느리고, 목적이 있는 움직임으로 세션에 참여해주면 톤이 저하된 조직의 기능을 회복시키는 데에도 효과적이다. 고객이 세션에 의식적으로 참여해주는 비율이 높을수록 근막이완 성공 확률 또한커진다. 문제가 생긴 조직을 볼 때 톤을 중심으로 보는 것보다 형태를 중심으로 보는 방식이 상대적으로 비효율적인 결과를 가져온다.

직접적인 근막이완요법의 특징은 호흡이 함께 하는 접촉과 능동적인 움직임참여가 하나의 흐름으로 이어지는 것이다. 여기에 인지를 높이고, 상호작용을 형성하여, 최종적으로 통합을 이끌어내야 한다. 사실 고객이 치료 예약을 하는 순간 언어 이전의 어떠한 직관적인 생각과 느낌이 치료사에게 전달되며 접촉contact이 시작된다. 그리고 고객이 치료실로 들어오면 직접 손으로 조직을 촉진하는 단계로 자연스럽게 이어진다. 다음으로 치료사는 치료실에서 고객의 호흡을 관찰하며, 접촉 부위로 느리고 깊게 호흡을 할 수 있도록 요청한다. 고객의 호흡이 빨라진다는 것은아직 내재근으로 접근할 준비가 되지 않았거나 자율신경계가 항진되어 있음을 뜻한다. 치료사는 자신의 호흡을 확인하고 호흡패턴의 변화를 인지하여야 한다. 치료사의 호흡은 중요한 피드백 시스템을 형성한다. 치료사의 호흡에는 개인의 내적 상태뿐만 아니라 치료적 전이를 통해 고객의 상태도 전해지기 때문이다. 다음으로, 고객에게 요청하여 테크닉을 적용하는 부위로 관절을 가까이 움직이게 한다. 아이다 롤프는 이런 말을 했다. "조직을 해부학적으로 바른 위치로 가져가라. 그리고 움직임을 요청하라." 이러한 움직임이 신경계 통합을 촉진하고 긴장된 조직을 이완시키는데 영향을 미친다. 또한 때때로 과도하게 전해지는 감각을 부드럽게 해주기도 한다.

여기서 말한 일련의 단계를 통해 고객은 자신의 긴장패턴pattern of tension을 점점 잘 인지하게 된다. 그리고 이러한 인지가 높아지면 심리적 통합의 가능성 또한 커진다. 인지는 뇌의 운동감각피질 안에서 처리하는 감각뿐만 아니라 뇌와 몸 전체에 네트워크처럼 퍼진 신경에 의해 지각되고 느껴지는 감각이 증가하는 것을 말한다. 인지는 궁극적으로 구조화되고 의미 가득한 전체 경험을 의식하는 형태로 진화한다. 이를 게슈탈트 형성gestalt formation이라 한다(Perls, 1951). 인지를 계발시키기 위해서는 자신의 느낌과 감각에 의식을 집중하여야 한다. 이를 고객을 치료하는 것에 적용하게 되면, 좀 더 깊은 차원에서 통합을 이루고 기능 향상을 이끄는 것도 가능하다. 이를 좀 더 쉽게 표현하면, 치료가 끝난 고객이 좀 더 나은 걸음으로 걷거나 거의 한 달 정도 쌓인 분노를 이완시키게 된다는 의미이다. 고객이 인지를 어떻게 활용해 나은 결과를 얻을지는 예측하기 어렵다. 하지만 이게 바로 근막이완요법이 효과를 보는 방식이다. 근막이완요법을 통한 치료적 중재는 고객이 자신의 연부조직 시스템에 쌓아온 복잡한 패턴에 따라 결정된다. 이러한 패턴은 인체의 다른 시스템뿐만 아니라 고객이 현재 살아가고 있는 사회문화적 환경과도 중요한 관련을 맺고 있으며, 그들이 자신의 쇼크 트라우마를 지닌 채로 살아온 시간과도 연관되어 있다. 그렇기 때문에 막시스템을 치료하는 것은 고객의 삶에 다양한 층차로 빠르면서도 극적인 영향력을 미친다. 치료사는 근막이완요법의 기본 원리를 이해하고 몸에 대한 주관적인 통찰을 따라야 한다. 단지 테크닉을 적용하는 것을 넘어 좀 더 성공적인 임상 결과를 이끌어내야 한다.

지금까지 설명한 것은 근막이완요법의 체성 모델somatic model이다. 이 모델의 성과는 고객이 자신의 몸과 자기자신, 그리고 현재 살아가고 있는 사회적 맥락과 연계되어 있을 뿐만 아니라 치료사가 제공하는 테크닉의 속도, 깊이, 방향 같은 매우 구체적이고 실제적인 부분에도 영향을 받는다. 이렇게 체성 모델을 통해 접근하면 치료사와 고객사이에 존재하는 전이와 역전이 문제를 줄이는데 도움이 된다. 고객은 치료사가 새로운 방식의 접촉 기법으로 다가오고 환경을 감각적으로 설정해주었을 때 힘을 받는다. 직접 테크닉은 적절한 인지 능력과 미묘한 관찰 기술 없이 적용될 수 없다. 고객은 치료사가 적용하는 테크닉 속도를 늦춰야 할 때, 손을 떼야 할 때, 그리고 세션 자체를 뒤로 물려야 할 때를 말로 전달할 수 있어야 한다. 그러므로 치료사는 주관적인 감각, 떠오르는 생각과 이미지를 고객이 스스로 무시하거나 억누르지 않도록 세심하게 교육하여야만 한다. 물론 이러한 체성 모델에서는 감정적인 과정도 진행될 수 있는데, 이는 고객과 치료사 사이 관계에서 이차적으로 부각되는 주제이다(Jackson, 1994). 이 모델로 치료를 할 때 최고의 모토는, "찾지 말라, 금하지도 말라"이다. 고객의 신체를 치료하면서 의도적으로 감정적 이완 반응을 이끌어내는 것은 도수치료의 영역을 벗어난다. 하지만 바디워크, 특히 근막이완요법을 통한 치료가 적용되면 감정 이완이 일어나는 것처럼 보인다. 세션 중에 고객의 감정이 이완되는 모습을 보게 되면, 치료사는 공감하는 태도와 접근을 통해 감정적 반응을 허용함으로써 통합되게 해야 한다. 이러한 체성 모델에서 일차적으로 중요한 것은 치료에 대한 통찰, 감정적 명료함, 평가와 치료에 대한 감수성을 지니는 것이다(Johnson, 1986).

적절한 접촉Proper contact 또한 중요한 요소이다. 접촉은 고객과 이야기를 나누거나 단지 만지는 행위 이상의 그 무엇이다. "접촉하기 위해서는, 그라운딩이 되어야 하고, 적절한 경계가 있어야 하며, 제한되지 않은 호흡을 즐길 수 있어야 한다. 그리고 느낌에 접근할 수 있어야 하며, 현존하려는 의도도 지녀야 한다. 온전히 현존하려면, 자신의 기능적이며 지속적인 측면을 고려하라."(Conger, 1994, p.56). 선입견 없이, 조건화되지 않은 채로, 판단하지 않고 고객의 전체적인 측면과 접촉하는 것이야말로 이 모델의 핵심이며, 이러한 치료 원칙은 고객을 관찰하고 만지는 기법들의 근간을 이룬다. 근막이완은 단지 매개 수단일 뿐이다. 핵심 도구는 바로 고객이 표현하는 냉담함과 따스함에 따른 치료사 자신의 반응이다. 치료사는 이러한 반응을 이해하면서 고객을 대해야 한다(Keleman, 1986). 그 결과로 좀 더 빠르게 상처입은 조직을 치유할 수 있다.

이 글은 원래 하워스 메디컬 프레스Haworth Medical Press에서 출간된 근막이완요법 임상학술지Clinical Bulletin of Myofascial Therapy, Vol. 2, No. 1에 실렸었다.

역자 후기

제가 근막이완요법을 처음 배웠던 때가 2002년 월드컵이 있던 해였습니다. 당시 서울역 근처의 한 병원에 근무하고 있었는데, 환자를 치료하는 짬짬이 『근막경선론』을 읽다가 퇴근 후엔 머리에 띠를 두르고 축구 응원하러 나가던 모습이 떠오르네요. 그러고 보니 근막이완요법을 배우고 가르친 시간이 어언 20년을 넘어갑니다. 근막이완요법 이외에도 카이로프락틱, 관절운동학, 두개천골요법, 테이핑테라피, 등의 바디워크 기법들과 다양한 소마틱스 관련 기법들을 배우고 치료와 강의에 활용해 왔지만 여전히 제 애착 일 순위 테크닉은 근막이완요법입니다. 개인적으로 대부분의 연부조직 도수치료는 근막이완요법으로 귀결된다는 생각까지 가지고 있습니다.

이미 근막과 관련해서 중요한 이론서 중 하나인 『엔들리스웹』을 2015년에 번역해 출간한 후 구체적인 테크닉 관련 책을 한 권 물색하고 있었습니다. 강의 부교재로 활용할 수 있는 괜찮은 책이었으면 했죠. 여러 권을 비교한 끝에 마이클 시어의 이 책을 선정하게 되었습니다. 적어도 지금까지 나온 근막이완 테크닉 관련 책 중에서는 가장 정밀하고 통합적인 책이 아닐까 하는 생각을 해봅니다. 번역의 과정에서 저의 지난 20년간의 근막 탐구 여정을 되돌아보고 새로운 것도 정말 많이 배울 수 있어서, 힘들었지만 매우 충만한 시간이었습니다. 아마 다음 "엡사(자세체형 분

석과 전략교정) 강좌"부터는 이 책의 내용이 꽤 많이 인용될 듯 합니다.

2002년 물리치료사로 처음 임상에 나와 근막통증후근을 치료하는 기법과 테이핑테라피 등에 온통 관심을 가지고 있다가 접한 근막이완요법은 신세계였습니다. "막네트워크"라는 개념을 기반으로 인체를 연결된 관점에서 바라보고 치료할 수 있다는 사실에 큰 재미를 갖고 배우기 시작했었죠. 당시엔 토마스 마이어스의 『근막경선론』과 로버트 슐라입의 근막 관련 아티클들을 늘 옆에 끼고 살았었습니다. 나중에 강의를 시작한 이후에도 『근막경선론』의 근막 경선이론, 『엔들리스웹』의 근막 발생학과 근막 위선이론, 로버트 슐라입의 아티클들에 소개된 근막 가소성 이론은 아이다 롤프 박사의 『롤핑』에 보이는 인체분석론과 함께 제가 진행하는 강좌의 단골 주제였습니다. 시어 박사의 책에는 근막을 이완시키는 구체적인 방법과 근막에 대한 최신 지론, 그리고 근막이완을 하는 치료사의 자세와 마음 상태, 그리고 그 밖에도 쇼크, 트라우마, 자율신경계 방전, 전이와 역전이 등 다양한 주제의 글들이 담겨 있습니다. 근막이완에 관심이 있는 모든 분들께 매우 유용한 매뉴얼 역할을 해줄 것이라고 확신합니다.

그동안 소마틱스와 바디워크 관련 책 11권을 번역해 출간했는데, 늘 번역 용어와 관련해 고민이 많았습니다. 보건, 의료 분야만큼 번역 용어의 기준이 혼란한 영역도 없다는 생각을 자주 하곤 합니다. 이번 책의 번역엔 구용어와 신용어의 경계를 많이 허물었습니다. 근육이나 질병과 관련된 용어는 구용어를 기준으로 신용어를 적절히 병기하였고, 근막 이론과 관련된 내용을 번역할 때는 신용어를 기준으로 구용어를 상황에 맞게 병기하였습니다. 주로 『지제근 의학용어사전』과 네이버 사전을 비교해서 좀 더 활용도가 높다고 여겨지는 용어를 선택했습니다. 구용어와 신용어 어느 쪽에 익숙하신 분이라도 책을 읽고 이해하시는 데 큰 무리가 없으리라 생각합니다.

이 책을 통해 도수치료와 바디워크, 그리고 근막이완에 관심 있는 다양한 분야의 전문가들이 환자나 고객을 치료하고 관리할 때 작은 도움이라도 받으실 수 있길 기원합니다. 누군가의 건강을 위해 일하시는 여러분의 앞길에 늘 행운이 함께하길 기원합니다.

2022년 6월 6일 현충일
수원 소마코칭스튜디오에서

진성 **최광석**

▌참조 문헌

Arnason, B.G.W.(1993). The Sympathetic Nervous System and the Immune Response. In P.A. Low(Ed.), Clinical Autonomic Disorders(pp. 143-154). Boston, MA: Little, Brown and Company

Ayers, J.A.(1979). Sensory Integration and the Child. Los Angeles, CA: Western Psychological Services.

Bechara, A., & Naqvi, N.(2004). Listenign to Your Heart: Interoceptive Awareness as a Gateway to Feeling. Nature Neuroscience, 7(2), 102-103.

Blechschmidt, E., & Gasser, R.(1978). Biokinetics and Biodynamics of Human Differenciation: Principles and Applications. Springfield, IL: Charles C. Thomas.

BBlechschmidt, E., & Gasser, R.(2012). Biokinetics and Biodynamics of Human Differenciation: Principles and Applications, Revised Edition. Berkeley, CA: North Atlantic Books.

Boissonnault, W.G., & Bass, C.(1990). Pathological Origins of Trunk and Neck Pain: Part 1 - Pelvic and Abdominal Visceral Disorders. Journal of Orthopaedic and Sports Physical Therapy, 12(5), 192-202

Booth, R.J., & Ashbridge, K.R.(1993). A Fresh Look at the Relasionships between the Psyche and Immune System: Teleological Coherence and Harmony of Purpose. Advances, 9(2), 4-23

Bradshaw, J.(1988). Bradshaw: On the Family. Deerfield Beach, FL: Health Communications.

Camilleri, M.(1993). Autonomic Regulation of Gastrointestinal Motility. In P.A.Low(Ed.), Clinical Autonomic Disorders(pp. 125-132). Boston, MA: Little, Brown and Company.

Campbell, J.(1949). The Hero with a Thousand Faces. Princeton, NJ: Princeton University Press.

Cassidy, C.M.(1994). Unraveling the Ball of String: Reality, Paradigms and the Study of Alternative Medicine. Advances, 10(1), 5-31.

Conger, J.(1994). The Body in Recovery: Somatic Psychology and the Self. Berkeley, CA: Frog.

Conrad, E.(2007). Life on Land: The Story of Continuum, the World-Renowned Self-Discovery and Movement Method. Berkeley, CA: North Atlantic Books.

Cottingham, J. T.,(1985). Healing Through Touch. Boulder, CO: Rolf Institute.

Cottingham, J. T., Porges, S. W., & Lyon, T.(1988). Effects of Soft Tissue Mobilization on Parasympathetic Tone in Two Age Groups. Journal of the APTA, 68(3), 352-356.

Cottingham, J. T., Porges, S. W., & Richmond, K.(1988). Shifts in Pelvic Inclination Angle and Parasympathetic Tone Produced by Rolfing Soft Tissue Manipulation. Journal of the APTA, 68(9), 1364-1370

Criswell, E.(1989). How Yoga Works: An Introduction to Somatic Yoga. Novato, CA: Free Person Press.

Cunningham, A.(1955). Pies, Levels and Languages: Why the Contribution of Mind to Health and Disease Has Been Underestimated. Advances, 11(2), 4-30.

Dart, R. A.(1950). Voluntary Musculature in the Human Body: The Double-Spiral Arrangement. The British Journal of Physical Medicine, 13(12), 265-268.

Davidson, R. J., & Begley, S.(2012). The Emotional Life of Your Brain: How Its Unique Patterns Affect the Way You Think, Feel, and Live - and Live - and How You Can Change. London: Hudson Street Press.

Dossey, L.(1993). Healing Words: The Power of Prayer and the Practice of Meditation. San Francisco, CA: Harper Collins.

Dychtwald, K. (1977). Body Mind. Los Angeles, CA: Jeremy P. Tarcher.

Feitis, R., & Schultz, W.(1996). The Endless Web: Fascial Reality. Berkeley, CA: North Atlantic Books.

Feldenkrais, M.(1949). Body and Mature Behavior. Madison, CT: International Universities Press.

Findley, T. W., & Schleip, R.(2007). Fascia Research, Basic Science and Implications for Conventional and Complementary health Care. Munich: Elsevier GmbH.

Foreman, R. D.(1989). The Functional Organization of Visceral and Somatic Input to the Spinothalamic System. In M. M. Patterson & J. N. Howell(Eds.), The Central Connection: Somato Visceral/Vicero Somatic Interaction(pp. 178-202). Indianapolis, IN: American Academy of Osteopathy.

Foss, L.(1994). The Biomedical Paradigm, Psychoneuroimmunology, and the Black Four of Hearts. Advances, 10(1), 32-50.

Freedman, D. H.(1994). Quantum Consciousness. Discover, 15(6), 88-98.

Gardner, H. E.(1983). Frames of Mind: The Theory of Multiple Intelligences(2nd ed.). New York, NY: Basic

Books.

Gelhorn, E.(1957). Autonomic Imbalance and the Hypothalamus. Minneapolis, MN: University of Minnesota Press.

Gelhorn, E.(1960). The Tuning of the Autonomic Nervous System through the Alteration of the Internal Environment(Asphxia). Acta Neurologica, 20(4), 515-540.

Greenman, P.(1989). Principles of Manual Medicine. Baltimore, MD: Lippincott Williams & Wilkins.

Grodin, A. J., & Cantu, R. I.(1992). Myofascial Manual: Theory and Clinical Application. Gaithersburg, MD: Aspen Publishers.

Grof, S., & Grof, C.(Eds.).(1990). Spiritual Emergency: When Personal Transformation Becomes a Chrisis. Los Angeles, CA: Jeremy P. Tarcher.

Harman, W.(1995). Exploring the New Biology. Noetic Sciences Review, Summer, 29-33.

Harman, J. L.(1997). Trauma and Recovery: The Aftermath of Violence - From Domestic Abuse to Political Terror. New York, NY: Harper Collins.

Hillman, J.(1990). Myths of the Family(Part 1 and 2). Two audio cassettes. Available from Sound Horizons Audio, 250 West 57the St. #1527, New York, NY 10107.

Hoheisel, U., Taguchi, T., & Mense, S.(2012). Nociception: The Thoracolumbar Fascia as a Sensory Organ. In R. Schleip, T. W. Findley, L. Chaitow, & P. A. Huijing(Eds.), Fascia: The Tensional Network of the Human Body(pp. 95-101). London: Churchill Livingstone.

Horgan, J.(1994). Can Science Explain Consciousness? Scientific American, 217(1), 88-94.

Illich, I.(1976). Medical Nemesis: The Expropriation of Health. New York, NY: Random House.

Jackson, S. W.(1994). Catharsis and Abreaction in the History of Psychological Healing. Psychiatric Clinics of North America, 17(3), 471-491.

Johnson, D. H.(1983). Body: Recovering Our Sensual Wisdom. Berkeley, CA: North Atlantic Books.

Johnson, D. H.(1986). Principles vs Techniques: Towards the Unity of the Somatic Field. Somatics, VI(1), 4-9.

Johnson, D. H.(1994). Body, Spirit and Democracy. Berkeley, CA: North Atlantic Books & Somatic Resources.

Jung. C. G., von Franz, M. L., Henderson, J. L., Jacobi, J., & Jaffe, A.(1964). Man and His Symbols. New York, NY: Bantam.

Kabat-Zinn, J.(1985). The Clinical Use of Mindfulness Meditation for the Self-Regulation of Chronic Pain. Journal of Behavioral Medicine, 8(2), 163-190.

Katherine, A.(1991). Boundaries: Where You End and I Begin. New York, NY: Fireside/Parkside.

Keleman, S.(1985). Emotional Anatomy. Berkeley, CA: Center Press.

Keleman, S.(1986). Bonding: A Somatic-Emotional Approach to Transference. Berkeley, CA: Center Press.

Keleman, S.(1989). Patterns of Distress: Emotional Insults and Human Form. Berkeley, CA: Center Press.

Korr, I. M.(1979). The Collected Papers of Irvin M. Korr. Newark, OH: American Academy of Osteopathy.

Lakoff, G., & Johnson, M.(1980). Metaphors We Live By. Chicago, IL: University of Chicago Press.

Langevin, H. M., & Sherman, K.J. (2007). Pathophysiological Models for Chronic Low Back Pain Integrating Connective Tissue and Nervous System Mechanisms. Medical Hypotheses, 68(1), 74-80.

LeDoux, J.E.(1993). Emotional Networks in the Brain. In M. Lewis & J. M. Haviland(Eds.), Handbook of Emotions(pp. 109-118). New York, NY: Guilford Press.

Levine, P.(1986). Stress. In M.G. H. Coles, E. Donchin, & S.W. Porges(Eds.), Psychophysiology: System Processes, and Applications(pp. 331-353). New York, NY: Guilford Press.

Levine, P.(1991). The Body as Healer: Transforming Trauma and Anxiety. Lyons, CO: Ergos Institute(in press).

Levine, P.(1992). The Body as Healer: A Revisioning of Trauma and Anxiety. In M. Sheets-Johnson(Ed.), Giving the Body Its Due. Albany, NY: SUNY Press.

Levine, P.(1997). Waking the Tiger: Healing Trauma. Berkeley, CA: North Atlantic Books.

Levine, P.(2010). In and Unspoken Voice: How the Body Release Trauma and Restores Goodness. Berkeley, CA: North Atlantic Books.

Low, P. A.(Ed.). (1993). Clinical Autonomic Disorders. Boston, MA: Little, Brown and Company.

Lowen, A.(1958). The Language of the Body. New York, NY: Macmillan.

Ludwig, A. M.(1983). The Psychobiological Functions of Dissociation. American Journal of Clinical Hypnosis, 26(2), 93-99.

Macintosh, J. E., Bogduk, N., & Gracovetsky, S.(1987). The Biomechanics of the Thoracolumbar Fascia. Clinical Biomechanics, 26(2), 78-83.

Maitland, G.D.(1986). Vertebral Manipulation(5th ed.). Boston, MA: Reed Educational and Professional Publishing.

Maslow, A. H.(1970). Motivation and Personality(3rd ed.). New York, NY: Harper Collins.

Maslow, A. H.(1971). The Farther Reaches of Human Nature. New York, NY: Penguin.

Morgane, P. J.(1992). Hypothalamic Connection with Brainstem, Limbic and Endocrine Systems. In F. H. Willard & M. Patterson(Eds.), Nociception and the Neuroendocrine-Immune Connection(pp. 155-181). Athens, OH: University Classics.

Mulvihill, M. L. (1980). Human Diseases, A Systemic Approach(3rd ed.). Norwalk, CT: Appleton & Lange.

Olds, L. E.(1992). Metaphors of Interrelatedness: Towards a Systems Theory of Psychology. Albany, NY: Sunny Press.

Oschman, J. L.(1984). Structure and Properties of Ground Substances. American Zoology, 24(1), 199-215.

Oschman, J. L.(1989a). How Does the Body Maintain Its Shape? Part I: Metabolic Pathways. Rolf Lines, XVII(3), 27-29.

Oschman, J. L.(1989b). How Does the Body Maintain Its Shape? Part II: Neural and Biomechanical Pathways. Rolf Lines, XVII(4), 30-32.

Oschman, J. L.(1990). How Does the Body Maintain Its Shape? Part III: Conclusions. Rolf Lines, XVIII(1), 24-25.

Oschman, J. L.(1993). The Connective Tissue and Myofascial System. Available from Nature's Own Research Association, P.O. Box 5101, Dover, NH 03820.

Panjabi, M. M.(2006). A Hypothesis of Chronic Back Pain: Ligament Sub-failure Injuries Lead to Muscle Control Dysfunction. European Spine Journal, 15(5), 668-767.

Paoletti, S.(2006). The Fasciae: Anatomy, Dysfunction and Treatment. Seattle, WA: Eastland Press.

Patterson, M. M., & Howell, J. N.(1989). The Central Connection: Somatoviscera/Viscerosomatic Interaction. Paper presented at the 1989 International Symposium.
Perls, F. S.(1951). Gestalt Theory: Excitement and Growth in the Human Personality. New York, NY: Dell.

Pert, C.(1995). Candace Pert, Ph. D.: Neuropeptides, Aids, and the Science of Mind-Body Healing. Alternative Therapies, 1(3), 71-76.

Pert, C.(1997). Molecules of Emotion. New York, NY: Random House.

Pincus, T., & Callahan, L. F.(1995). What Explains the Associaiton between Socioeconomic Status and Health: Primary Medical Access or Mind-Body Variables? Advances, 11(1), 4-36.

Pollack, G.(2013). The Fourth Phase of Water: Beyond Solid, Liquid, and Vapor. Seattle, WA: Ebner & Sons.

Porges, S., Doussard-Roosevelt, J., & Maiti, A.(1994). Vagal tone and the Physiological Regulation of Emotion. Monograph of the Society for Research in Child Development, 59(2-3), 167-186.

Purtilo, R.(1993). Ethical Dimension in the Health Professions(2nd ed.). Philadelphia, PA: W. B. Saunders Company.

Putnam, F. W.(1993). Dissociative Phenomena. In D. Spielel(Ed.), Dissociative Disorders(pp. 1-16). Lutherville, MD: Sedran Press.

Ratner, S.(1979). The Dynamic State of Body Proteins. Annals of the New York Academy of Sciences, 325, 189-209.

Reich, W.(1945). Character Analysis. New York, NY: Simon & Schuster.

Reich, W.(1997). Character Analysis(3rd ed., V. Carfagno, Trans.). New York, NY: Farrar, Straus and Giroux.

Rolf, I. P.(1978). Ida Rolf Talks About Rolfing and Physical Reality. Boulder, CO: Rolf Institute.

Rolf, I. P.(1989). Rolfing. Rochester, VT: Healing Arts Press.

Rossi, E.(1986). The Psychology of Mind/Body Healing: New Concepts of Therapeutic Hypnosis. New York, NY: W. W. Norton.

Rubik, B., Becker, R. O., Flower, R. G., Hazlewood, C. F., Liboff, A. F., & Walleczek, J.(1994). Bioelectromagnetics Applicaions in Medicine. In Alternative Medicine: Expanding Medical Horizons, NIH Publication 94-006. Washington, DC: Government Printing Office.

Ruskin, A. P.(1979). Sphenopalatine(Nasal) Ganglion: Remote Effects Including "Psychosomatic" Symptoms, Rage Reaction, Pain and Spasm. Archives of Physical Medicine Rehabilitation, 60(8), 353-358.

Schimke, R. T., & Doyle, D.(1970). Control of Enzyme Levels in Animal Tissues. Annual Review of Biochemistry, 39, 929-976.

Schleip, R.(2003). Fascia Plasticity - A New Neurobiological Explanation. Part 1. Journal of Bodywork and Movement Therapies, 7(1), 11-19.

Schleip, R., & Jager, H.(2012). Interoception: A New Correlate for Intricate Connections between Fascial Receptors, Emotion and Self Recognition. In R. Schleip, T. W. Findley, L. Chaitow, & P. A. Huijing(Eds.), Fascia: The Tensional Network of the Human Body(pp. 89-94). London: Churchill Livingstone.

Schleip, R., Vleeming, A., Lehmann-Horn, F., & Klingler, W.(2007). Letter to the Editor Concerning "A Hypothesis of Chronic Back Pain: Ligament Subfailure Injuries Lead to Musclel Control Dysfunction"(M. Panjabi). European Spine Journal, 16(10), 1733-1735.

Schoenheimer, R.(1942). The Dynamic State of Body Constituents. Cambridge, MA: Harvard University Press.

Selye, H.(1976). The Stress of Life. New York, NY: McGraw-Hill.

Sheets-Johnstone, M.(Ed.).(1992). Giving the Body Its Due. Albany, NY: SUNY Press.

Siegel, D.(1999). The Developing Mind: Toward a Neurobiology of Interpersonal Experience. New York, NY: Guilford Press.

Siegel, D.(2010). Mindsight: The New Science of Personal Transformation. New York, NY: Bantam Books.

Solomon, G.(1993). An Important Theoretical Advance. Advances, 9(2), 31-39.

Sqoutas-Emch, S. A., Glaser, R., & Kiecolt-Glaser, J.(1992). No. 155-178. Psychological Influences on Immune and Endocrine Function. In F. H. Willard & M. Patterson(Eds.), Nociception and the Neuroendocrine-Immune Connection(pp. 294-312). Athens, OH: University Classics.

Stecco, C., Gagery, O., Belloni, A., Pozzuoli, A., Porzionato, A., Macchi, V., et al.(2007). Anatomy of the Deep Fascia of the Upper Limb. Second Part: Study of Innervation. Morphologie, 91(292), 38-43.

Taylor, K.(1995). The Ethics of Caring, Honoring the Web of Life in Our Professional Healing Relationships(2nd ed.). Santa Cruz, CA: Hanford Mead Publishers.

Trager, M., Guadagno-Hammond, C., & Turnley Walker, T.(1987). Trager Mentastics: Movement as a Way to Agelessness. Barrytown, NY: Station Hill Press.

Travell, J. G., & Simons, D. G.(1992). Myofascial Pain and Dysfunction: The Trigger Point Manual: Vol. 2 The Lower Extremities. Philadelphia, PA: Lippincott Williams & Wilkins.

Travell, J. G., & Simons, D. G.(1998). Myofascial Pain and Dysfunction: The Trigger Point Manual: Vol. 1 The Upper Half of the Body(2nd ed.). Los Angeles, CA: Lippincott Williams & Wilkins.

Trungpa, C.(1980). Becoming a Full Human Being. Naropa Institute Journal of Psychology, 1, 4-20.

Van der Kolk, B.(Producer). (2012). Howe Trauma Traps Survivors in the Past - A Look at Trauma Therapy.

Varela, F., Thompson, E., & Rosch, E.(1992). The Embodied Mind: Cognitive Science and Human Experience. Cambridge, MA: MIT Press.

Ward, R. C.(1993). Myofascial Release Concepts. In J. V. Basmajian & R. E. Nyberg(Eds.), Rational Manual Therapies. Baltimore, MD: Lippincott Williams & Wilkins.

Weiner, H.(1992). Perturbing the Organism. Chicago, IL: University of Chicago Press.

Willard, F. H., & Patterson, M. M.(1992) Nociception and the Neuroendocrine-Immune Connection. Paper presented at the 1992 International Symposium.

Wolfstein, B.(Ed.). (1998). Essential Papers on Counter-Transference. New York, NY: New York University Press.